6·2

Chunjae
Makes
Chunjae

▼

[수학 단원평가]

기획총괄	박금옥
편집개발	지유경, 정소현, 조선영 최윤석, 김장미, 유혜지
디자인총괄	김희정
표지디자인	윤순미, 여화경
내지디자인	박희춘
제작	황성진, 조규영

발행일	2022년 4월 15일 2판 2024년 4월 15일 3쇄
발행인	(주)천재교육
주소	서울시 금천구 가산로9길 54
신고번호	제2001-000018호
고객센터	1577-0902

CONTENTS

1

분수의 나눗셈

1 단원 개념정리

분수의 나눗셈

개념 1 분모가 같은 (분수)÷(분수) (1)

● $\frac{3}{5} \div \frac{1}{5}$의 계산

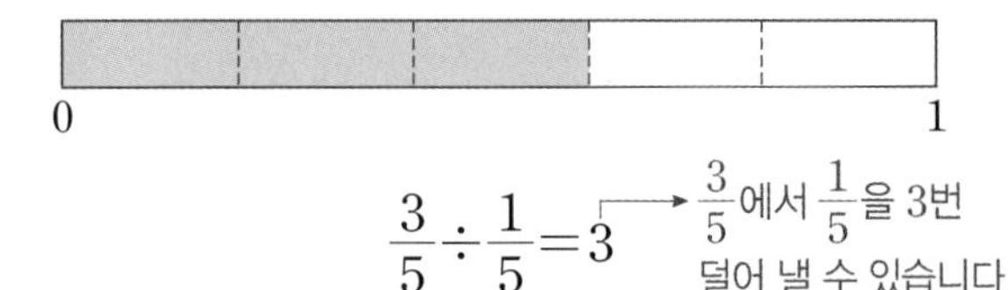

$\frac{3}{5} \div \frac{1}{5} = 3$ → $\frac{3}{5}$에서 $\frac{1}{5}$을 3번 덜어 낼 수 있습니다.

● $\frac{4}{5} \div \frac{2}{5}$의 계산

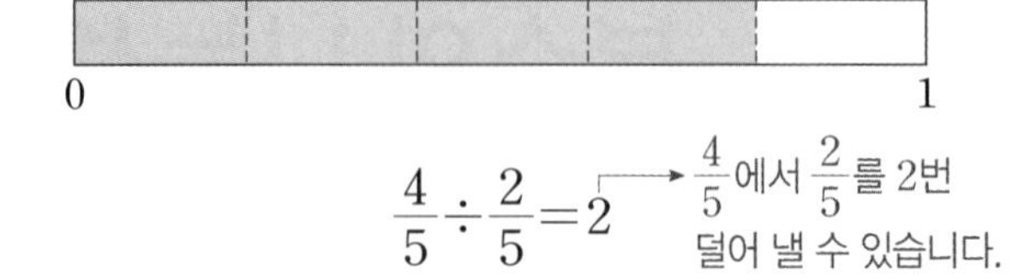

$\frac{4}{5} \div \frac{2}{5} = 2$ → $\frac{4}{5}$에서 $\frac{2}{5}$를 2번 덜어 낼 수 있습니다.

$\frac{▲}{■} \div \frac{●}{■}$는 $\frac{1}{■}$이 ▲개, $\frac{1}{■}$이 ●개이므로 ▲÷●로 계산합니다.

개념 2 분모가 같은 (분수)÷(분수) (2)

● $\frac{7}{8} \div \frac{2}{8}$의 계산

7÷2

$\frac{7}{8} \div \frac{2}{8}$ 0 1

$$\frac{7}{8} \div \frac{2}{8} = 7 \div 2 = \frac{7}{2} = 3\frac{1}{2}$$

$$\frac{▲}{■} \div \frac{●}{■} = ▲ \div ● = \frac{▲}{●}$$

개념 3 분모가 다른 (분수)÷(분수)

● $\frac{7}{10} \div \frac{2}{5}$의 계산

$$\frac{7}{10} \div \frac{2}{5} = \frac{7}{10} \div \frac{4}{10} = 7 \div 4 = \frac{7}{4} = ❶\square$$

분모를 같게 통분하기 / 분자끼리 나누어 구하기

개념 4 (자연수)÷(분수)

● $4 \div \frac{2}{5}$의 계산

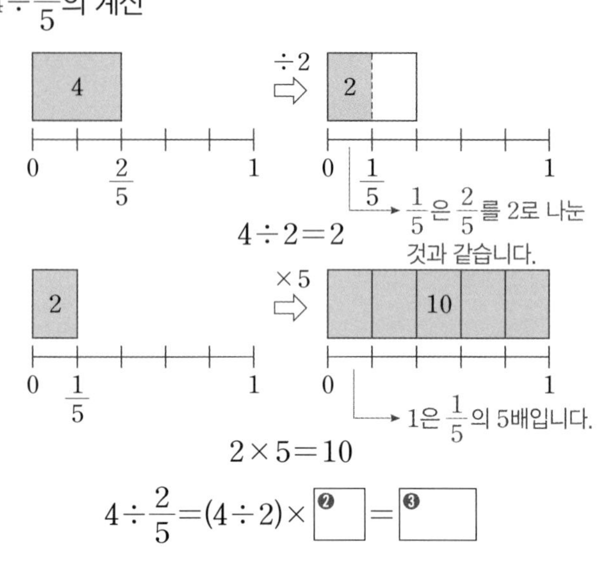

$$4 \div \frac{2}{5} = (4 \div 2) \times ❷\square = ❸\square$$

개념 5 (분수)÷(분수)를 (분수)×(분수)로 나타내기

● $\frac{4}{9} \div \frac{2}{7}$의 계산

나눗셈을 곱셈으로 나타내기

$$\frac{4}{9} \div \frac{2}{7} = \frac{4}{9} \times \frac{7}{❹\square} = \frac{14}{9} = 1\frac{5}{9}$$

나누는 분수의 분모와 분자 바꾸기

개념 6 (분수)÷(분수)를 계산하기

● $3\frac{1}{2} \div \frac{2}{3}$의 계산

대분수를 가분수로 나타낸 후 계산합니다.

방법 1 분모를 같게 하여 계산하기

$$3\frac{1}{2} \div \frac{2}{3} = \frac{7}{2} \div \frac{2}{3} = \frac{❺\square}{6} \div \frac{4}{6}$$

$$= 21 \div 4 = \frac{21}{4} = 5\frac{1}{4}$$

방법 2 분수의 곱셈으로 계산하기

$$3\frac{1}{2} \div \frac{2}{3} = \frac{7}{2} \div \frac{2}{3} = \frac{7}{2} \times \frac{3}{2} = \frac{21}{4} = 5\frac{1}{4}$$

| 정답 | ❶ $1\frac{3}{4}$ ❷ 5 ❸ 10 ❹ 2 ❺ 21

스피드 정답표 1쪽, 정답 및 풀이 16쪽

[01~02] 그림을 보고 □ 안에 알맞은 수를 써넣으세요.

01

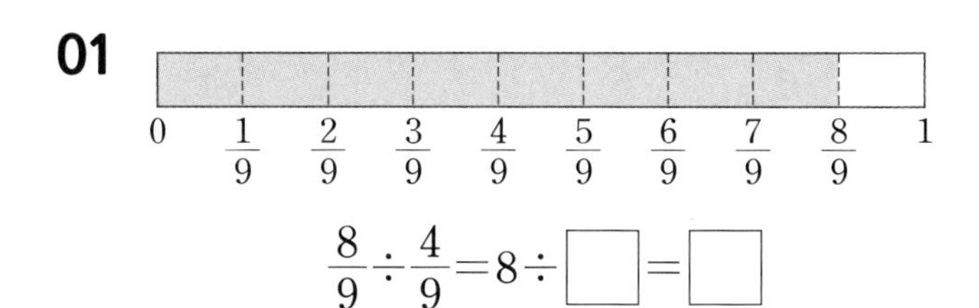

$\frac{8}{9} \div \frac{4}{9} = 8 \div \square = \square$

02

0　　　　　　　　　　　　　　1

$\frac{4}{5} \div \frac{3}{5} = \square \div \square = \square$

03 □ 안에 알맞은 수를 써넣으세요.

$\frac{9}{14}$는 $\frac{1}{14}$이 □개이고 $\frac{3}{14}$은 $\frac{1}{14}$이 □개이므로 $\frac{9}{14} \div \frac{3}{14} = \square$입니다.

[04~05] □ 안에 알맞은 수를 써넣으세요.

04 $\frac{15}{16} \div \frac{3}{16} = 15 \div \square = \square$

05 $\frac{5}{6} \div \frac{3}{6} = 5 \div \square = \square$

[06~08] 계산해 보세요.

06 $\frac{5}{6} \div \frac{1}{6}$

07 $\frac{11}{12} \div \frac{7}{12}$

08 $\frac{5}{8} \div \frac{3}{8}$

[09~10] 계산 결과를 비교하여 ○ 안에 >, =, < 를 알맞게 써넣으세요.

09 $\frac{6}{17} \div \frac{3}{17}$ ○ $\frac{6}{25} \div \frac{3}{25}$

10 $\frac{5}{11} \div \frac{4}{11}$ ○ $\frac{5}{8} \div \frac{1}{8}$

▶ 분모가 다른 (분수)÷(분수)

스피드 정답표 1쪽, 정답 및 풀이 16쪽

[01~02] 그림을 보고 □ 안에 알맞은 수를 써넣으세요.

01

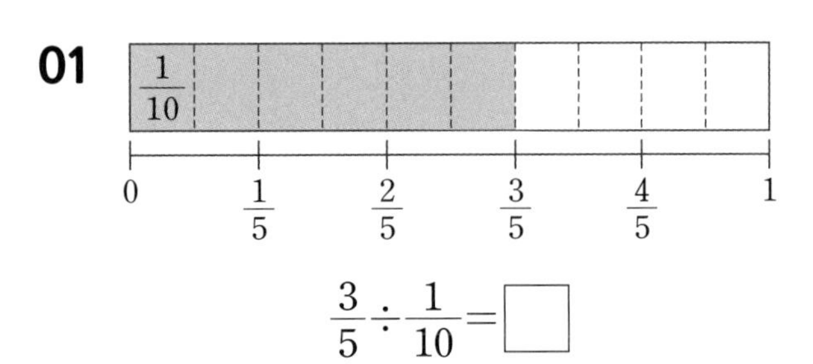

$\frac{3}{5} \div \frac{1}{10} = \square$

02

$\frac{2}{3} \div \frac{1}{12} = \square$

[03~05] □ 안에 알맞은 수를 써넣으세요.

03 $\frac{3}{8} \div \frac{1}{6} = \frac{9}{24} \div \frac{\square}{24}$

$= 9 \div \square = \frac{\square}{\square} = \square$

04 $\frac{12}{14} \div \frac{2}{7} = \frac{\square}{14} \div \frac{4}{14}$

$= \square \div 4 = \square$

05 $\frac{2}{5} \div \frac{3}{15} = \frac{6}{15} \div \frac{\square}{15}$

$= 6 \div \square = \square$

[06~08] | 보기 |와 같은 방법으로 계산해 보세요.

| 보기 |

$\frac{5}{6} \div \frac{2}{3} = \frac{5}{6} \div \frac{4}{6} = 5 \div 4 = \frac{5}{4} = 1\frac{1}{4}$

06 $\frac{7}{15} \div \frac{7}{30}$

07 $\frac{33}{40} \div \frac{5}{8}$

08 $\frac{11}{12} \div \frac{5}{6}$

[09~10] 계산해 보세요.

09 $\frac{3}{4} \div \frac{3}{8}$

10 $\frac{1}{4} \div \frac{1}{12}$

▶ (자연수)÷(분수), (분수)÷(분수)를 (분수)×(분수)로 나타내기

스피드 정답표 1쪽, 정답 및 풀이 16쪽

[01~02] □ 안에 알맞은 수를 써넣으세요.

01 $8\div\frac{2}{5}=(8\div\square)\times5=\square$

02 $12\div\frac{6}{7}=(12\div\square)\times7=\square$

[03~05] 보기 와 같은 방법으로 계산해 보세요.

보기

$26\div\frac{2}{3}=(26\div2)\times3=39$

03 $6\div\frac{3}{5}$

04 $14\div\frac{7}{10}$

05 $27\div\frac{9}{11}$

[06~07] □ 안에 알맞은 수를 써넣어 나눗셈식을 곱셈식으로 나타내어 보세요.

06 $\frac{5}{7}\div\frac{2}{3}=\frac{5}{7}\times\frac{\square}{\square}$

07 $\frac{8}{17}\div\frac{5}{9}=\frac{8}{17}\times\frac{\square}{\square}$

[08~10] 계산하여 기약분수로 나타내어 보세요.

08 $\frac{4}{5}\div\frac{1}{2}$

09 $\frac{2}{3}\div\frac{8}{9}$

10 $\frac{5}{16}\div\frac{5}{8}$

▶ (분수)÷(분수)를 계산하기

스피드 정답표 1쪽, 정답 및 풀이 16쪽

[01~02] 분수의 나눗셈을 두 가지 방법으로 구하려고 합니다. □ 안에 알맞은 수를 써넣으세요.

01 방법 1 $\frac{3}{5}\div\frac{2}{5}=\square\div\square=\frac{\square}{2}=\square$

방법 2 $\frac{3}{5}\div\frac{2}{5}=\frac{3}{5}\times\frac{\square}{\square}=\frac{\square}{2}=\square$

02 방법 1 $\frac{7}{3}\div\frac{7}{4}=\frac{\square}{12}\div\frac{21}{12}$

$=\square\div21$

$=\frac{\square}{21}=\frac{\square}{3}=\square$

방법 2 $\frac{7}{3}\div\frac{7}{4}=\frac{7}{3}\times\frac{\square}{\square}$

$=\frac{\square}{3}=\square$

[03~04] | 보기 |와 같은 방법으로 계산해 보세요.

| 보기 |

$3\frac{1}{2}\div7=\frac{7}{2}\div7=\frac{\overset{1}{\cancel{7}}}{2}\times\frac{1}{\underset{1}{\cancel{7}}}=\frac{1}{2}$

03 $4\frac{1}{5}\div\frac{7}{8}$

04 $2\frac{6}{7}\div\frac{5}{21}$

[05~10] 계산하여 기약분수로 나타내어 보세요.

05 $\frac{5}{6}\div\frac{2}{5}$

06 $\frac{3}{11}\div\frac{5}{8}$

07 $\frac{2}{15}\div\frac{8}{9}$

08 $4\frac{4}{9}\div\frac{10}{13}$

09 $3\frac{1}{2}\div\frac{3}{4}$

10 $5\frac{1}{4}\div\frac{7}{12}$

단원평가 1회

스피드 정답표 1쪽, 정답 및 풀이 16쪽

01 그림을 보고 □ 안에 알맞은 수를 써넣으세요.

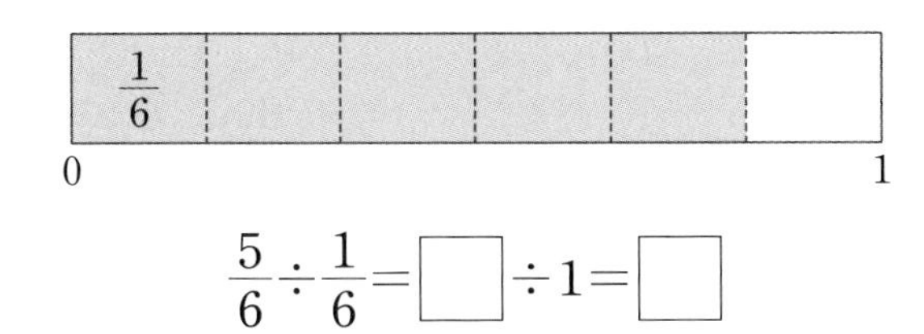

$\frac{5}{6} \div \frac{1}{6} = \square \div 1 = \square$

02 □ 안에 알맞은 수를 써넣으세요.

$\frac{6}{7} \div \frac{2}{7} = 6 \div \square = \square$

03 $\frac{2}{3}$에는 $\frac{2}{15}$가 몇 번 들어가는지 그림에 나타내고 □ 안에 알맞은 수를 써넣으세요.

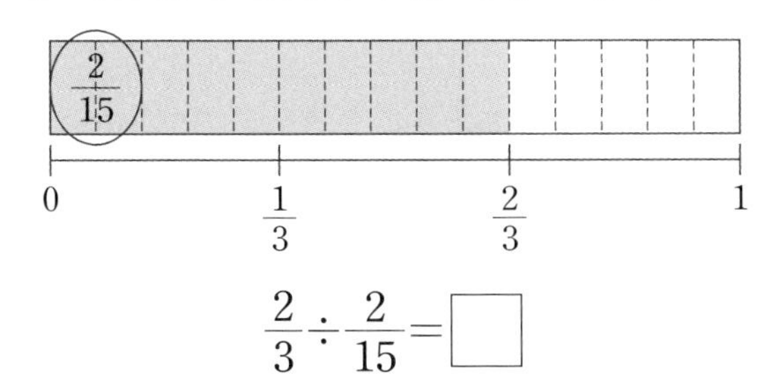

$\frac{2}{3} \div \frac{2}{15} = \square$

04 분모를 같게 하여 계산하려고 합니다. □ 안에 알맞은 수를 써넣으세요.

$\frac{5}{8} \div \frac{3}{16} = \frac{\square}{\square} \div \frac{3}{16} = \square \div 3$

$= \frac{\square}{3} = \square\frac{\square}{\square}$

[05~06] □ 안에 알맞은 수를 써넣으세요.

05 $8 \div \frac{4}{5} = (8 \div \square) \times 5 = \square$

06 $1\frac{1}{4} \div 1\frac{1}{2} = \frac{5}{4} \div \frac{\square}{2} = \frac{5}{4} \times \frac{2}{\square}$

$= \frac{\overset{\square}{\cancel{10}}}{\underset{6}{\cancel{12}}} = \square$

07 보기와 같은 방법으로 계산해 보세요.

보기

$\frac{16}{21} \div \frac{4}{7} = \frac{\overset{4}{\cancel{16}}}{\underset{3}{\cancel{21}}} \times \frac{\overset{1}{\cancel{7}}}{\underset{1}{\cancel{4}}} = \frac{4}{3} = 1\frac{1}{3}$

$\frac{15}{16} \div \frac{9}{20}$ ____________________

[08~09] 계산하여 기약분수로 나타내어 보세요.

08 $\frac{5}{9} \div \frac{10}{13}$

09 $\frac{3}{8} \div \frac{2}{7}$

10 □ 안에 알맞은 기약분수를 써넣으세요.

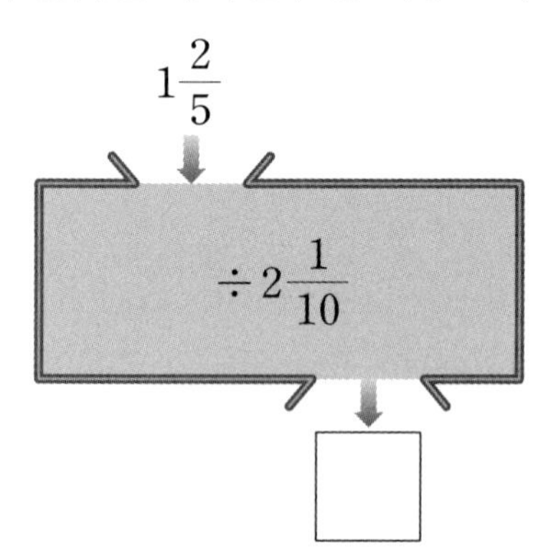

11 계산 결과를 비교하여 ○ 안에 >, =, <를 알맞게 써넣으세요.

$$14 \div \frac{7}{8} \bigcirc 10 \div \frac{5}{11}$$

12 계산 결과가 자연수인 것은 어느 것일까요? ( )

① $\frac{3}{7} \div \frac{6}{7}$ ② $\frac{2}{5} \div \frac{4}{5}$
③ $\frac{5}{9} \div \frac{7}{9}$ ④ $\frac{8}{13} \div \frac{4}{13}$
⑤ $\frac{7}{16} \div \frac{11}{16}$

13 ㉠÷㉡의 값을 기약분수로 나타내어 보세요.

㉠ $\frac{3}{4}$	㉡ $\frac{6}{7}$

( )

14 다음은 분수의 나눗셈을 잘못 계산한 것입니다. 계산이 잘못된 곳을 찾아 바르게 고쳐 계산해 보세요.

$$1\frac{5}{6} \div \frac{5}{7} = 1\frac{5}{6} \times \frac{5}{7} = \frac{11}{6} \times \frac{5}{7}$$
$$= \frac{55}{42} = 1\frac{13}{42}$$

$1\frac{5}{6} \div \frac{5}{7}$ ____________________

15 계산 결과가 더 큰 것을 찾아 기호를 써 보세요.

㉠ $21 \div \frac{7}{8}$　　㉡ $12 \div \frac{4}{9}$

(　　　　　　　　　　)

16 빈칸에 알맞은 기약분수를 써넣으세요.

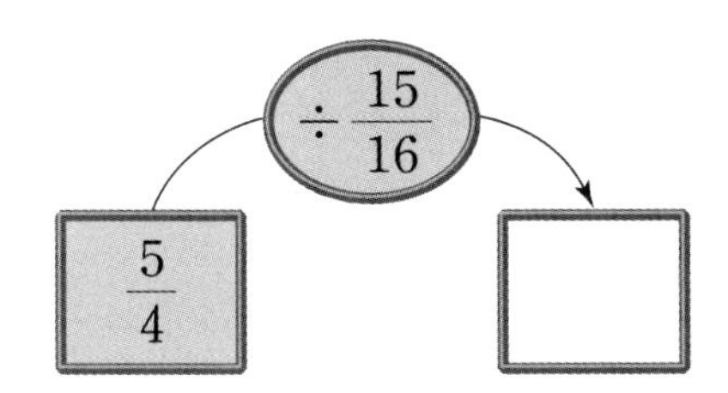

17 관계있는 것끼리 선으로 이어 보세요.

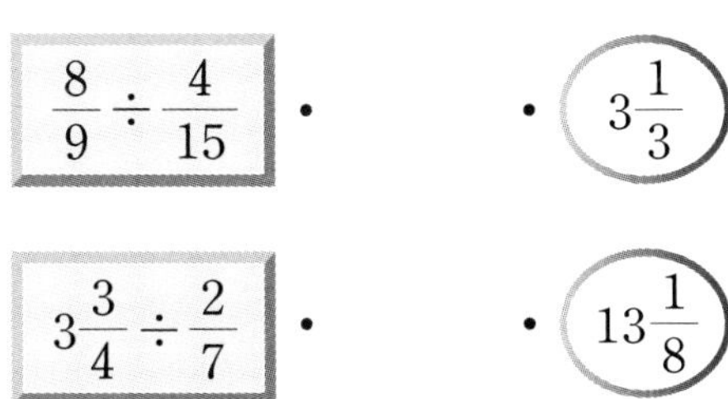

18 □ 안에 알맞은 수를 써넣으세요.

$\square \times \frac{3}{4} = \frac{5}{21}$

19 큰 수를 작은 수로 나눈 몫을 기약분수로 나타내어 보세요.

5　　$\frac{10}{13}$

(　　　　　　　　　　)

20 우유 $1\frac{1}{9}$ L가 있습니다. 이 우유를 지혜가 매일 $\frac{2}{9}$ L씩 마신다면 며칠 동안 마실 수 있을까요?

(　　　　　　　　　　)

분수의 나눗셈

점수

스피드 정답표 2쪽, 정답 및 풀이 17쪽

01 □ 안에 알맞은 수를 써넣으세요.

$\frac{8}{9}$은 $\frac{1}{9}$이 □개이고

$\frac{4}{9}$는 $\frac{1}{9}$이 □개이므로

$\frac{8}{9} \div \frac{4}{9} = \square$입니다.

[02~03] 수박 $\frac{2}{3}$통의 무게가 4 kg일 때 수박 1통의 무게를 구하려고 합니다. 물음에 답하세요.

02 수박 1통의 무게를 구하는 과정입니다. □ 안에 알맞은 수를 써넣으세요.

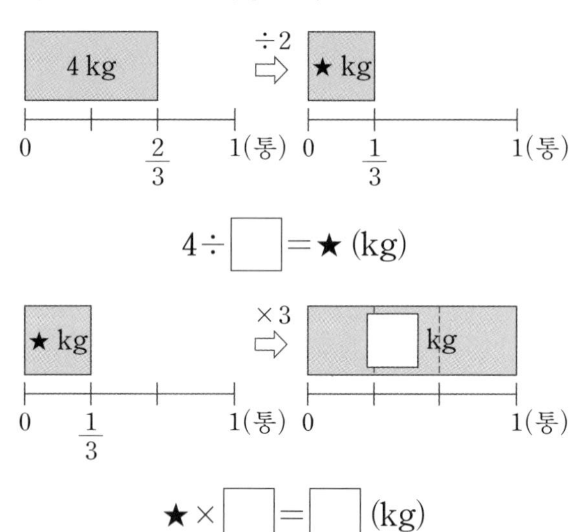

$\bigstar \times \square = \square$ (kg)

03 □ 안에 알맞은 수를 써넣으세요.

(수박 1통의 무게)

$= 4 \div \frac{2}{3} = (4 \div \square) \times \square = \square$ (kg)

04 그림을 보고 □ 안에 알맞은 수를 써넣으세요.

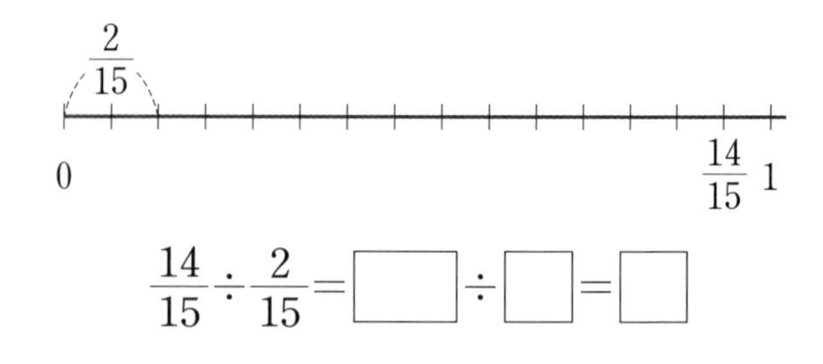

$\frac{14}{15} \div \frac{2}{15} = \square \div \square = \square$

05 □ 안에 알맞은 수를 써넣어 곱셈식으로 나타내어 보세요.

$\frac{3}{8} \div \frac{2}{5} = \frac{3}{8} \times \frac{1}{\square} \times 5 = \frac{3}{8} \times \frac{\square}{\square}$

[06~07] 계산하여 기약분수로 나타내어 보세요.

06 $\frac{8}{15} \div \frac{4}{15}$

07 $\frac{2}{9} \div \frac{8}{45}$

[08~09] 보기 와 같은 방법으로 계산해 보세요.

보기

$3\frac{1}{3}\div\frac{5}{6}=\frac{10}{3}\div\frac{5}{6}=\frac{\overset{2}{\cancel{10}}}{\underset{1}{\cancel{3}}}\times\frac{\overset{2}{\cancel{6}}}{\underset{1}{\cancel{5}}}=4$

08 $2\frac{1}{4}\div\frac{3}{5}$

09 $6\frac{1}{2}\div\frac{4}{5}$

10 빈칸에 알맞은 기약분수를 써넣으세요.

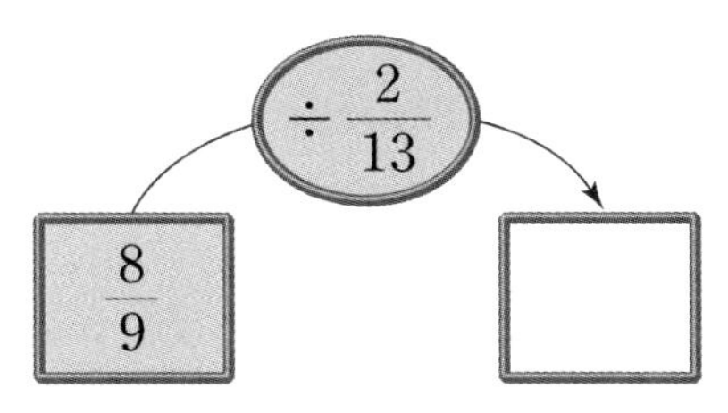

11 큰 수를 작은 수로 나눈 몫을 구하세요.

$\frac{9}{11}$ 18

(　　　　　　)

12 ㉠, ㉡, ㉢에 알맞은 수의 합을 구하세요.

$\frac{7}{2}\div\frac{5}{8}=\frac{7}{2}\times\frac{㉡}{㉠}=5\frac{3}{㉢}$

(　　　　　　)

13 빈칸에 알맞은 기약분수를 써넣으세요.

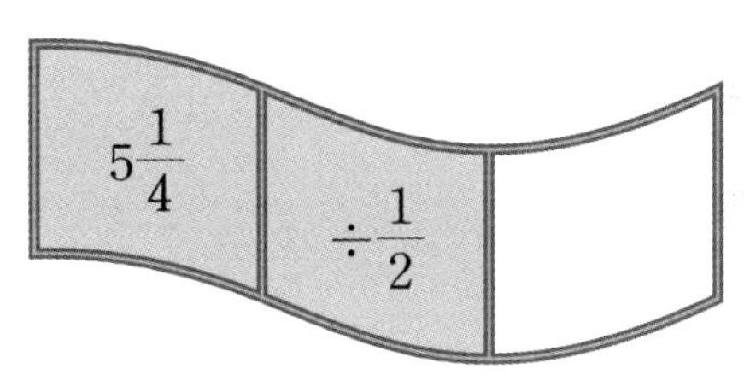

14 계산 결과를 비교하여 ○ 안에 >, =, <를 알맞게 써넣으세요.

$15\div\frac{3}{8}$ ○ $3\frac{7}{16}\div\frac{1}{4}$

15 상우와 지혜 중에서 나눗셈을 바르게 한 사람은 누구일까요?

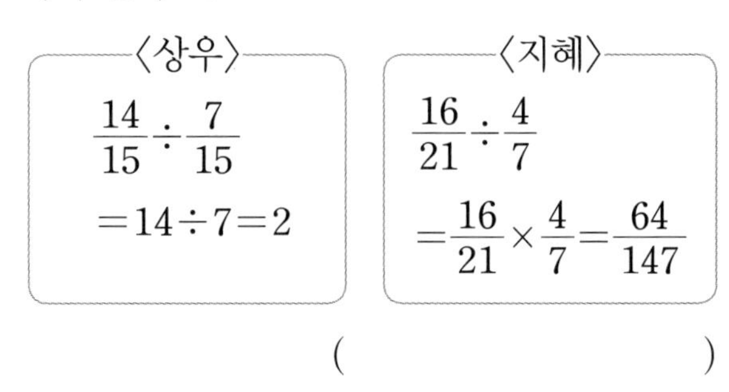

(　　　　　　　　)

16 계산 결과가 자연수인 것을 찾아 기호를 써 보세요.

㉠ $\frac{6}{5} \div \frac{3}{5}$　㉡ $\frac{5}{14} \div \frac{3}{7}$　㉢ $5 \div \frac{10}{11}$

(　　　　　　　　)

17 계산 결과가 1보다 큰 것은 어느 것일까요? ……………… (　　　)

① $\frac{1}{4} \div \frac{1}{2}$　② $\frac{3}{4} \div \frac{2}{5}$

③ $\frac{5}{8} \div \frac{5}{6}$　④ $\frac{4}{7} \div 1\frac{1}{3}$

⑤ $\frac{1}{4} \div \frac{4}{5}$

18 포도 주스 $\frac{12}{13}$ L를 한 컵에 $\frac{2}{13}$ L씩 나누어 담으려고 합니다. 컵은 모두 몇 개 필요할까요?

(　　　　　　　　)

19 ㉯ 색 테이프의 길이는 ㉮ 색 테이프의 길이의 몇 배인지 기약분수로 나타내어 보세요.

㉮ $\frac{5}{7}$ m

㉯ $3\frac{1}{8}$ m

(　　　　　　　　)

20 설탕 $4\frac{4}{5}$ kg을 한 사람에게 $\frac{3}{5}$ kg씩 나누어 주려고 합니다. 모두 몇 명에게 나누어 줄 수 있을까요?

(　　　　　　　　)

분수의 나눗셈

점수

스피드 정답표 2쪽, 정답 및 풀이 18쪽

01 $\frac{7}{8}$에는 $\frac{2}{8}$가 몇 번 들어가는지 그림에 나타내고, □ 안에 알맞은 기약분수를 써넣으세요.

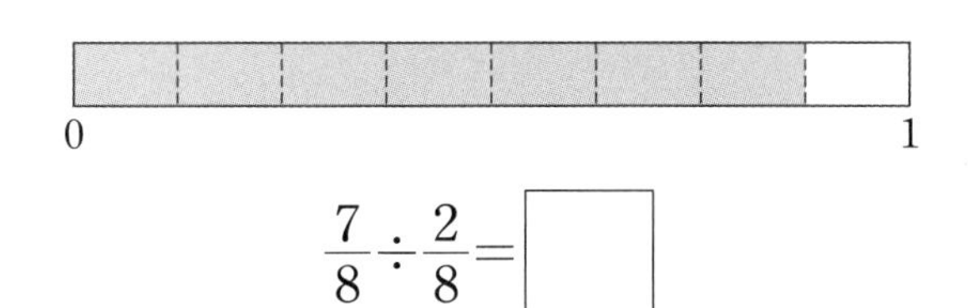

$\frac{7}{8} \div \frac{2}{8} = \square$

02 □ 안에 알맞은 수를 써넣으세요.

$\frac{5}{8} \div \frac{3}{16} = \frac{5}{8} \times \frac{16}{\square} = \frac{\square}{3} = \square$

03 $\frac{3}{4} \div \frac{5}{8}$를 곱셈식으로 바르게 나타낸 것을 찾아 기호를 써 보세요.

㉠ $\frac{3}{4} \times \frac{8}{5}$　　㉡ $\frac{4}{3} \times \frac{5}{8}$

(　　　　　　　)

04 보기와 같은 방법으로 계산해 보세요.

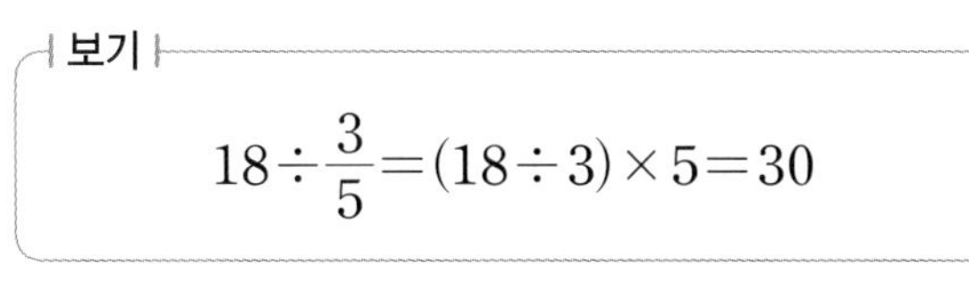

보기

$18 \div \frac{3}{5} = (18 \div 3) \times 5 = 30$

$40 \div \frac{8}{9}$ ____________

05 $\frac{16}{7} \div \frac{4}{7}$를 두 가지 방법으로 계산하려고 합니다. □ 안에 알맞은 수를 써넣으세요.

방법 1 $\frac{16}{7} \div \frac{4}{7} = \square \div 4 = \square$

방법 2 $\frac{16}{7} \div \frac{4}{7} = \frac{16}{7} \times \frac{\square}{4} = \square$

[06~07] 계산하여 기약분수로 나타내어 보세요.

06 $24 \div \frac{8}{5}$

07 $4\frac{1}{6} \div \frac{7}{8}$

08 빈칸에 알맞은 수를 써넣으세요.

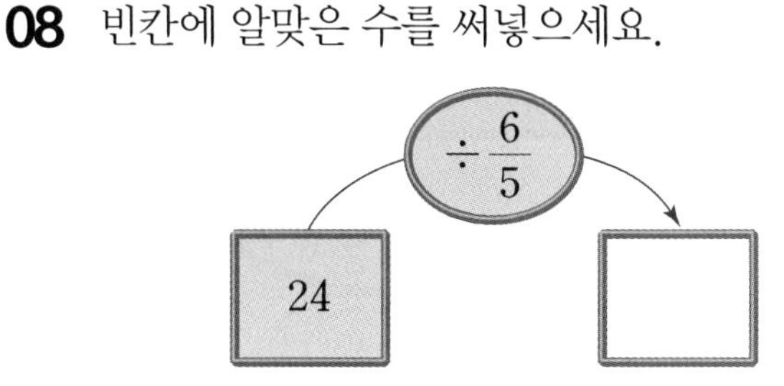

09 관계있는 것끼리 선으로 이어 보세요.

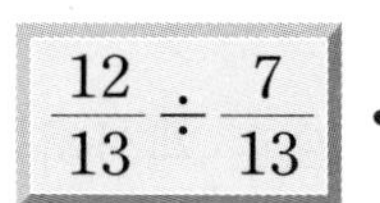

$\frac{12}{13} \div \frac{7}{13}$ •　　　　• $1\frac{3}{5}$

$\frac{8}{9} \div \frac{5}{9}$ •　　　　• $1\frac{5}{7}$

10 그림에 알맞은 진분수끼리의 나눗셈식을 만들려고 합니다. □ 안에 알맞은 수를 써넣으세요.

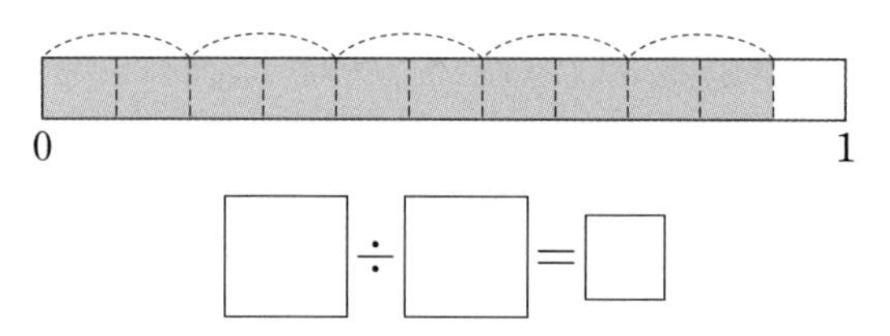

$\square \div \square = \square$

11 큰 수를 작은 수로 나눈 몫을 기약분수로 나타내어 빈 곳에 써넣으세요.

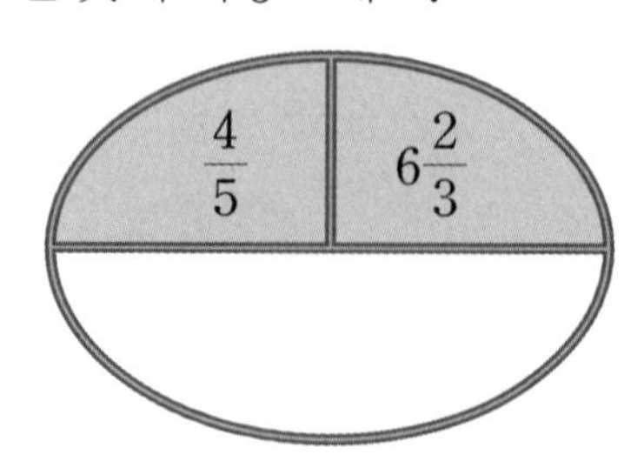

12 계산 결과가 가장 작은 것을 찾아 기호를 써 보세요.

㉠ $20 \div \frac{5}{6}$　㉡ $24 \div \frac{3}{7}$　㉢ $36 \div \frac{9}{10}$

(　　　　　　　　)

13 계산 결과를 비교하여 ○ 안에 >, =, <를 알맞게 써넣으세요.

$6 \div \frac{3}{10}$ ○ $22\frac{1}{2} \div 1\frac{2}{3}$

14 계산 결과가 가장 큰 것은 어느 것일까요? ……………… (　　　)

① $\frac{7}{9} \div \frac{3}{5}$　② $1\frac{3}{4} \div \frac{3}{5}$

③ $16 \div \frac{3}{5}$　④ $4\frac{5}{8} \div \frac{3}{5}$

⑤ $2\frac{4}{7} \div \frac{3}{5}$

15 계산 결과가 자연수인 것을 찾아 기호를 써 보세요.

㉠ $\frac{7}{9} \div \frac{5}{6}$ ㉡ $3\frac{1}{9} \div 2\frac{1}{6}$ ㉢ $5\frac{5}{8} \div \frac{5}{16}$

(　　　　　　　　)

16 빈칸에 알맞은 기약분수를 써넣으세요.

÷ →

$1\frac{2}{9}$	$1\frac{5}{6}$	
$\frac{4}{9}$	$\frac{6}{5}$	

서술형

17 $\frac{16}{25} \div \frac{4}{5}$를 두 가지 방법으로 계산해 보세요.

방법 1 분모를 같게 하여 계산하기

방법 2 분수의 곱셈으로 나타내어 계산하기

18 □ 안에 들어갈 수 있는 자연수는 모두 몇 개일까요?

$8 \div \frac{4}{7} < \square < 18$

(　　　　　　　　)

19 영준이와 지현이는 피자 한 판을 나누어 먹었습니다. 영준이는 전체의 $\frac{1}{5}$을 먹었고, 지현이는 전체의 $\frac{7}{9}$을 먹었습니다. 지현이가 먹은 양은 영준이가 먹은 양의 몇 배일까요?

(　　　　　　　　)

20 순하네 집에서 학교까지의 거리는 $6\frac{3}{10}$ km입니다. 순하가 자전거를 타고 집에서 학교까지 간 시간이 $10\frac{4}{5}$분이었다면 1분 동안 몇 km를 간 셈인지 기약분수로 나타내어 보세요.

(　　　　　　　　)

1 분수의 나눗셈

[01~02] 그림을 보고 □ 안에 알맞은 수를 써넣으세요.

01

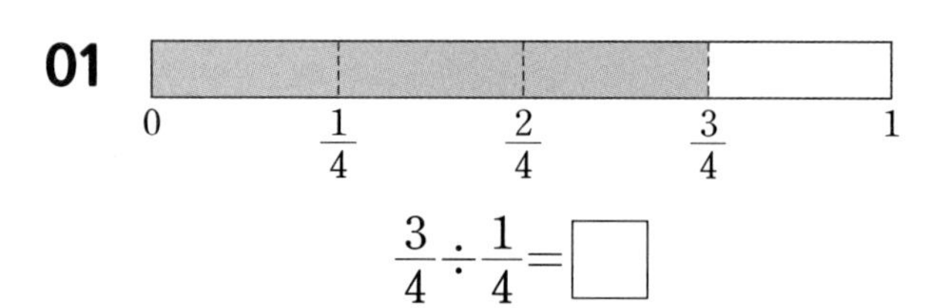

$\frac{3}{4} \div \frac{1}{4} = \square$

02

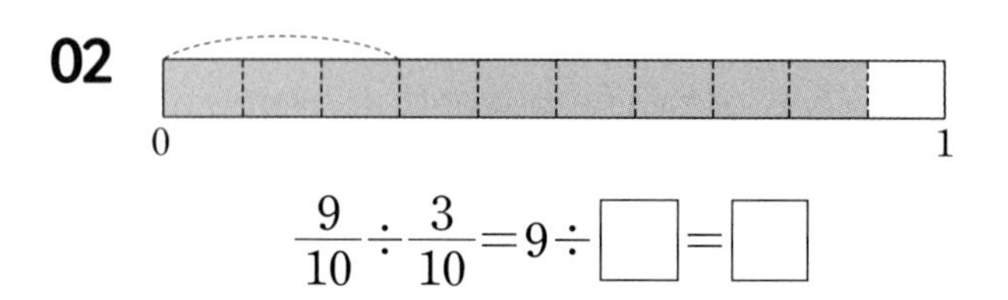

$\frac{9}{10} \div \frac{3}{10} = 9 \div \square = \square$

[03~04] □ 안에 알맞은 수를 써넣어 곱셈식으로 나타내어 보세요.

03 $\frac{2}{3} \div \frac{4}{5} = \frac{2}{3} \times \frac{1}{\square} \times 5 = \frac{2}{3} \times \frac{\square}{\square}$

04 $\frac{3}{4} \div \frac{6}{7} = \frac{3}{4} \times \frac{1}{6} \times \square = \frac{3}{4} \times \frac{\square}{\square}$

05 $\frac{15}{17} \div \frac{8}{17}$을 두 가지 방법으로 계산하려고 합니다. □ 안에 알맞은 수를 써넣으세요.

방법 1 $\frac{15}{17} \div \frac{8}{17} = 15 \div \square$

$= \frac{\square}{\square} = \square$

방법 2 $\frac{15}{17} \div \frac{8}{17} = \frac{15}{17} \times \frac{\square}{\square}$

$= \frac{\square}{8} = \square$

[06~07] 계산하여 기약분수로 나타내어 보세요.

06 $\frac{3}{8} \div \frac{7}{12}$

07 $3\frac{3}{5} \div \frac{3}{4}$

08 빈칸에 알맞은 수를 써넣으세요.

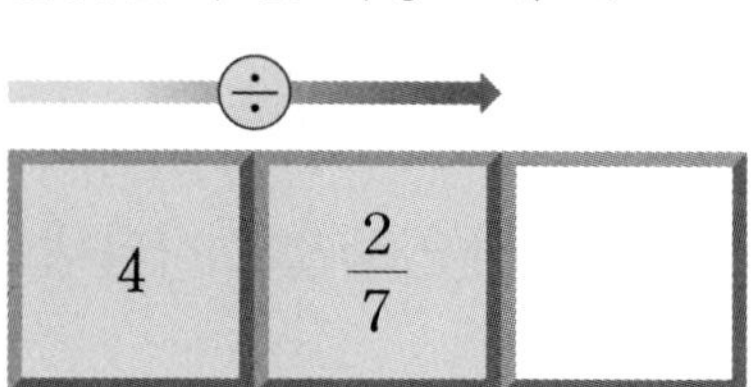

09 관계있는 것끼리 선으로 이어 보세요.

$\frac{9}{16} \div \frac{7}{16}$ •	• $14 \div 8$
$\frac{15}{17} \div \frac{4}{17}$ •	• $9 \div 7$
$\frac{14}{15} \div \frac{8}{15}$ •	• $15 \div 4$

10 자연수를 분수로 나눈 몫을 구하세요.

10 $\quad \frac{5}{9}$

( )

11 빈 곳에 알맞은 기약분수를 써넣으세요.

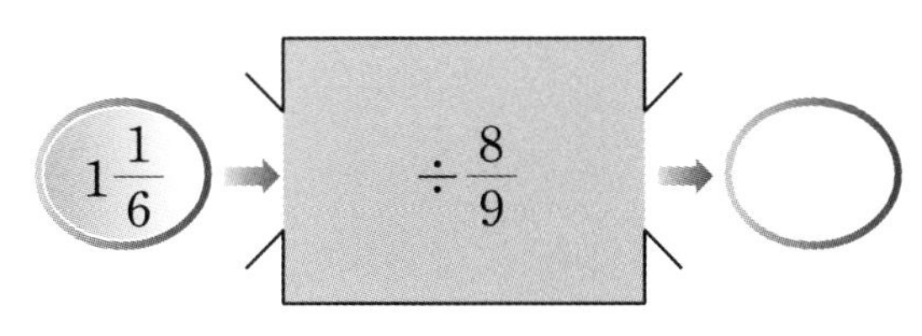

12 계산 결과를 비교하여 ○ 안에 >, =, <를 알맞게 써넣으세요.

$\frac{17}{6} \div \frac{2}{3}$ ○ $3\frac{1}{9} \div 2\frac{4}{5}$

13 계산 결과가 가장 큰 것을 찾아 기호를 써 보세요.

㉠ $20 \div \frac{4}{7}$ ㉡ $12 \div \frac{4}{9}$ ㉢ $8 \div \frac{4}{5}$

( )

14 □ 안에 알맞은 수를 써넣으세요.

$\square \times \frac{7}{16} = 35$

15 계산 결과가 1보다 작은 것은 어느 것일까요? ( )

① $2\frac{1}{5} \div \frac{7}{10}$ ② $3\frac{5}{8} \div 1\frac{1}{5}$

③ $4 \div \frac{3}{14}$ ④ $2\frac{2}{9} \div 3\frac{5}{6}$

⑤ $1\frac{7}{10} \div 1\frac{2}{5}$

16 ㉡은 ㉠의 몇 배일까요?

㉠ $\frac{9}{2} \div \frac{3}{4}$ ㉡ $15 \div \frac{1}{2}$

( )

17 $2\frac{5}{6} \div \frac{2}{3}$를 두 가지 방법으로 계산해 보세요.

방법 1

방법 2

18 두께가 일정한 고무관 $\frac{3}{4}$ m의 무게가 $1\frac{1}{2}$ kg입니다. 이 고무관 1 m의 무게는 몇 kg일까요?

( )

19 $3\frac{1}{2}$ cm를 기어가는 데 $\frac{1}{15}$분이 걸리는 개미가 있습니다. 이 개미가 같은 빠르기로 기어간다면 1분 동안 갈 수 있는 거리는 몇 cm일까요?

( )

서술형

20 넓이가 $10\frac{2}{5}$ m^2인 직사각형이 있습니다. 이 직사각형의 가로가 $4\frac{1}{3}$ m일 때 세로는 몇 m인지 기약분수로 나타내려고 합니다. 풀이 과정을 쓰고 답을 구하세요.

풀이

답

01 □ 안에 알맞은 수를 써넣으세요.

$\frac{8}{15}$은 $\frac{1}{15}$이 8개, $\frac{4}{15}$는 $\frac{1}{15}$이 □개입니다.

따라서 $\frac{8}{15} \div \frac{4}{15} = \square \div 4 = \square$입니다.

[02~03] $\frac{2}{5} \div \frac{5}{6}$를 두 가지 방법으로 계산한 것입니다. □ 안에 알맞은 수를 써넣으세요.

02 $\frac{2}{5} \div \frac{5}{6} = \frac{12}{30} \div \frac{\square}{30}$

$= 12 \div \square = \square$

03 $\frac{2}{5} \div \frac{5}{6} = \frac{2}{5} \times \frac{\square}{\square} = \square$

04 보기와 같은 방법으로 계산해 보세요.

보기

$10 \div \frac{5}{11} = (10 \div 5) \times 11 = 22$

$8 \div \frac{2}{11}$ ____________

[05~06] 계산하여 기약분수로 나타내어 보세요.

05 $\frac{4}{5} \div \frac{7}{10}$

06 $2\frac{1}{7} \div \frac{11}{14}$

서술형

07 분수의 나눗셈을 잘못 계산한 것입니다. 계산이 잘못된 이유를 쓰고 바르게 고쳐서 계산해 보세요. (몫은 기약분수로 나타냅니다.)

$\frac{14}{9} \div \frac{8}{15} = \frac{14}{9} \times \frac{8}{15} = \frac{112}{135}$

잘못된 이유

바르게 계산하기

08 빈칸에 알맞은 수를 써넣으세요.

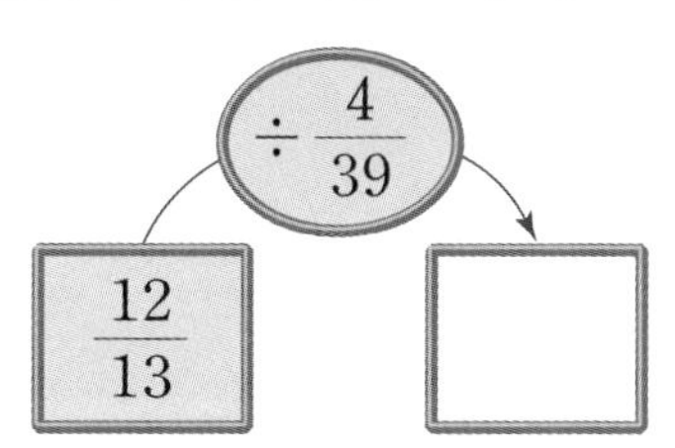

09 관계있는 것끼리 선으로 이어 보세요.

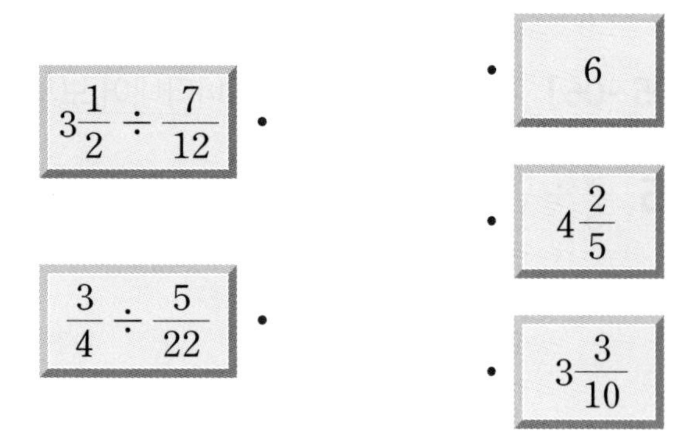

10 계산 결과를 비교하여 ○ 안에 >, =, <를 알맞게 써넣으세요.

$$4\frac{4}{5} \div 1\frac{1}{5} \bigcirc \frac{11}{12} \div 2\frac{1}{4}$$

11 □ 안에 들어갈 수 있는 자연수는 모두 몇 개일까요?

$$1\frac{5}{9} \div \frac{2}{3} > \square$$

(　　　　　　)

12 계산 결과가 $\frac{7}{9}$보다 큰 것은 어느 것일까요? .... (　　　)

① $\frac{7}{9} \div 1\frac{1}{2}$　② $\frac{7}{9} \div \frac{2}{5}$

③ $\frac{7}{9} \div 1\frac{3}{5}$　④ $\frac{7}{9} \div 2\frac{1}{4}$

⑤ $\frac{7}{9} \div 1\frac{5}{6}$

13 계산 결과가 큰 것부터 순서대로 기호를 써 보세요.

㉠ $3\frac{3}{5} \div \frac{9}{10}$　㉡ $\frac{11}{18} \div \frac{1}{2}$　㉢ $2\frac{1}{4} \div 1\frac{7}{11}$

(　　　　　　)

14 ㉠에 알맞은 수를 구하세요.

$$8 \div \frac{1}{12} = ㉠ \times \frac{6}{5}$$

(　　　　　　)

15 케이크 한 개를 만드는 데 밀가루 $\frac{2}{7}$ kg이 필요합니다. 밀가루 30 kg으로 만들 수 있는 케이크는 몇 개일까요?

( )

16 넓이가 $10\frac{3}{4}$ cm²인 평행사변형입니다. 이 평행사변형의 밑변의 길이가 $3\frac{1}{14}$ cm일 때 높이는 몇 cm인지 기약분수로 나타내어 보세요.

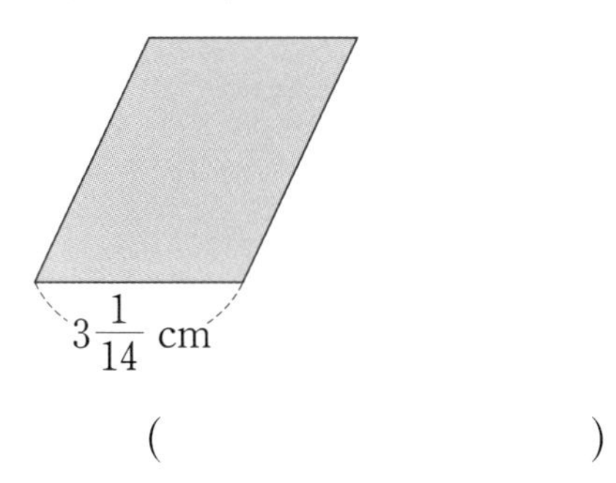

( )

17 휘발유 $\frac{9}{10}$ L로 $11\frac{1}{5}$ km를 가는 자동차가 있습니다. 같은 빠르기로 이 자동차는 휘발유 1 L로 몇 km를 갈 수 있는지 기약분수로 나타내어 보세요.

( )

18 다음 | 조건 |을 만족하는 분수의 나눗셈식을 써 보세요.

| 조건 |
- 8÷4를 이용하여 계산할 수 있습니다.
- 분모가 10보다 작은 진분수의 나눗셈입니다.
- 두 분수의 분모는 같습니다.

식 ______________________

19 어떤 수를 $2\frac{1}{2}$로 나누어야 할 것을 잘못하여 곱했더니 $11\frac{7}{8}$이 되었습니다. 바르게 계산한 값은 얼마인지 기약분수로 나타내어 보세요.

( )

서술형

20 우유 $5\frac{2}{5}$ L를 3개의 유리병에 똑같이 나누어 담았습니다. 한 개의 유리병에 담은 우유를 한 컵에 $\frac{3}{20}$ L씩 똑같이 나누어 담는다면 필요한 컵은 몇 개인지 풀이 과정을 쓰고 답을 구하세요.

풀이

답 ______________________

스피드 정답표 3쪽, 정답 및 풀이 20쪽

01 $\frac{5}{7} \div \frac{3}{4}$을 주어진 두 가지 방법으로 계산해 보세요.

> **방법 1** 분모를 같게 하여 계산하기
> **방법 2** 분수의 나눗셈을 분수의 곱셈으로 나타내어 계산하기

❶ **방법 1** 로 계산해 보세요.

$$\frac{5}{7} \div \frac{3}{4} = \frac{\square}{\square} \div \frac{\square}{\square} = \square \div \square = \square$$

❷ **방법 2** 로 계산해 보세요.

$$\frac{5}{7} \div \frac{3}{4} = \frac{5}{7} \times \frac{\square}{\square} = \square$$

02 휘발유 $\frac{7}{10}$ L로 $8\frac{1}{6}$ km를 가는 자동차가 있습니다. 같은 빠르기로 이 자동차는 휘발유 1 L로 몇 km를 갈 수 있는지 구하세요.

❶ 이 자동차는 휘발유 $\frac{1}{10}$ L로 몇 km를 갈 수 있는지 기약분수로 나타내어 보세요.

$$8\frac{1}{6} \div 7 = \frac{\square}{6} \div 7 = \frac{\square}{6} \times \frac{\square}{7} = \frac{\square}{6} \text{ (km)}$$

( )

❷ 이 자동차는 휘발유 1 L로 몇 km를 갈 수 있는지 기약분수로 나타내어 보세요.

$$\left(\text{휘발유 } \frac{1}{10} \text{ L로 갈 수 있는 거리}\right) \times 10$$

$$= \frac{\square}{6} \times 10 = \frac{\square}{3} = \square \text{ (km)}$$

( )

03 계산 결과가 더 큰 식을 찾아 기호를 써 보세요.

㉮ $8\div\frac{4}{5}$　　㉯ $3\frac{1}{8}\div\frac{5}{24}$

❶ ㉮의 몫은 얼마일까요?

$$8\div\frac{4}{5}=(8\div\square)\times5=\square$$

(　　　　　　　　)

❷ ㉯의 몫은 얼마일까요?

$$3\frac{1}{8}\div\frac{5}{24}=\frac{25}{8}\times\frac{\square}{5}=\square$$

(　　　　　　　　)

❸ 계산 결과가 더 큰 식을 찾아 기호를 써 보세요.

(　　　　　　　　)

04 어떤 수를 $\frac{5}{9}$로 나누어야 할 것을 잘못하여 곱했더니 $\frac{10}{27}$이 되었습니다. 바르게 계산한 값은 얼마인지 기약분수로 나타내어 보세요.

❶ 어떤 수를 □라 하고 잘못 계산한 식을 써 보세요.

❷ ❶에서 □에 알맞은 수를 기약분수로 나타내어 보세요.

(　　　　　　　　)

❸ 바르게 계산한 값을 기약분수로 나타내어 보세요.

(　　　　　　　　)

풀이 과정을 직접 쓰는

단원 서술형평가

분수의 나눗셈

점수

스피드 정답표 3쪽, 정답 및 풀이 20쪽

01 $7\frac{1}{5} \div 1\frac{1}{2}$을 주어진 두 가지 방법으로 계산하여 몫을 기약분수로 나타내어 보세요.

방법 1 분모를 같게 하여 계산하기

방법 2 분수의 나눗셈을 분수의 곱셈으로 나타내어 계산하기

방법 1

방법 2

어떻게 풀까요?

- 대분수의 나눗셈을 계산할 때에는 먼저 대분수를 가분수로 나타낸 후 계산합니다.

02 현서는 걸어서 $\frac{8}{9}$ km를 가는 데 $\frac{2}{5}$시간이 걸립니다. 현서가 같은 빠르기로 걸어간다면 1시간 동안 갈 수 있는 거리는 몇 km인지 풀이 과정을 쓰고 답을 기약분수로 나타내어 보세요.

풀이

답 ____________

어떻게 풀까요?

- $\frac{1}{5}$시간 동안 가는 거리를 먼저 구합니다.

03 계산 결과가 더 작은 식을 찾아 기호를 쓰려고 합니다. 풀이 과정을 쓰고 답을 구하세요.

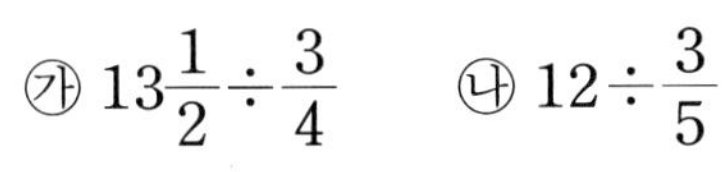

풀이

답

어떻게 풀까요?

- ㉮와 ㉯의 몫을 먼저 구합니다.

04 어떤 수를 $\frac{1}{2}$로 나누어야 할 것을 잘못하여 곱했더니 $11\frac{7}{8}$이 되었습니다. 바르게 계산한 값은 얼마인지 풀이 과정을 쓰고 답을 기약분수로 나타내어 보세요.

풀이

답

어떻게 풀까요?

- 어떤 수를 □라 하고 잘못 계산한 식을 만들어 봅니다.
  $\square\times\frac{1}{2}=11\frac{7}{8}$

05 오른쪽 삼각형은 넓이가 $15\frac{1}{9}$ cm²이고 밑변의 길이가 $6\frac{2}{3}$ cm입니다. 이 삼각형의 높이는 몇 cm인지 풀이 과정을 쓰고 답을 기약분수로 나타내어 보세요.

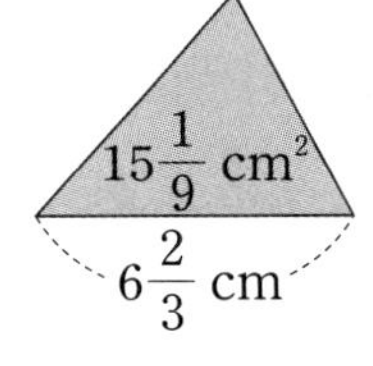

풀이

답

어떻게 풀까요?

- (삼각형의 넓이)
  =(밑변의 길이)×(높이)÷2
  ⇨ (높이)=(삼각형의 넓이)×2
  ÷(밑변의 길이)

스피드 정답표 3쪽, 정답 및 풀이 21쪽

오답률 17%

01 계산 결과를 비교하여 ◯ 안에 >, =, <를 알맞게 써넣으세요.

$\frac{6}{11} \div \frac{3}{11}$ ◯ $\frac{10}{13} \div \frac{5}{13}$

오답률 20%

02 □ 안에 들어갈 수 있는 자연수를 고르세요. ( )

$15 < 6 \div \frac{1}{\square} < 20$

① 1 ② 2 ③ 3 ④ 4 ⑤ 5

오답률 28%

03 호떡 한 개를 만드는 데 밀가루 $\frac{3}{8}$컵이 필요합니다. 밀가루 $2\frac{1}{4}$컵으로 만들 수 있는 호떡은 몇 개일까요?

( )

오답률 31%

04 빈칸에 알맞은 수를 고르세요. ( )

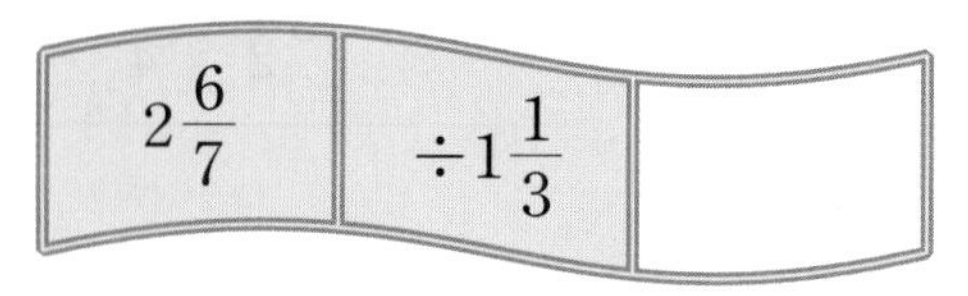

① $1\frac{1}{2}$ ② $1\frac{4}{5}$ ③ $2\frac{1}{7}$ ④ $2\frac{1}{4}$ ⑤ $2\frac{1}{2}$

오답률 35%

05 쇠막대 $\frac{4}{5}$ m의 무게가 3 kg입니다. 쇠막대 1 m의 무게는 몇 kg일까요? ( )

① $2\frac{1}{4}$ kg ② $2\frac{2}{5}$ kg ③ $2\frac{3}{4}$ kg ④ $3\frac{1}{3}$ kg ⑤ $3\frac{3}{4}$ kg

CONTENTS

2

소수의 나눗셈

단원 개념정리

소수의 나눗셈

개념 1 (소수)÷(소수) (1)

- 1.5÷0.5의 계산

$1.5 \div 0.5$ (10배, 10배) → $15 \div 5 = 3$

→ 나누는 수와 나누어지는 수를 똑같이 10배 하여도 몫은 같습니다.

$1.5 \div 0.5 = 3$

개념 2 (소수)÷(소수) (2)

- 6.4÷0.4의 계산

방법 1 분수의 나눗셈으로 계산하기

$$6.4 \div 0.4 = \frac{64}{10} \div \frac{4}{10} = 64 \div 4 = 16$$

방법 2 세로로 계산하기

$0.4\overline{)6.4}$ ⇨ $0.4\overline{)6.4}$, 몫 ❶ ☐, 4, 24, 24, 0

개념 3 (소수)÷(소수) (3)

- 11.55÷3.5의 계산

방법 1 소수점을 오른쪽으로 두 자리씩 옮겨 세로로 계산하기

$3.5\overline{)11.55}$ ⇨ $3.50\overline{)11.550}$, 몫 3.3, 1050, 1050, 1050, 0

방법 2 소수점을 오른쪽으로 한 자리씩 옮겨 세로로 계산하기

$3.5\overline{)11.55}$ ⇨ $3.5\overline{)11.55}$, 몫 ❷ ☐, 105, 105, 105, 0

개념 4 (자연수)÷(소수)

- 36÷4.5의 계산

방법 1 분수의 나눗셈으로 계산하기

$$36 \div 4.5 = \frac{360}{10} \div \frac{45}{10} = 360 \div 45 = 8$$

방법 2 세로로 계산하기

$4.5\overline{)36}$ ⇨ $4.5\overline{)36.0}$, 몫 ❸ ☐, 360, 0

→ 나누어지는 수와 나누는 수를 각각 10배씩 하여 계산합니다.

개념 5 몫을 반올림하여 나타내기

- 2.5÷6의 계산

$6\overline{)2.500}$, 몫 0.416, 24, 10, 6, 40, 36, 4

– 몫을 반올림하여 소수 첫째 자리까지 나타내기

$2.5 \div 6 = 0.41\cdots\cdots$ ⇨ 0.4

– 몫을 반올림하여 소수 둘째 자리까지 나타내기

$2.5 \div 6 = 0.416\cdots\cdots$ ⇨ ❹ ☐

개념 6 나누어 주고 남는 양 알아보기

- 끈 12.6 m를 한 사람에게 3 m씩 나누어 줄 때 나누어 줄 수 있는 사람 수와 남는 끈의 길이 구하기

$3\overline{)12.6}$, 몫 4, 12, 0.6

– 나누어 줄 수 있는 사람 수: 4명

– 남는 끈의 길이: ❺ ☐ m

| 정답 | ❶ 16 ❷ 3.3 ❸ 8 ❹ 0.42 ❺ 0.6

스피드 정답표 4쪽, 정답 및 풀이 21쪽

[01~02] 자연수의 나눗셈을 이용하여 계산하려고 합니다. □ 안에 알맞은 수를 써넣으세요.

01

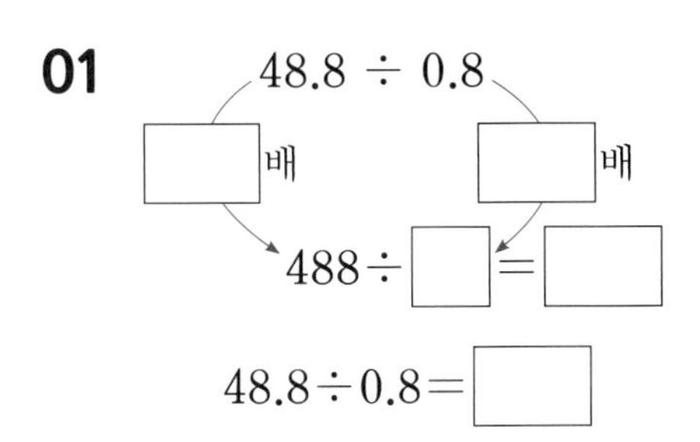

$48.8 \div 0.8 = \square$

02

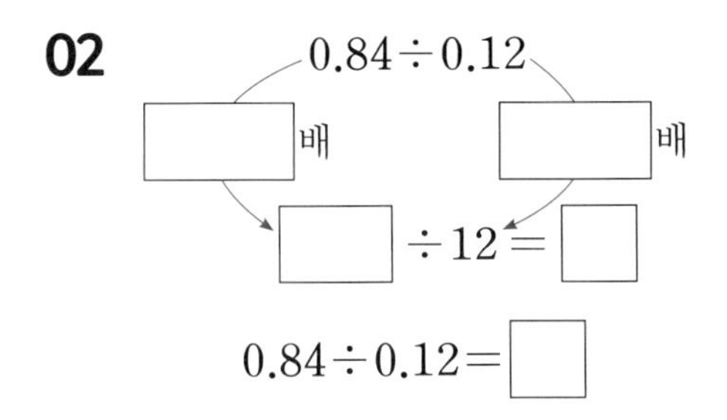

$0.84 \div 0.12 = \square$

[03~04] □ 안에 알맞은 수를 써넣으세요.

03 $13.5 \div 0.5 = \frac{135}{10} \div \frac{\square}{10}$

$= 135 \div \square = \square$

04 $1.43 \div 0.11 = \frac{143}{100} \div \frac{\square}{100}$

$= \square \div 11$

$= \square$

[05~08] 계산해 보세요.

05 $0.4\overline{)2.8}$

06 $0.7\overline{)19.6}$

07 $0.04\overline{)0.36}$

08 $0.52\overline{)3.12}$

[09~10] 빈칸에 알맞은 수를 써넣으세요.

09

÷0.6

30.6 → □

10

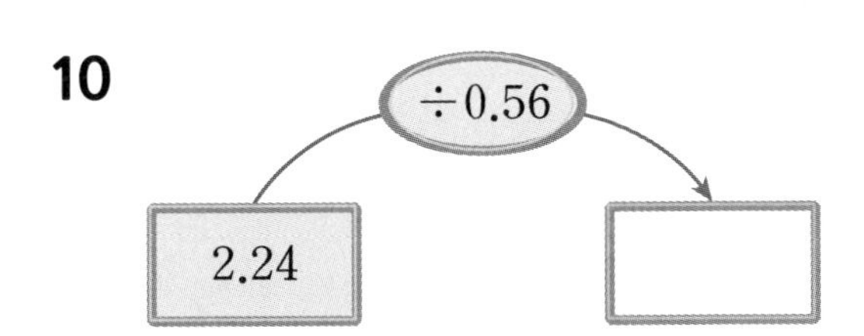

점수

▶ (소수)÷(소수) (3)

스피드 정답표 4쪽, 정답 및 풀이 21쪽

[01~02] 16.79÷2.3을 계산하려고 합니다. □ 안에 알맞은 수를 써넣으세요.

01

16.79와 2.3을 각각 100배씩 하여 계산하면 1679÷□=□이므로
16.79÷2.3의 몫은 □입니다.

02

16.79와 2.3을 각각 10배씩 하여 계산하면 □÷23=□이므로
16.79÷2.3의 몫은 □입니다.

[03~04] □ 안에 알맞은 수를 써넣으세요.

03

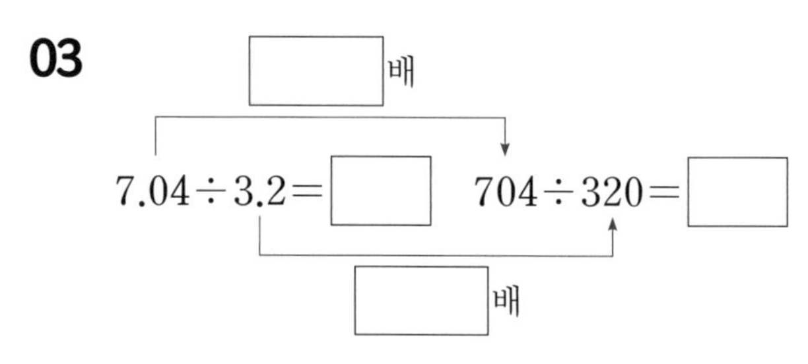

04

□배

6.48÷0.9=□ 64.8÷9=□

□배

[05~10] 계산해 보세요.

05 $6.3\overline{)39.06}$

06 $2.7\overline{)4.32}$

07 $5.1\overline{)19.89}$

08 $0.8\overline{)1.68}$

09 9.46÷4.3

10 0.96÷2.4

소수의 나눗셈

점수

▶ (자연수)÷(소수) ~ 몫을 반올림하여 나타내기

스피드 정답표 4쪽, 정답 및 풀이 22쪽

[01~02] 보기 와 같이 분수의 나눗셈으로 계산해 보세요.

보기

$$48\div3.2=\frac{480}{10}\div\frac{32}{10}=480\div32=15$$

01 $10\div2.5$

02 $68\div0.17$

[03~06] 계산해 보세요.

03 $1.2\overline{)30}$

04 $3.5\overline{)7}$

05 $2.25\overline{)18}$

06 $0.06\overline{)288}$

[07~08] 나눗셈식의 몫을 보고 물음에 답하세요.

$$\begin{array}{r} 1.57 \\ 7\overline{)11.00} \\ 7 \\ \hline 40 \\ 35 \\ \hline 50 \\ 49 \\ \hline 1 \end{array}$$

07 몫을 반올림하여 자연수로 나타내어 보세요.

(　　　　　　)

08 몫을 반올림하여 소수 첫째 자리까지 나타내어 보세요.

(　　　　　　)

[09~10] 몫을 반올림하여 소수 첫째 자리까지 나타내어 보세요.

09 $3\overline{)16}$

(　　　　　　)

10 $9\overline{)8.4}$

(　　　　　　)

② 소수의 나눗셈

▶ 나누어 주고 남는 양 알아보기

스피드 정답표 4쪽, 정답 및 풀이 22쪽

[01~03] 고구마 10.2 kg을 한 사람당 2 kg씩 나누어 줄 때 나누어 줄 수 있는 사람 수와 남는 고구마의 양을 알기 위해 다음과 같이 계산했습니다. 물음에 답하세요.

$$10.2-2-2-2-2-\square=\square$$

01 □ 안에 알맞은 수를 써넣으세요.

02 위의 계산식을 보고 몇 사람에게 나누어 줄 수 있는지 구하세요.

( )

03 위의 계산식을 보고 나누어 주고 남는 고구마는 몇 kg인지 구하세요.

( )

[04~06] 끈 28.3 m를 한 사람에게 3 m씩 나누어 줄 때 나누어 줄 수 있는 사람 수와 남는 끈의 길이를 알기 위해 다음과 같이 계산했습니다. 물음에 답하세요.

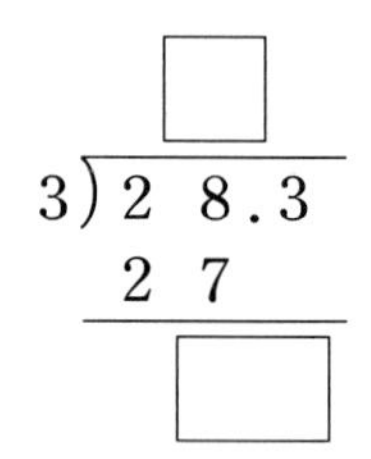

04 □ 안에 알맞은 수를 써넣으세요.

05 나누어 줄 수 있는 사람은 몇 명일까요?

( )

06 나누어 주고 남는 끈은 몇 m일까요?

( )

[07~08] 쌀 43.2 kg을 한 봉지에 주어진 무게만큼씩 나누어 담을 때 나누어 담을 수 있는 봉지 수와 남는 쌀은 몇 kg인지 구하세요.

07 5 kg

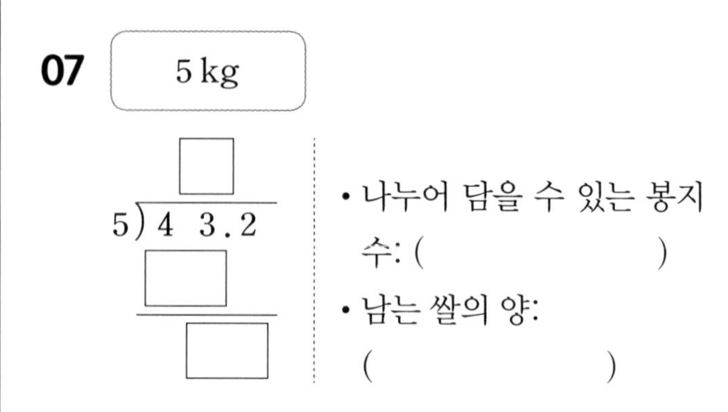

08 7 kg

7) 4 3.2 (□, □, □)

• 나누어 담을 수 있는 봉지 수: ( )

• 남는 쌀의 양: ( )

[09~10] 벽면 한 군데를 칠하는 데 페인트가 4 L 필요합니다. 주어진 페인트로 똑같은 벽면을 몇 군데 칠할 수 있고 남는 페인트는 몇 L인지 구하세요.

09 29.1 L

칠할 수 있는 벽면의 수 ( )

남는 페인트의 양 ( )

10 18.7 L

칠할 수 있는 벽면의 수 ( )

남는 페인트의 양 ( )

난이도 A B C

단원평가 1회 소수의 나눗셈

점수

스피드 정답표 4쪽, 정답 및 풀이 22쪽

01 72÷1.6을 세로로 계산하려고 합니다. □ 안에 알맞은 수를 써넣으세요.

$1.6\overline{)72}$ ⇨ $\square\overline{)720}$

02 □ 안에 알맞은 수를 써넣으세요.

$7.2 \div 0.8 = \frac{72}{10} \div \frac{\square}{10}$

$= 72 \div \square = \square$

[03~04] □ 안에 알맞은 수를 써넣으세요.

03

$1.4\overline{)11.2}$ ⇨ $1.4\overline{)11.2}$ (몫: □, □, 0)

04

$0.23\overline{)5.98}$ ⇨ $0.23\overline{)5.98}$ (몫: □, □, □, □, 0)

05 |보기|와 같이 분수의 나눗셈으로 계산해 보세요.

|보기|

$5.17 \div 0.94 = \frac{517}{100} \div \frac{94}{100} = 517 \div 94$

$= 5.5$

$1.54 \div 0.14$ ________

06 59.7÷0.3을 자연수의 나눗셈을 이용하여 계산하려고 합니다. □ 안에 알맞은 수를 써넣으세요.

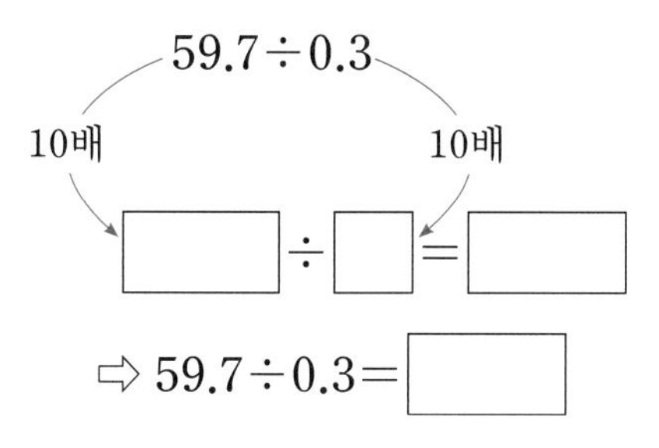

07 □ 안에 알맞은 수를 써넣으세요.

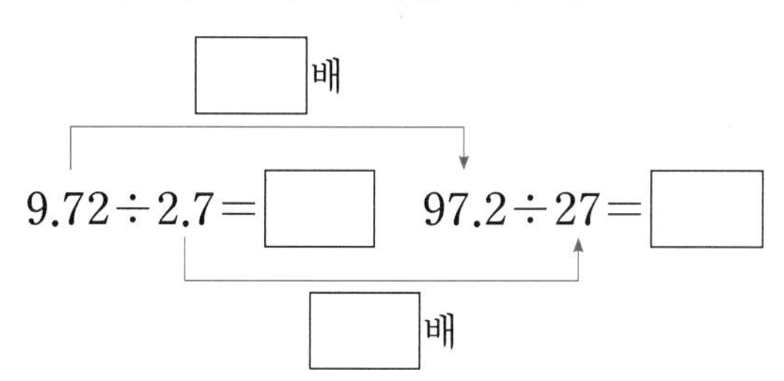

08 □ 안에 알맞은 수를 써넣으세요.

5.32÷2.8은 5.32와 2.8을 100배씩 하여 계산하면 532÷□=□이므로 5.32÷2.8=□입니다.

[09~10] 계산해 보세요.

09

$0.4\overline{)3.6}$

10

$2.5\overline{)2\ 0}$

11 □ 안에 알맞은 수를 써넣으세요.

114÷19=□
114÷1.9=□
114÷0.19=□

12 빈칸에 알맞은 수를 써넣으세요.

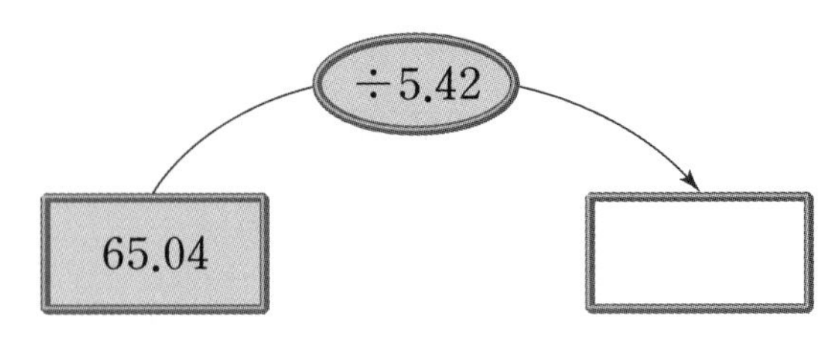

13 큰 수를 작은 수로 나눈 몫을 빈칸에 써넣으세요.

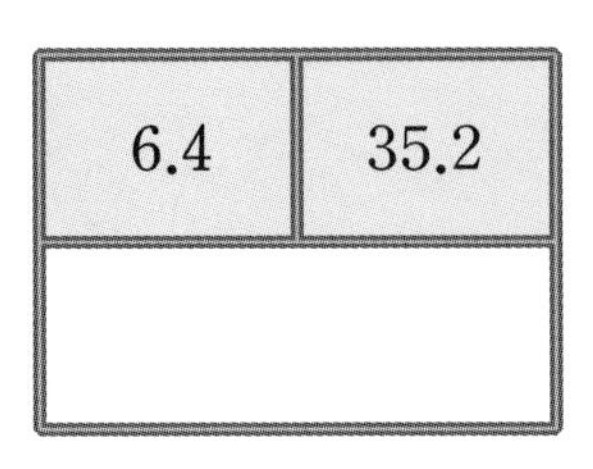

14 몫을 반올림하여 자연수로 나타내어 보세요.

22÷7

( )

15 나눗셈에서 잘못된 곳을 찾아 바르게 계산해 보세요.

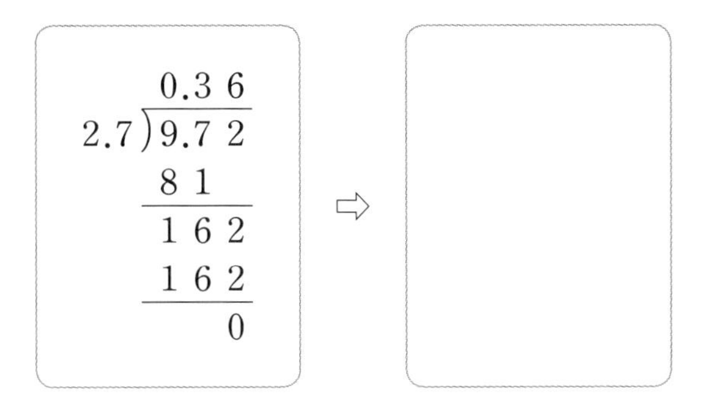

16 계산 결과를 비교하여 ○ 안에 >, =, <를 알맞게 써넣으세요.

44.46÷2.34 ○ 89.24÷4.6

17 계산 결과가 가장 큰 것은 어느 것일까요? ( )

① 25.92÷0.2 ② 25.92÷7.2
③ 25.92÷3.6 ④ 25.92÷4.8
⑤ 25.92÷1.2

18 몫을 반올림하여 소수 첫째 자리까지 나타내어 보세요.

6)1 5.8

( )

19 관계있는 것끼리 선으로 이어 보세요.

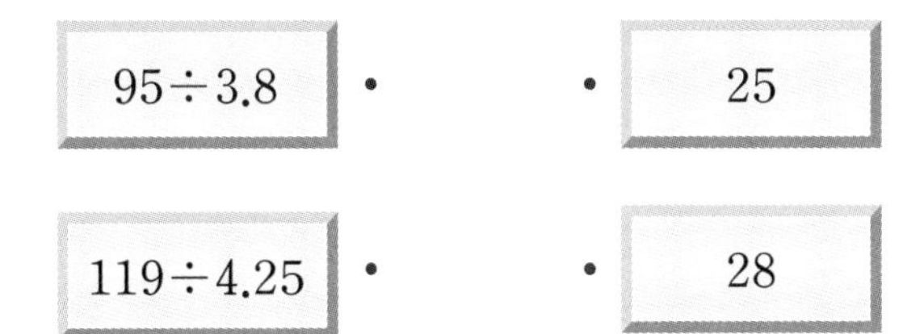

20 선물 상자 한 개를 포장하는 데 색 테이프가 0.84 m 필요합니다. 색 테이프 21.84 m로 선물 상자를 몇 개 포장할 수 있을까요?

( )

01 □ 안에 알맞은 수를 써넣으세요.

$24.32 \div 1.52 = \dfrac{2432}{100} \div \dfrac{\square}{100}$

$= 2432 \div \square$

$= \square$

[02~03] □ 안에 알맞은 수를 써넣으세요.

02

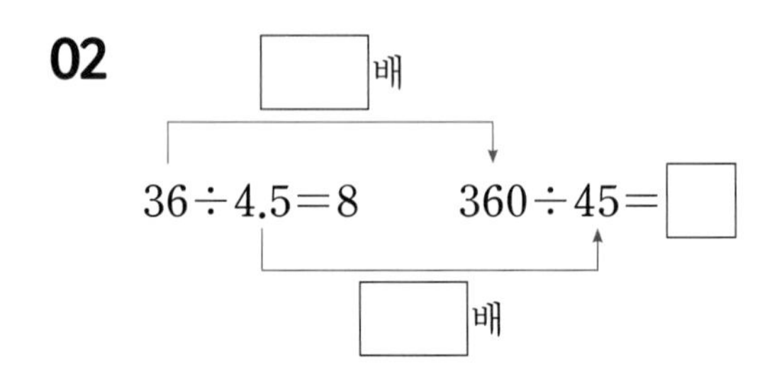

03

□배

$9 \div 2.25 = 4$　　$900 \div 225 = \square$

□배

04 □ 안에 알맞은 수를 써넣으세요.

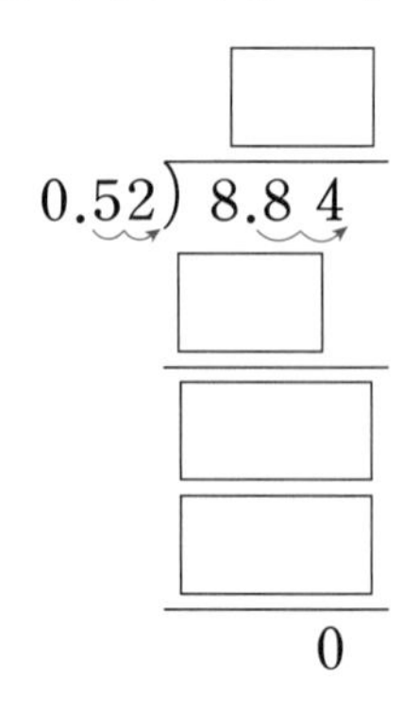

05 15.36÷2.4를 계산하려고 할 때 소수점을 바르게 옮긴 사람은 누구일까요?

2.4)15.36	2.4)15.36	2.4)15.36
정재	민수	현서

(　　　　　　　　)

06 보기 와 같이 분수의 나눗셈으로 계산해 보세요.

보기

$7.8 \div 0.3 = \dfrac{78}{10} \div \dfrac{3}{10} = 78 \div 3 = 26$

$13.6 \div 0.8$ ____________________

07 □ 안에 알맞은 수를 써넣으세요.

2.2)5 5 ⇨ 2.2)5 5.0

0

[08~09] 계산해 보세요.

08

$2.14\overline{)6.42}$

09

$4.3\overline{)7.31}$

10 설명을 읽고 □ 안에 알맞은 수를 써넣으세요.

철사 2.16 m를 0.06 m씩 자르려고 합니다.

2.16 m=□ cm, 0.06 m=6 cm

이므로 철사 2.16 m를 0.06 m씩 자르는 것은 철사 □ cm를 6 cm씩 자르는 것과 같습니다.

2.16÷0.06=□÷6

216÷6=□

2.16÷0.06=□

11 □ 안에 알맞은 수를 써넣으세요.

48÷6=□

48÷0.6=□

48÷0.06=□

12 큰 수를 작은 수로 나눈 몫을 빈칸에 써넣으세요.

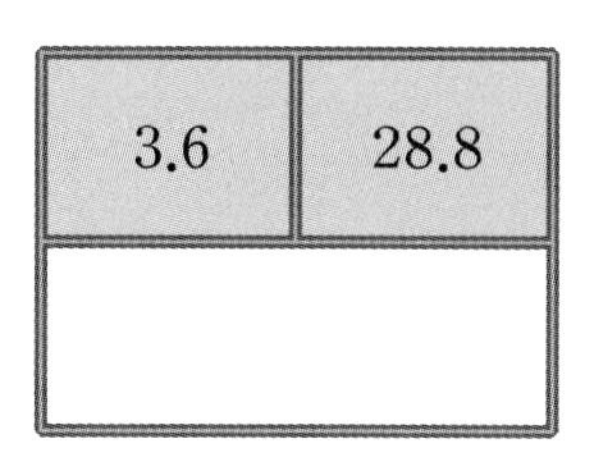

13 계산 결과를 비교하여 ○ 안에 >, =, <를 알맞게 써넣으세요.

9.25÷0.37 ○ 43.2÷1.6

14 빈칸에 알맞은 수를 써넣으세요.

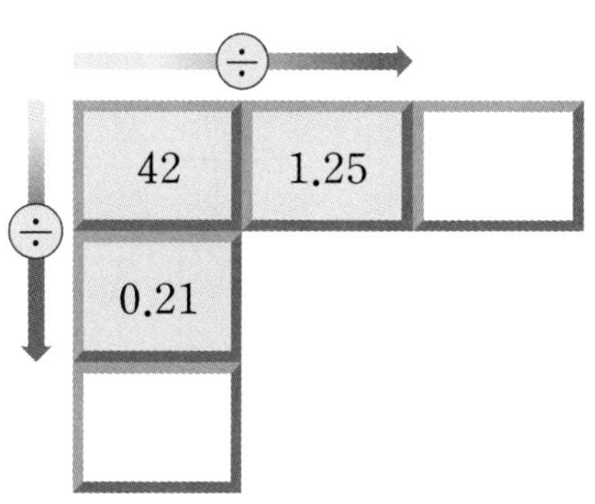

2 소수의 나눗셈

15 몫을 반올림하여 소수 첫째 자리까지 나타내어 보세요.

$6\overline{)10}$

( )

16 계산 결과가 가장 작은 것을 찾아 기호를 써 보세요.

㉠ 2.55÷1.7
㉡ 12.8÷0.8
㉢ 3.48÷0.12

( )

17 소금 21.2 kg을 한 봉지에 5 kg씩 나누어 담으려고 합니다. □ 안에 알맞은 수를 써넣으세요.

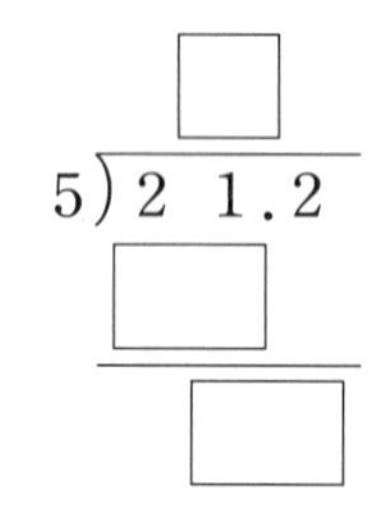

나누어 담을 수 있는 봉지 수: □개

남는 소금의 양: □ kg

18 계산 결과가 큰 것부터 ◯ 안에 1, 2, 3을 순서대로 써넣으세요.

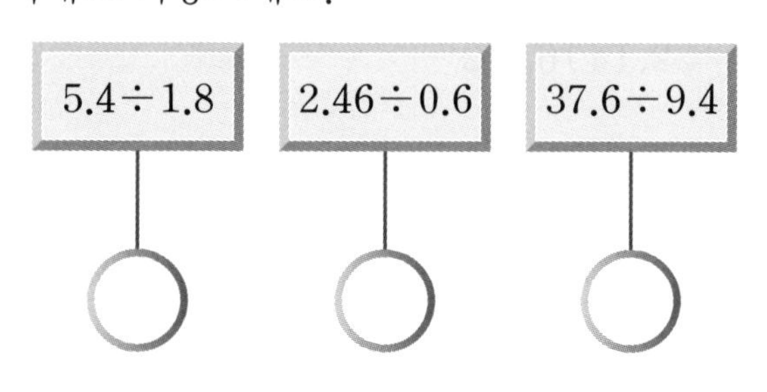

19 대화를 보고 성수의 몸무게를 구하세요.

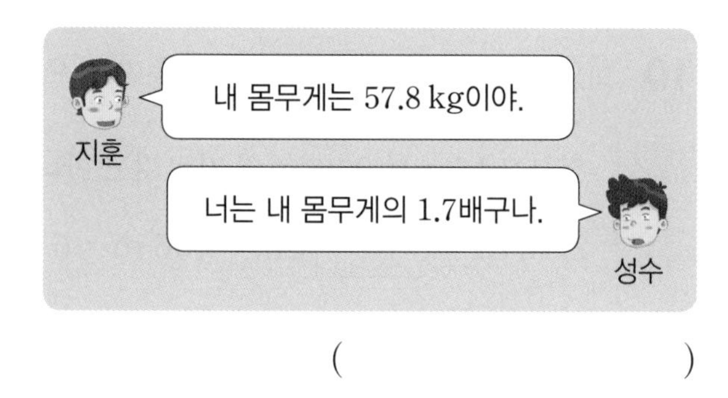

( )

20 간장 49.4 L를 한 병에 1.9 L씩 담으려고 합니다. 병은 모두 몇 개 필요할까요?

( )

소수의 나눗셈

점수

스피드 정답표 4쪽, 정답 및 풀이 24쪽

[01~02] □ 안에 알맞은 수를 써넣으세요.

01 $49.4 \div 2.6 = \dfrac{\square}{10} \div \dfrac{26}{10}$

$= \square \div 26 = \square$

02 $69.44 \div 4.34 = \dfrac{6944}{100} \div \dfrac{\square}{100}$

$= \square \div 434$

$= \square$

03 물 1.5 L를 0.3 L씩 컵에 나누어 담으려고 합니다. 그림을 0.3 L씩 나누고 필요한 컵은 몇 개인지 구하세요.

1.5 L

(　　　　　　)

04 □ 안에 알맞은 수를 써넣으세요.

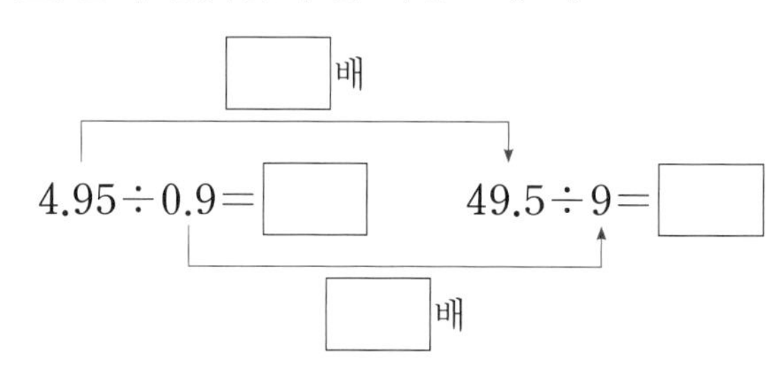

[05~06] 계산해 보세요.

05

$2.4\overline{)59.28}$

06

$1.28\overline{)32}$

07 계산 결과가 가장 작은 것은 어느 것일까요? (　　　)

① $52 \div 1.6$　② $52 \div 0.4$
③ $52 \div 1.3$　④ $52 \div 2.6$
⑤ $52 \div 3.2$

08 빈칸에 알맞은 수를 써넣으세요.

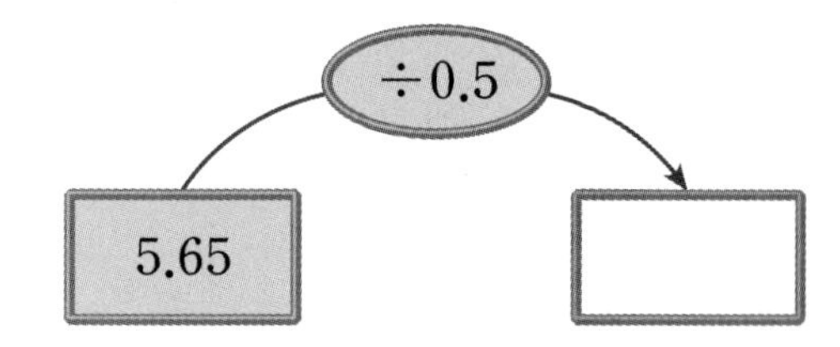

09 가장 큰 수를 가장 작은 수로 나눈 몫을 구하세요.

51.84　　3.2　　2.16

(　　　　　　　　)

[10~11] 몫을 반올림하여 소수 첫째 자리까지 나타내어 보세요.

10

$4.9\overline{)66.3}$

(　　　　　　　　)

11

$1.4\overline{)7.8}$

(　　　　　　　　)

12 띠 골판지 21.2 cm를 0.4 cm씩 자르려고 합니다. □ 안에 알맞은 수를 써넣으세요.

띠 골판지 21.2 cm를 0.4 cm씩 자르는 것은 띠 골판지 212 mm를 □ mm씩 자르는 것과 같습니다.

$21.2 \div 0.4 = \square \div 4$

$212 \div 4 = \square$

$21.2 \div 0.4 = \square$

13 잘못 계산한 곳을 찾아 바르게 계산하고 이유를 써 보세요.

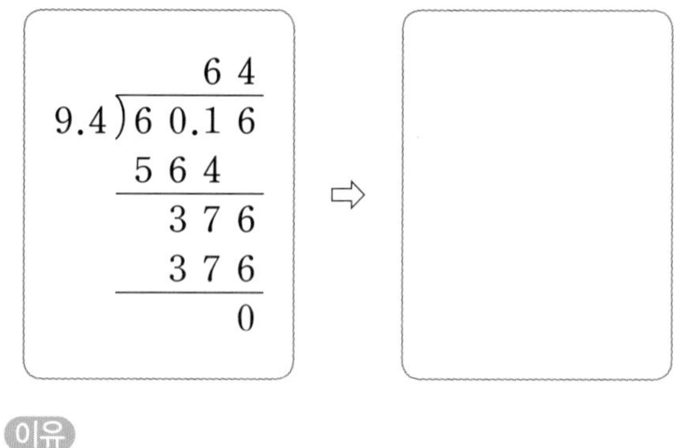

이유

14 계산 결과를 비교하여 ○ 안에 >, =, <를 알맞게 써넣으세요.

$23.46 \div 5.1$ ○ $14.5 \div 2.9$

15 고구마 58.4 kg을 한 사람당 9 kg씩 나누어 주려고 합니다. □ 안에 알맞은 수를 써넣고 나누어 줄 수 있는 사람 수와 남는 고구마는 몇 kg인지 구하세요.

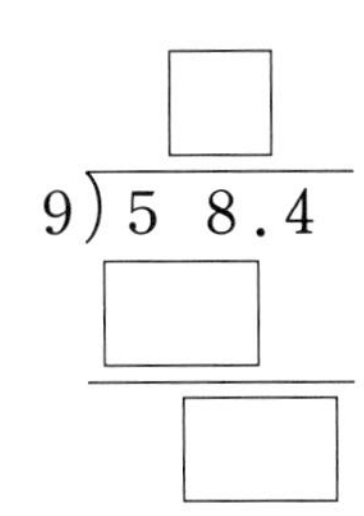

나누어 줄 수 있는 사람 수:

( )

남는 고구마의 양: ( )

16 넓이가 27 cm^2인 직사각형이 있습니다. 이 직사각형의 세로가 4.5 cm이면 가로는 몇 cm일까요?

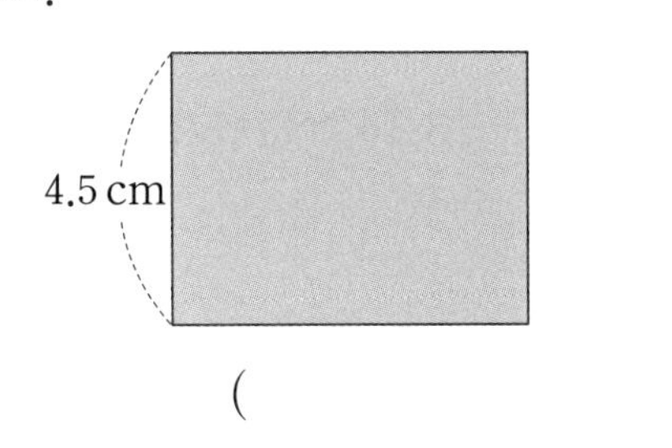

( )

17 75÷15=5를 이용하여 계산 결과가 작은 것부터 차례로 기호를 써 보세요.

㉠ 75÷1.5 ㉡ 0.75÷1.5 ㉢ 0.75÷0.15

( )

18 무게가 같은 감자 7개의 무게는 400 g입니다. 감자 한 개의 무게는 몇 g인지 반올림하여 소수 첫째 자리까지 나타내어 보세요.

( )

19 두 직사각형 ㉮와 ㉯의 넓이가 같습니다. 직사각형 ㉯의 세로는 몇 m일까요?

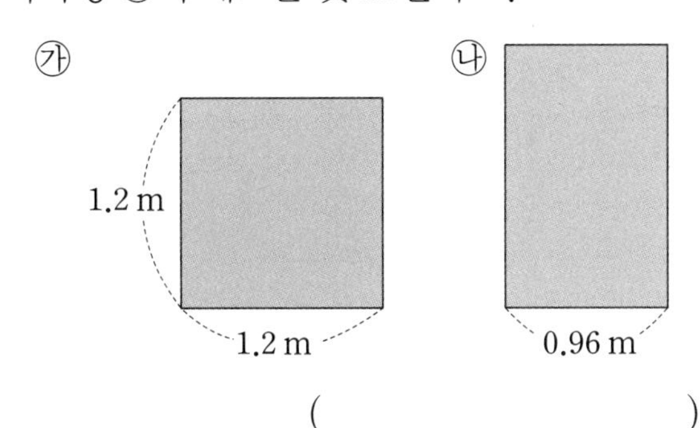

( )

서술형

20 쌀 82.5 kg을 한 봉지에 3 kg씩 나누어 담으면 몇 봉지가 되고 남는 쌀은 몇 kg인지 풀이 과정을 쓰고 답을 구하세요.

답 ______________, ______________

01 그림을 보고 □ 안에 알맞은 수를 써넣으세요.

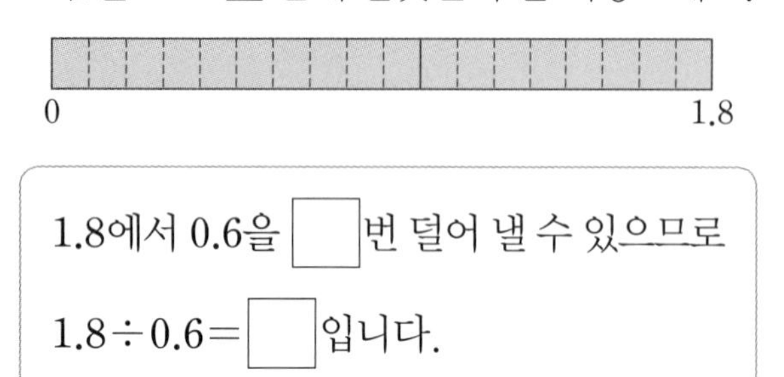

1.8에서 0.6을 □번 덜어 낼 수 있으므로

$1.8 \div 0.6 =$ □입니다.

02 □ 안에 알맞은 수를 써넣으세요.

$$36 \div 1.8 = \frac{360}{10} \div \frac{\square}{10}$$
$$= \square \div 18 = \square$$

[03~04] □ 안에 알맞은 수를 써넣으세요.

03

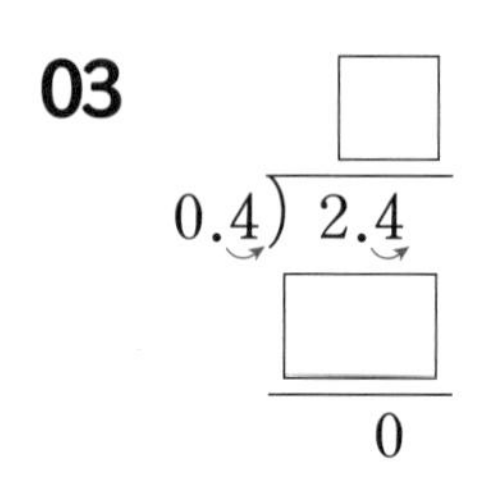

04

5.2) 4 2.6 4

□

□

□

0

05 |보기|와 같이 분수의 나눗셈으로 계산해 보세요.

|보기|

$$2.88 \div 0.72 = \frac{288}{100} \div \frac{72}{100}$$
$$= 288 \div 72 = 4$$

$9.52 \div 0.56$ __________

06 소수점의 위치를 잘못 옮긴 것은 어느 것일까요? ······ (　　　)

① $0.72 \div 0.09 = 72 \div 9$

② $7.63 \div 4.6 = 76.3 \div 46$

③ $9 \div 0.08 = 900 \div 8$

④ $5.9 \div 1.3 = 59 \div 13$

⑤ $1.7 \div 3.14 = 17 \div 314$

[07~08] 계산해 보세요.

07

1.4)2 1

08

0.57)2 2.2 3

09 나눗셈을 보고 몫을 반올림하여 주어진 자리까지 나타내어 보세요.

$18 \div 7 = 2.571\cdots\cdots$

소수 첫째 자리 (　　　　　　　　)

소수 둘째 자리 (　　　　　　　　)

10 빈칸에 알맞은 수를 써넣으세요.

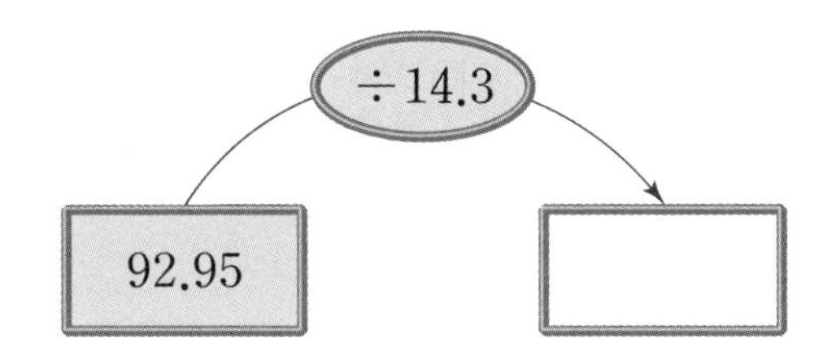

11 계산 결과가 더 큰 사람의 이름을 써 보세요.

$10.72 \div 1.6$	$40.6 \div 5.8$
현진	세형

(　　　　　　　　)

12 계산 결과를 비교하여 ○ 안에 $>$, $=$, $<$를 알맞게 써넣으세요.

2.5÷6의 몫을 반올림하여 소수 첫째 자리까지 나타낸 수 ○ $2.5 \div 6$

13 $42 \div 0.6 = 70$을 이용하여 나눗셈을 바르게 계산한 사람의 이름을 써 보세요.

은경: 나누어지는 수를 10배 하면 몫도 10배가 되니까 $420 \div 0.6 = 700$이야.

희철: 나누는 수를 $\frac{1}{10}$배 하면 몫도 $\frac{1}{10}$배가 되니까 $42 \div 0.06 = 7$이야.

(　　　　　　　　)

14 나눗셈의 몫이 다른 하나를 찾아 기호를 써 보세요.

㉠ $2.56 \div 0.32$　　㉡ $25.6 \div 3.2$

㉢ $0.256 \div 0.032$　　㉣ $256 \div 0.32$

(　　　　　　　　)

15 □ 안에 알맞은 수를 써넣으세요.

$\square \times 3.6 = 28.8$

16 빈칸에 알맞은 수를 써넣으세요.

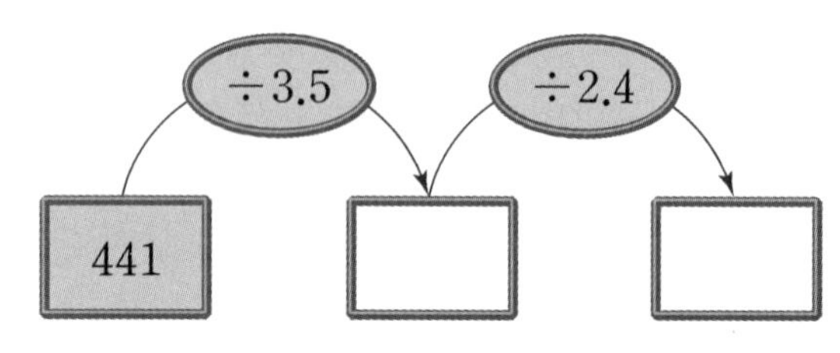

17 계산 결과가 큰 것부터 차례로 기호를 써 보세요.

㉠ $1.92 \div 0.8$
㉡ $16.32 \div 2.04$
㉢ $5.6 \div 1.4$

(　　　　　　　　)

18 집에서 학교까지의 거리는 집에서 문구점까지의 거리의 몇 배일까요?

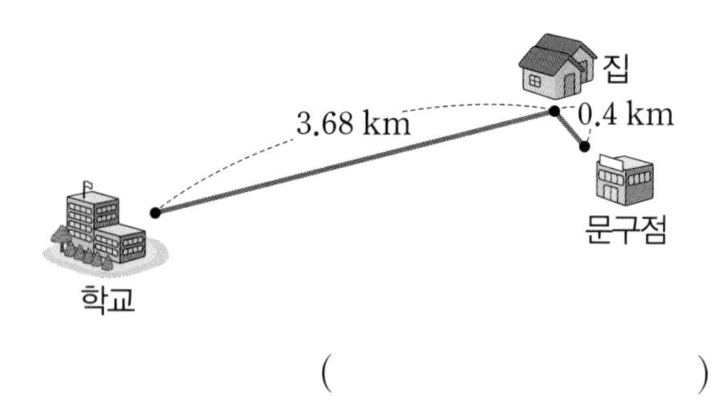

(　　　　　　　　)

19 선물 상자 한 개를 포장하는 데 리본이 3 m 필요합니다. 리본 193.2 m로 포장할 수 있는 상자는 몇 개이고 남는 리본은 몇 m인지 구하세요.

상자 수 (　　　　　　　　)
남는 리본의 길이 (　　　　　　　　)

서술형

20 몫의 소수 10째 자리 숫자는 얼마인지 풀이 과정을 쓰고 답을 구하세요.

$21 \div 3.6$

풀이

답

소수의 나눗셈

점수

스피드 정답표 5쪽, 정답 및 풀이 25쪽

[01~03] 계산해 보세요.

01

$1.1\overline{)41.8}$

02

$0.34\overline{)5.44}$

03

$12.5\overline{)100}$

04 14.82÷7.8과 계산 결과가 같은 나눗셈은 어느 것일까요? .... (　　　)

① 14.82÷78　② 1482÷78
③ 14820÷78　④ 148.2÷78
⑤ 1.482÷78

05 빈칸에 알맞은 수를 써넣으세요.

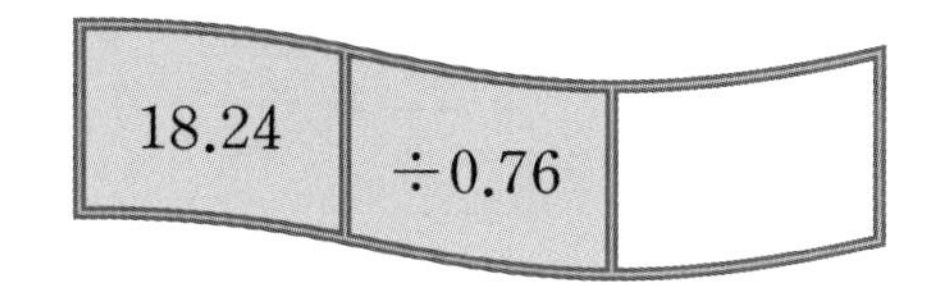

06 관계있는 것끼리 선으로 이어 보세요.

10.4÷1.3 •	• 6
63÷4.2 •	• 8
45÷7.5 •	• 15

07 잘못 계산한 곳을 찾아 바르게 계산해 보세요.

$$\begin{array}{r} 4.5 \\ 0.8\overline{)36} \\ \underline{32} \\ 40 \\ \underline{40} \\ 0 \end{array}$$

⇨ $0.8\overline{)36}$

[08~09] □ 안에 알맞은 수를 써넣으세요.

08

$72 \div 9 = \square$

$72 \div 0.9 = \square$

$72 \div 0.09 = \square$

09

$5.76 \div 0.72 = \square$

$57.6 \div 0.72 = \square$

$576 \div 0.72 = \square$

10 빈칸에 알맞은 수를 써넣으세요.

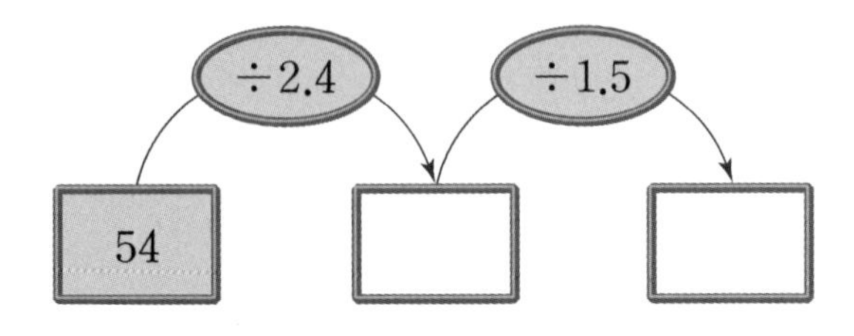

11 □ 안에 알맞은 수를 써넣으세요.

$1.6 \times \square = 5.12$

12 계산 결과가 가장 큰 것은 어느 것일까요? ( )

① $60.06 \div 1.54$　② $16.32 \div 4.8$

③ $27.9 \div 6.2$　④ $8.428 \div 2.8$

⑤ $56 \div 1.75$

13 계산 결과를 비교하여 ○ 안에 >, =, <를 알맞게 써넣으세요.

25÷7의 몫을 반올림하여 자연수로 나타낸 수	○	25÷7

서술형

14 1.05÷0.35를 두 가지 방법으로 계산해 보세요.

방법 1

방법 2

15 큰 못의 무게는 작은 못의 무게의 몇 배인지 반올림하여 소수 둘째 자리까지 나타내어 보세요.

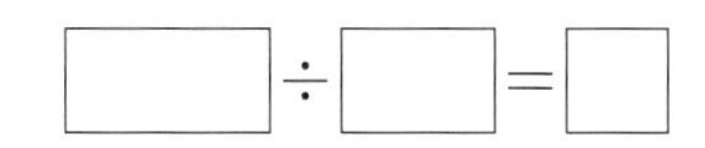

(　　　　　　　　　　)

16 |조건|을 만족하는 나눗셈식을 찾아 계산해 보세요.

|조건|
- 208÷26을 이용하여 풀 수 있습니다.
- 나누는 수와 나누어지는 수를 각각 10배 하면 208÷26이 됩니다.

☐÷☐=☐

17 어떤 수에 0.24를 곱했더니 15.6이 되었습니다. 어떤 수를 구하세요.

(　　　　　　　　　　)

18 욕조에 물이 44.5 L 들어 있습니다. 이 물을 들이가 3 L인 그릇으로 퍼내면 몇 번 퍼낼 수 있고 남는 물은 몇 L일까요?

퍼낼 수 있는 수 (　　　　　　　　　　)

남는 물의 양 (　　　　　　　　　　)

19 장거리 달리기 선수가 42.2 km를 2.8시간만에 완주했습니다. 이 선수가 일정한 빠르기로 달렸다면 1시간 동안 달린 거리는 몇 km인지 반올림하여 자연수로 나타내어 보세요.

(　　　　　　　　　　)

서술형

20 넓이가 18 cm^2인 삼각형이 있습니다. 밑변의 길이가 7.5 cm라면 높이는 몇 cm인지 풀이 과정을 쓰고 답을 구하세요.

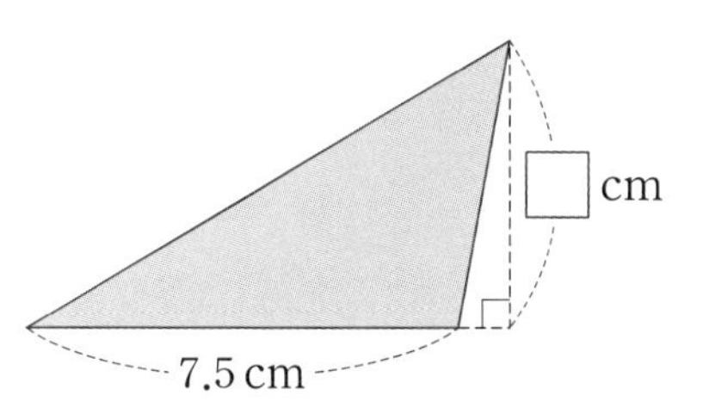

풀이

답 ______________

소수의 나눗셈

점수

스피드 정답표 5쪽, 정답 및 풀이 25쪽

01 밭에 딸기를 651 m²만큼 심었고, 토마토를 46.5 m²만큼 심었습니다. 딸기를 심은 밭의 넓이는 토마토를 심은 밭의 넓이의 몇 배인지 두 가지 방법으로 구하세요.

❶ 나누어지는 수와 나누는 수를 10배씩 하여 계산해 보세요.

$651 \div 46.5 = 6510 \div \square = \square$

❷ 세로로 계산해 보세요.

$46.5 \overline{)651}$

❸ 딸기를 심은 밭의 넓이는 토마토를 심은 밭의 넓이의 몇 배일까요?

( )

02 계산 결과를 비교하여 몫이 더 큰 나눗셈식의 기호를 써 보세요.

㉮ 22.6÷0.4	㉯ 10.92÷0.21

❶ ㉮의 몫을 구하세요.

$22.6 \div 0.4 = \square \div 4 = \square$ (10배, 10배)

( )

❷ ㉯의 몫을 구하세요.

$10.92 \div 0.21 = \square \div 21 = \square$ (100배, 100배)

( )

❸ 몫이 더 큰 나눗셈식의 기호를 써 보세요.

( )

03
리본 1.6 m로 상자 하나를 묶을 수 있습니다. 리본 11.3 m로 똑같은 모양의 상자를 묶을 때, 묶을 수 있는 상자 수와 남는 리본의 길이는 몇 m인지 구하세요.

❶ 묶을 수 있는 상자의 수와 남는 리본의 길이를 구하는 나눗셈식을 써 보세요.

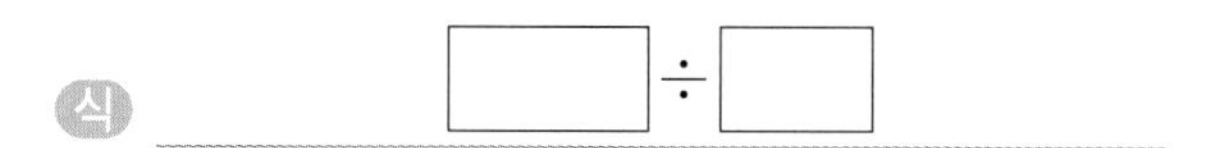

식 $\square \div \square$

❷ ❶의 나눗셈식의 몫을 자연수까지만 구하고, 그때의 나머지를 구하세요.

몫 (　　　　　　　)

나머지 (　　　　　　　)

❸ 묶을 수 있는 상자 수와 남는 리본의 길이는 몇 m인지 구하세요.

묶을 수 있는 상자 수 (　　　　　　　)

남는 리본의 길이 (　　　　　　　)

04
어떤 수를 3.2로 나누어야 할 것을 잘못하여 더했더니 12.16이 되었습니다. 바르게 계산하면 얼마인지 구하세요.

❶ 어떤 수를 ●라 하고 잘못 계산한 식을 써 보세요.

식 ●$+\square=\square$

❷ 어떤 수를 구하세요.

●$+\square=\square$ ⇨ ●$=\square$

(　　　　　　　)

❸ 바르게 계산하면 얼마일까요?

●$\div 3.2=\square$

(　　　　　　　)

점수

스피드 정답표 6쪽, 정답 및 풀이 26쪽

01 지훈이 책가방의 무게는 9.6 kg이고 민정이 책가방의 무게는 1.2 kg입니다. 지훈이 책가방의 무게는 민정이 책가방 무게의 몇 배인지 두 가지 방법으로 계산하는 풀이 과정을 쓰고 답을 구하세요.

풀이

답 ______________

어떻게 풀까요?

- **방법 1** 분모가 10인 분수로 바꾸어 계산할 수 있습니다.
- **방법 2** 세로로 계산할 수 있습니다.
- **방법 3** 9.6과 1.2를 10배씩 하여 계산할 수 있습니다.

02 계산 결과를 비교하여 몫이 더 작은 나눗셈식의 기호를 쓰려고 합니다. 풀이 과정을 쓰고 답을 구하세요.

㉮ $5.12 \div 1.6$	㉯ $8.91 \div 2.7$

풀이

답 ______________

어떻게 풀까요?

- ㉮와 ㉯의 몫을 먼저 구해 봅니다.

03

물 13.1 L를 물통 한 개에 0.8 L씩 나누어 담는다면 필요한 물통의 수와 남는 물은 몇 L인지 풀이 과정을 쓰고 답을 구하세요.

풀이

답 필요한 물통의 수: ____________

남는 물의 양: ____________

어떻게 풀까요?

• $13.1 \div 0.8$의 몫을 자연수까지만 구하고 그때의 나머지를 구합니다.

04

어떤 수를 0.8로 나누어야 할 것을 잘못하여 곱했더니 7.68이 되었습니다. 바르게 계산하면 얼마인지 풀이 과정을 쓰고 답을 구하세요.

풀이

답 ____________

어떻게 풀까요?

• 어떤 수를 □라 하고 잘못 계산한 식을 세워 어떤 수를 먼저 구합니다.
⇨ $\square \times 0.8 = 7.68$

05

경주 첨성대는 신라시대의 별을 보기 위해 높이 쌓은 대입니다. 높이가 9 m일 때 미란이의 키는 몇 m인지 반올림하여 소수 첫째 자리까지 나타내려고 합니다. 풀이 과정을 쓰고 답을 구하세요.

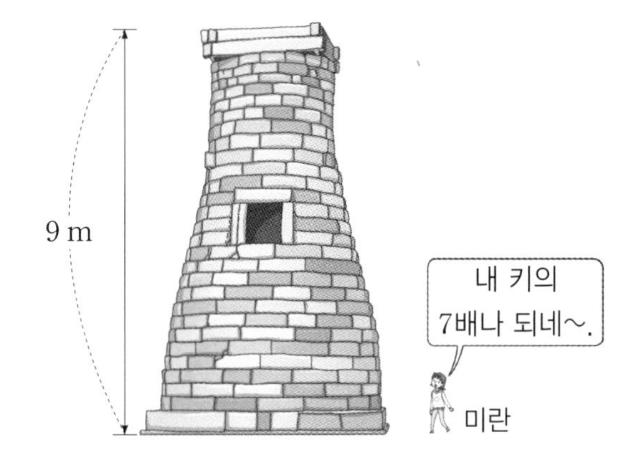

풀이

답 ____________

어떻게 풀까요?

• (첨성대의 높이)
=(미란이의 키)$\times 7$
⇨ (미란이의 키)
=(첨성대의 높이)$\div 7$

밀크티 성취도평가
오답 베스트 5 소수의 나눗셈

스피드 정답표 6쪽, 정답 및 풀이 26쪽

오답률 34%

01 감자 62.1 kg을 한 상자에 4 kg씩 담아서 팔았습니다. 상자에 담아서 팔고 남은 감자의 양은 몇 kg일까요? ············( )

① 0.1 kg ② 1.1 kg ③ 2.1 kg
④ 3.1 kg ⑤ 4.1 kg

오답률 35%

02 밑변의 길이가 20.15 cm, 넓이가 261.95 cm^2인 평행사변형이 있습니다. 이 평행사변형의 높이는 몇 cm인지 구하세요.

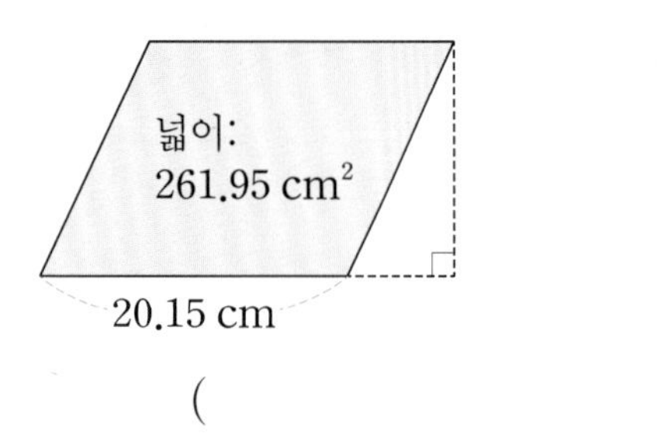

( )

오답률 37%

03 계산해 보세요.

$$8.28 \div 3.6$$

( )

오답률 49%

04 주스 3.72 L를 9명이 똑같이 나누어 마시려고 합니다. 한 사람이 몇 L씩 마시게 되는지 반올림하여 소수 첫째 자리까지 나타내세요.

( )

오답률 53%

05 □ 안에 들어갈 수 있는 자연수 중 가장 큰 수는 얼마일까요? ············( )

$$\square < 81.9 \div 6.3$$

① 10 ② 11 ③ 12
④ 14 ⑤ 15

CONTENTS

3

공간과 입체

3단원 개념정리

공간과 입체

개념 1 어느 방향에서 본 모양인지 알아보기

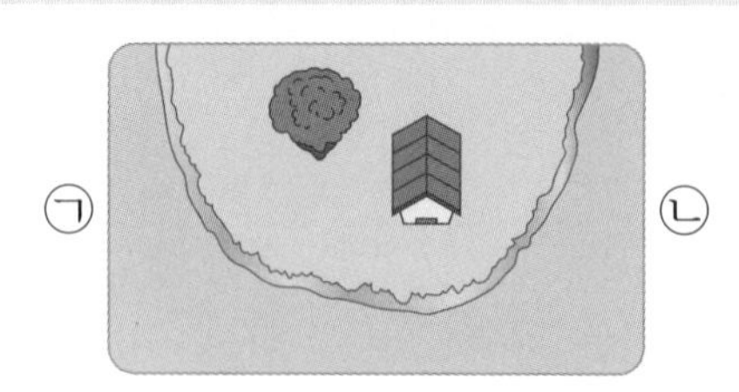

〈㉠에서 본 모양〉

→ 나무가 왼쪽, 집이 오른쪽에 보입니다.

〈㉡에서 본 모양〉

→ 집이 왼쪽, 나무가 오른쪽에 보입니다.

개념 2 쌓은 모양과 쌓기나무의 개수 알아보기 (1)

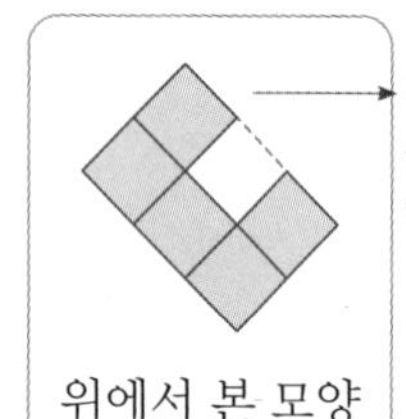

위에서 본 모양

→ 뒤에 숨겨진 쌓기나무가 없습니다.

⇨ 주어진 모양과 똑같이 쌓는 데 필요한 쌓기나무는 ❶ [ ]개입니다.

개념 3 쌓은 모양과 쌓기나무의 개수 알아보기 (2)

- 위, 앞, 옆에서 본 모양 그리기

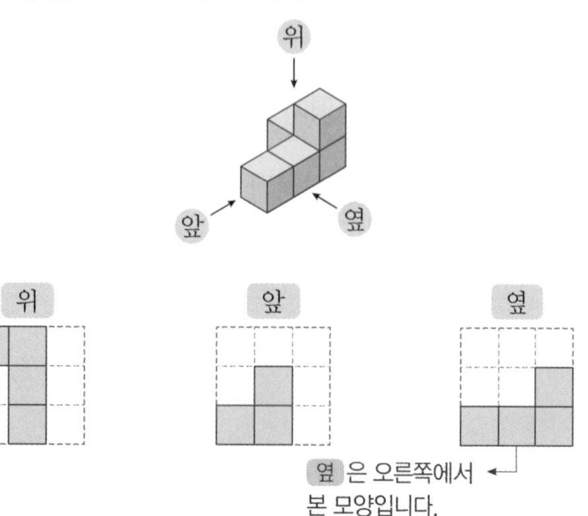

옆은 오른쪽에서 본 모양입니다.

개념 4 쌓은 모양과 쌓기나무의 개수 알아보기 (3)

- 쌓기나무로 쌓은 모양을 보고 위에서 본 모양에 수를 써 보기

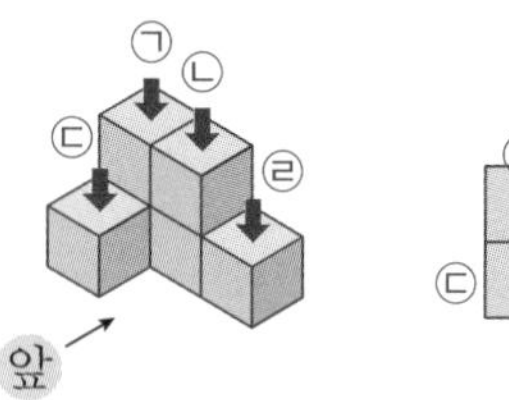

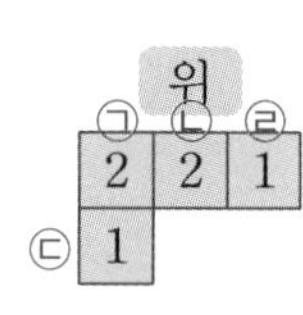

⇨ 주어진 모양과 똑같이 쌓는 데 필요한 쌓기나무는 ❷ [ ]개입니다.

개념 5 쌓은 모양과 쌓기나무의 개수 알아보기 (4)

- 쌓기나무로 쌓은 모양을 보고 1층, 2층, 3층 모양 그리기

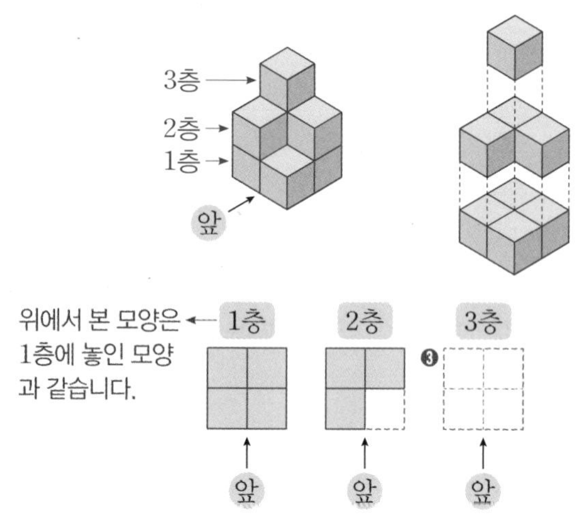

위에서 본 모양은 1층에 놓인 모양과 같습니다.

1층 2층 ❸ 3층

앞 앞 앞

⇨ 주어진 모양과 똑같이 쌓는 데 필요한 쌓기나무는 8개입니다.

개념 6 여러 가지 모양 만들기

- 모양에 쌓기나무 1개를 붙여서 서로 다른 모양 만들기

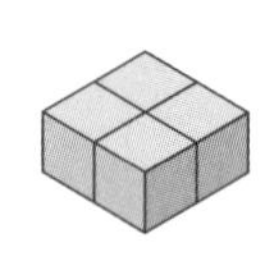

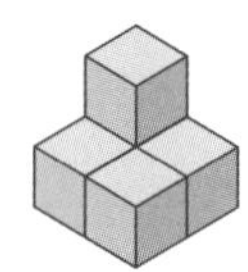

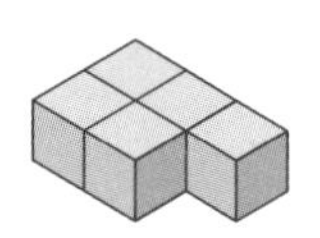

| 정답 | ❶ 7 ❷ 6 ❸ [그림]

▶ 어느 방향에서 본 모양인지 알아보기 ~ 쌓은 모양과 쌓기나무의 개수 알아보기 (1) 스피드 정답표 6쪽, 정답 및 풀이 27쪽

[01~02] 여러 방향에서 사진을 찍었습니다. 각 사진은 어느 방향에서 찍은 것인지 기호를 써 보세요.

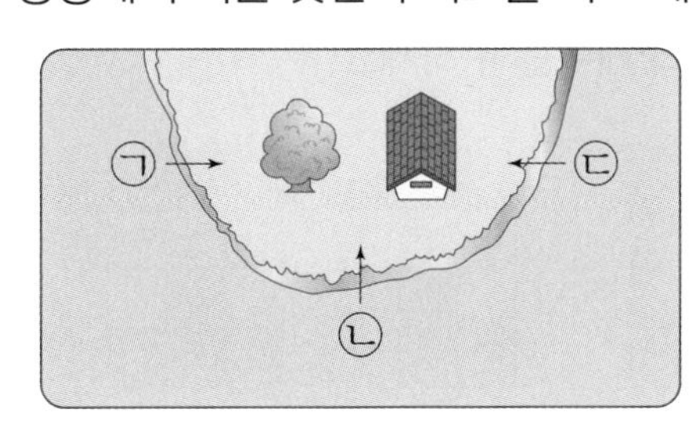

01

(　　　　　　　　)

02

(　　　　　　　　)

[03~05] 쌓기나무를 쌓은 모양을 보고 위에서 본 모양을 그린 것입니다. 관계있는 것끼리 선으로 이어 보세요.

03

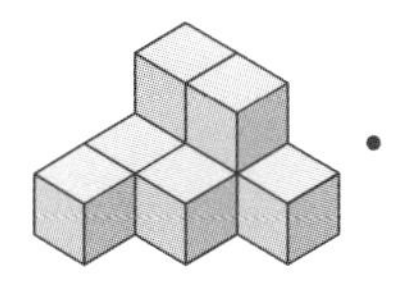 • 　　　 •

04

 • 　　　 • 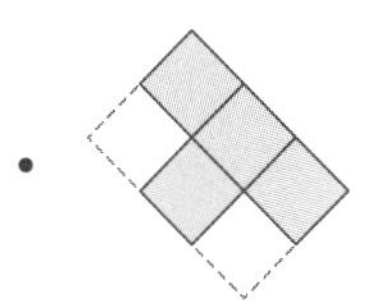

05

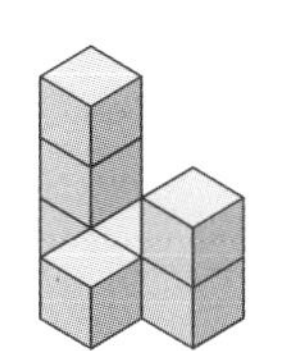 • 　　　 • 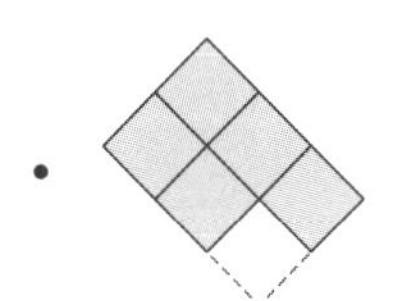

[06~10] 쌓기나무로 쌓은 모양을 보고 위에서 본 모양을 그렸습니다. 주어진 모양과 똑같이 쌓는 데 필요한 쌓기나무의 개수를 구하세요.

06

 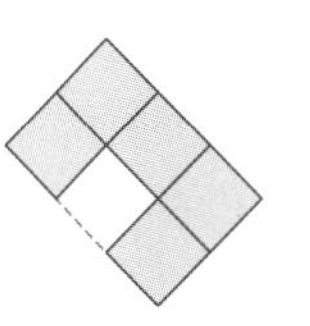

위에서 본 모양

(　　　　　　　　)

07

위에서 본 모양

(　　　　　　　　)

08

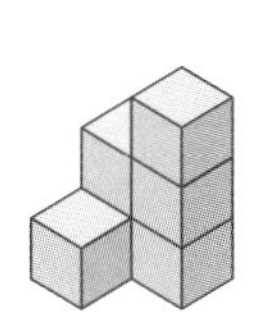

위에서 본 모양

(　　　　　　　　)

09

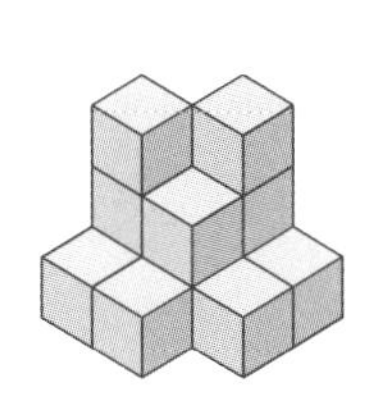 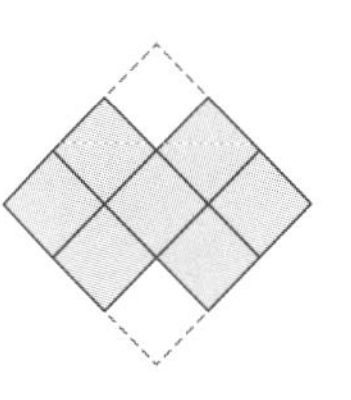

위에서 본 모양

(　　　　　　　　)

10

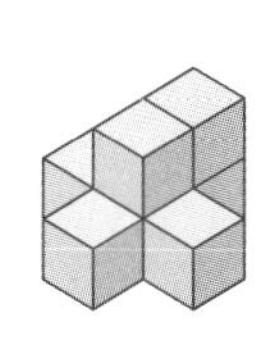 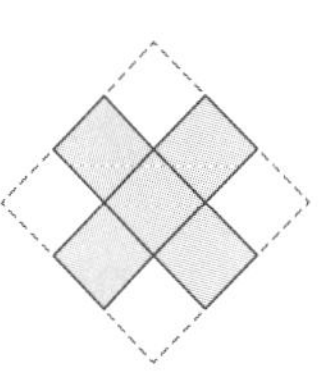

위에서 본 모양

(　　　　　　　　)

▶ 쌓은 모양과 쌓기나무의 개수 알아보기 (2)

스피드 정답표 6쪽, 정답 및 풀이 27쪽

[01~06] 쌓기나무로 쌓은 모양과 위에서 본 모양입니다. 앞과 옆에서 본 모양을 각각 그려 보세요.

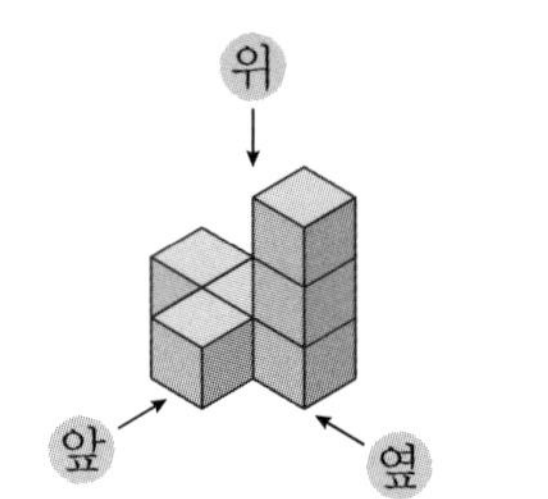

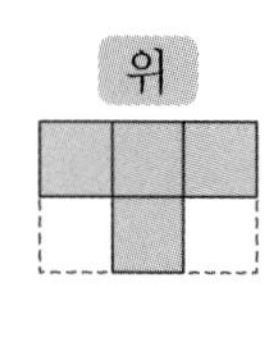

01 앞

02 옆

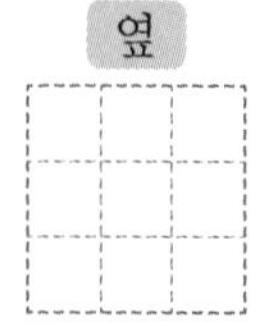

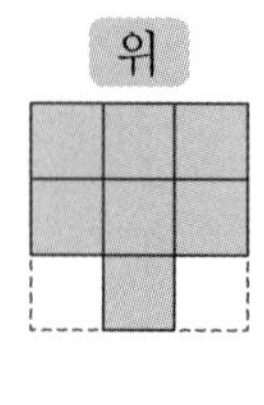

03 앞

04 옆

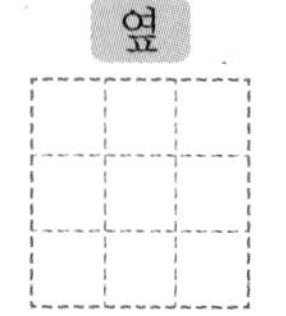

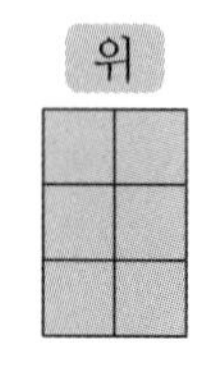

05 앞

06 옆

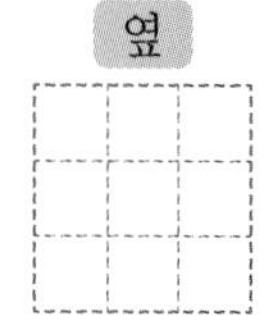

[07~10] 쌓기나무로 쌓은 모양을 위, 앞, 옆(오른쪽)에서 본 모양입니다. 똑같은 모양으로 쌓는 데 필요한 쌓기나무의 개수를 구하세요.

07

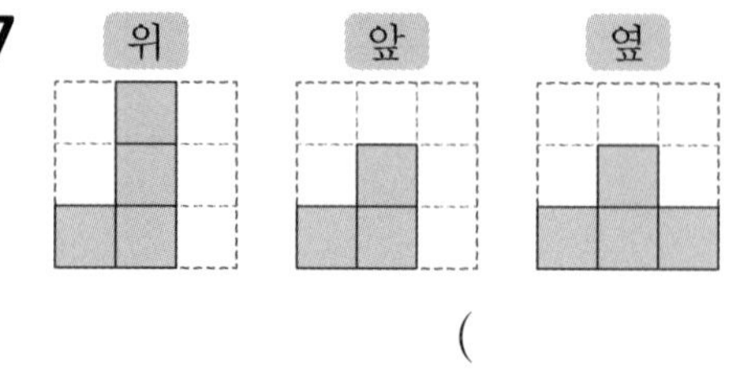

( )

08

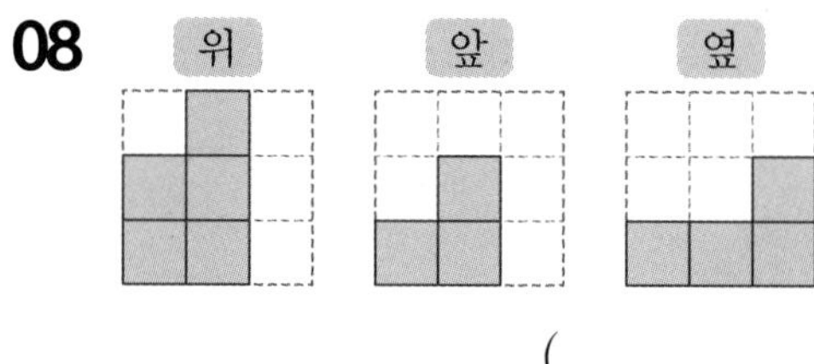

( )

09

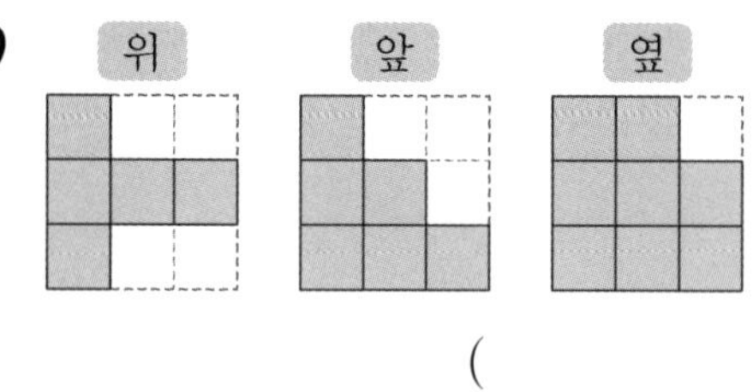

( )

10

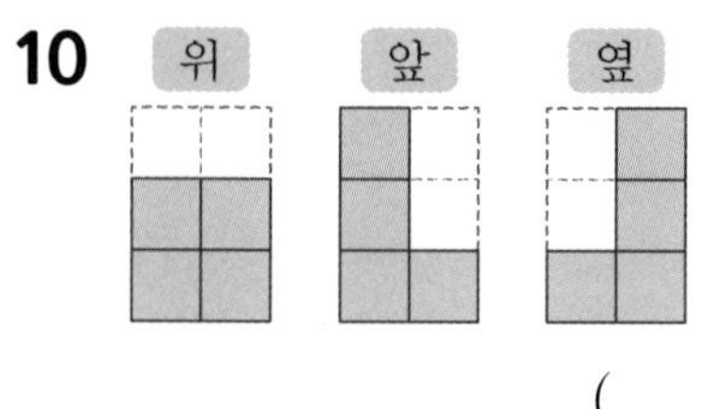

( )

▶ 쌓은 모양과 쌓기나무의 개수 알아보기 (3)

스피드 정답표 6쪽, 정답 및 풀이 27쪽

[01~06] 쌓기나무로 쌓은 모양을 보고 위에서 본 모양에 수를 써 보세요.

01

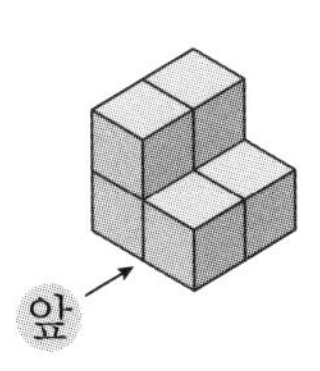

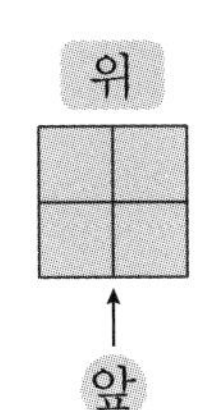

02

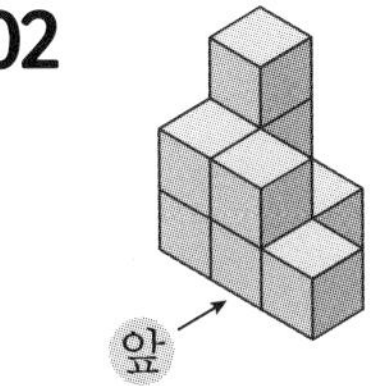

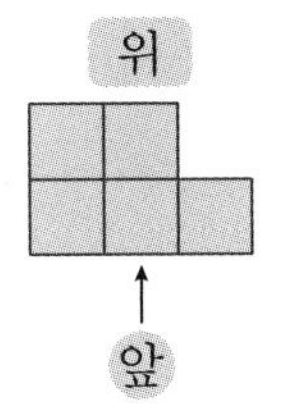

03

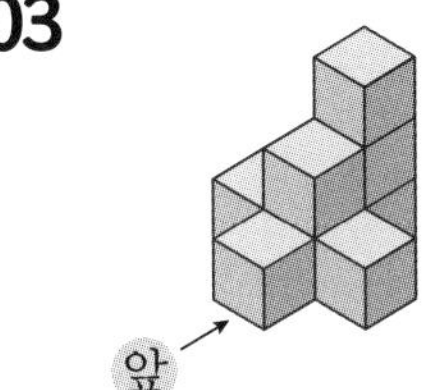

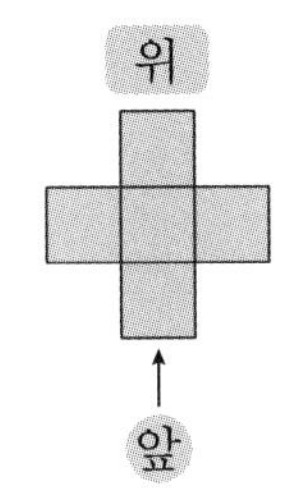

04

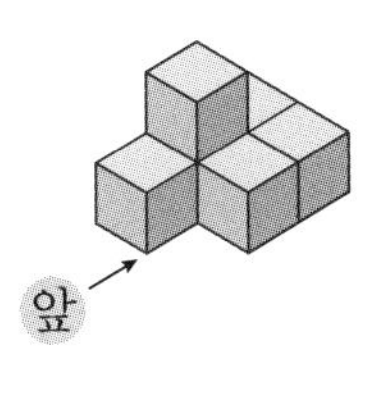

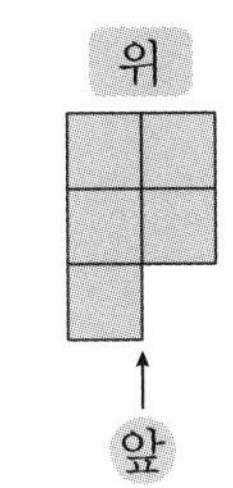

05

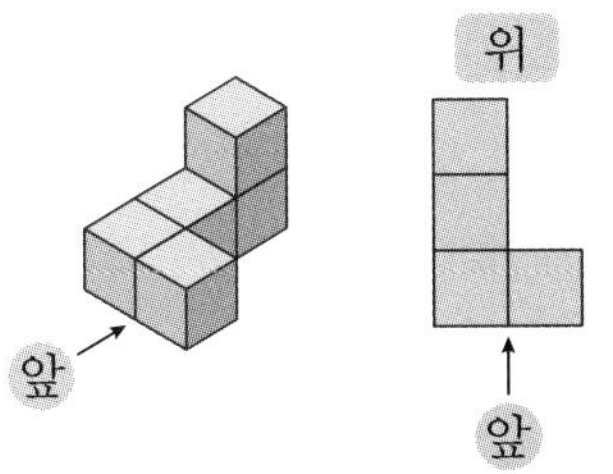

06

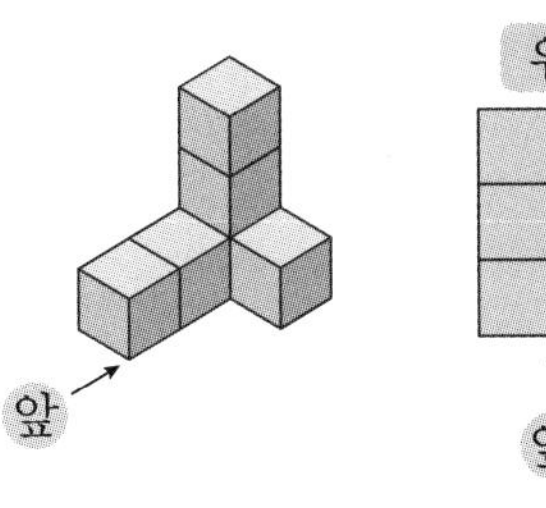

[07~10] 쌓기나무로 쌓은 모양을 위, 앞, 옆(오른쪽)에서 본 모양을 보고 똑같은 모양으로 쌓는 데 필요한 쌓기나무의 개수를 구하려고 합니다. 물음에 답하세요.

07 ㉠, ㉡, ㉢, ㉣에 쌓인 쌓기나무는 각각 몇 개일까요?

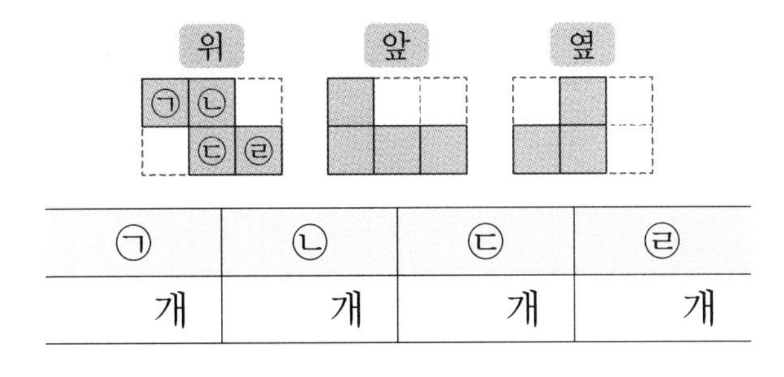

㉠	㉡	㉢	㉣
개	개	개	개

08 **07**의 그림과 똑같은 모양으로 쌓는 데 필요한 쌓기나무는 몇 개일까요?

( )

09 ㉠, ㉡, ㉢, ㉣, ㉤에 쌓인 쌓기나무는 각각 몇 개일까요?

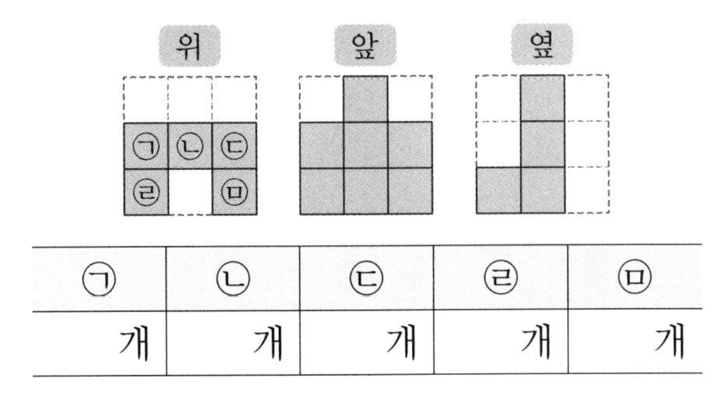

㉠	㉡	㉢	㉣	㉤
개	개	개	개	개

10 **09**의 그림과 똑같은 모양으로 쌓는 데 필요한 쌓기나무는 몇 개일까요?

( )

단원 쪽지시험 4회

공간과 입체

점수

▶ 쌓은 모양과 쌓기나무의 개수 알아보기 (4) ~ 여러 가지 모양 만들기

스피드 정답표 6쪽, 정답 및 풀이 27쪽

[01~05] 쌓기나무로 쌓은 모양과 1층 모양을 보고 각 층의 모양을 그려 보세요.

01

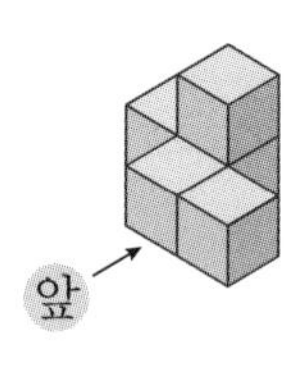

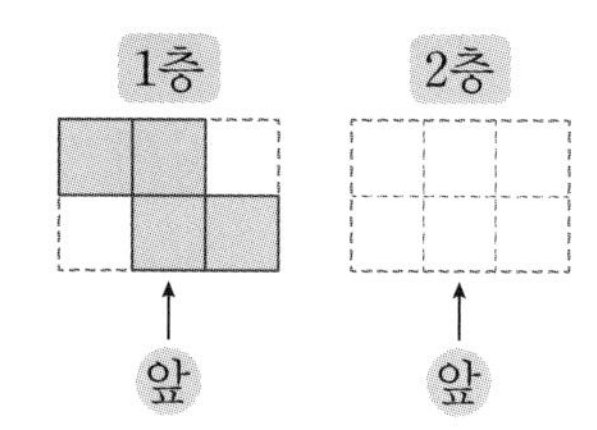

02

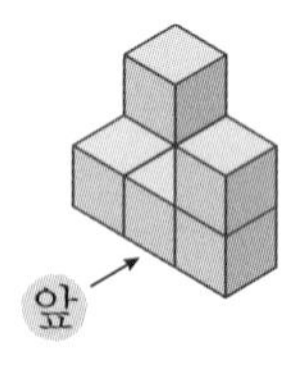

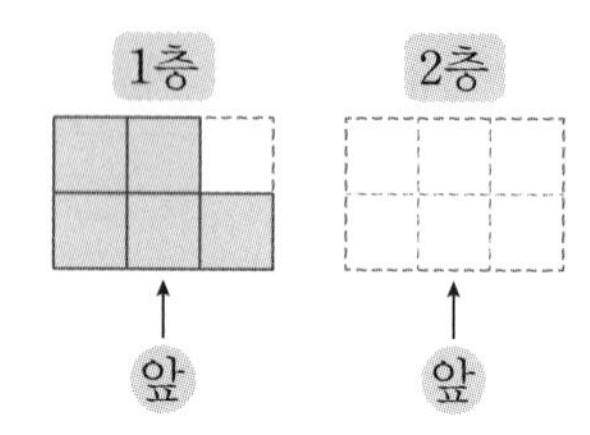

03

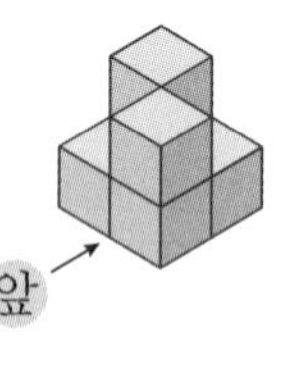

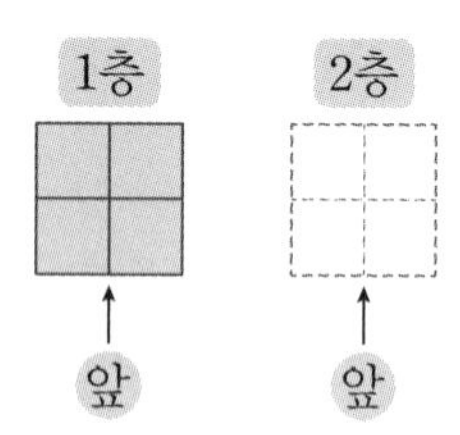

04

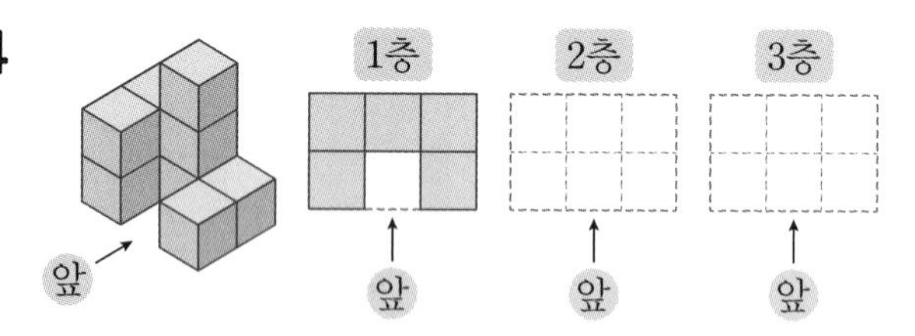

05

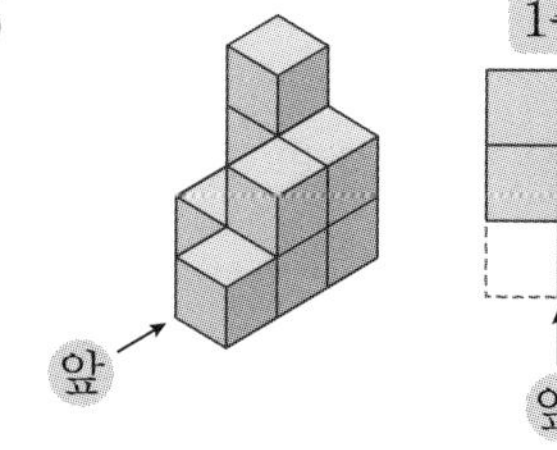

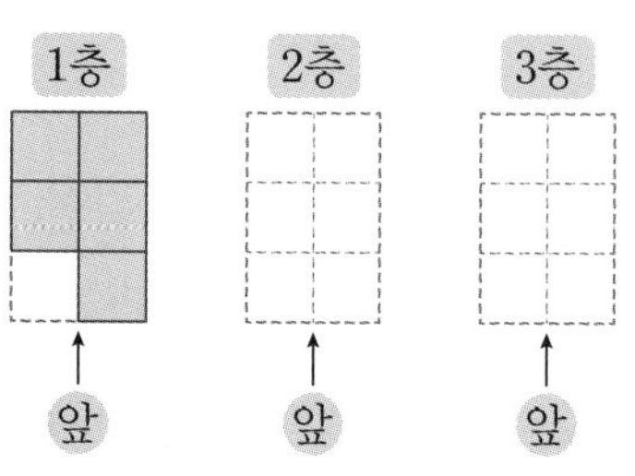

[06~08] 왼쪽 모양에 쌓기나무 1개를 더 붙여서 만들 수 있는 모양에 ○표 하세요.

06

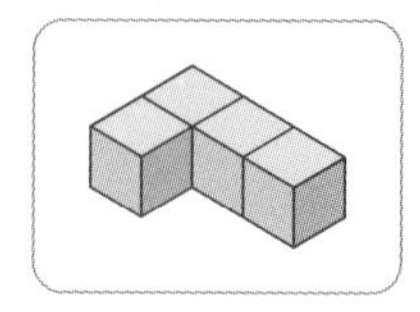

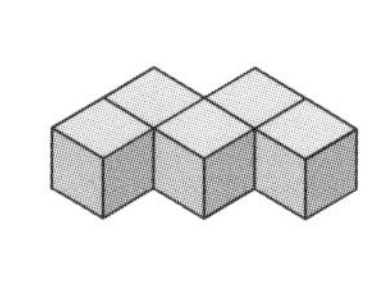

( ) ( )

07

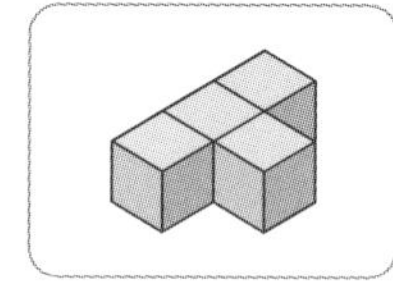

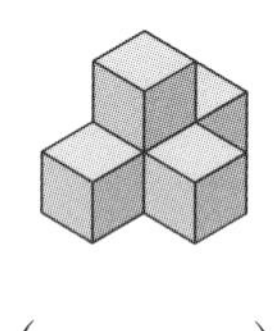

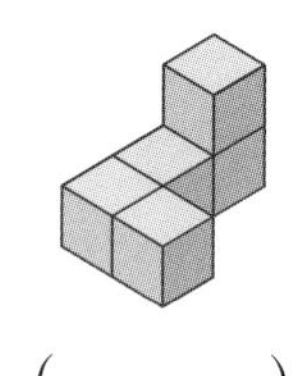

( ) ( )

08

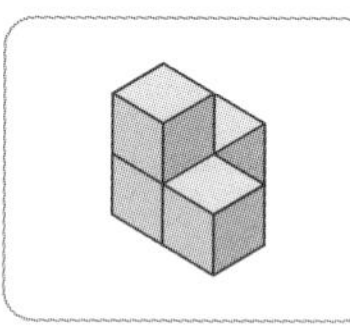

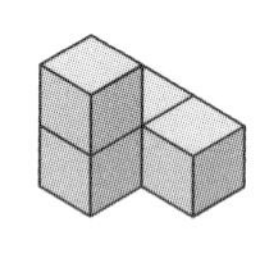

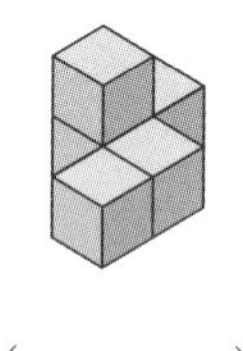

( ) ( )

[09~10] 쌓기나무를 각각 4개씩 붙여서 만든 모양 중 두 가지 모양을 사용하여 새로운 모양을 만들었습니다. 사용한 두 가지 모양을 찾아 기호를 써 보세요.

가 나 다

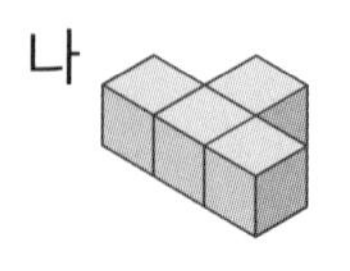

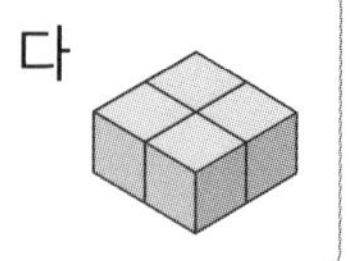

09

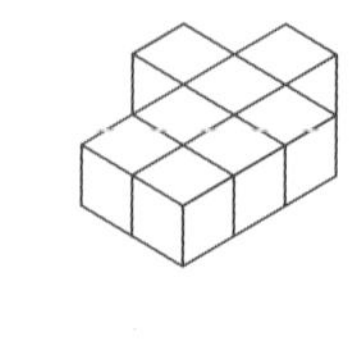

( )

10

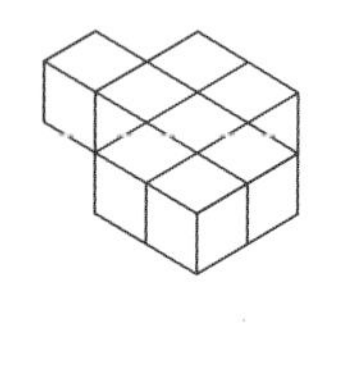

( )

A 난이도 B C

단원평가 1회

공간과 입체

점수

스피드 정답표 7쪽, 정답 및 풀이 28쪽

[01~02] 다윤이와 민경이가 공원에 있는 조형물 사진을 찍었습니다. 각 사진을 찍은 학생은 누구인지 이름을 써 보세요.

01 ( )

02 ( )

[03~04] 주어진 모양과 똑같이 쌓는 데 필요한 쌓기나무의 개수를 구하세요.

03

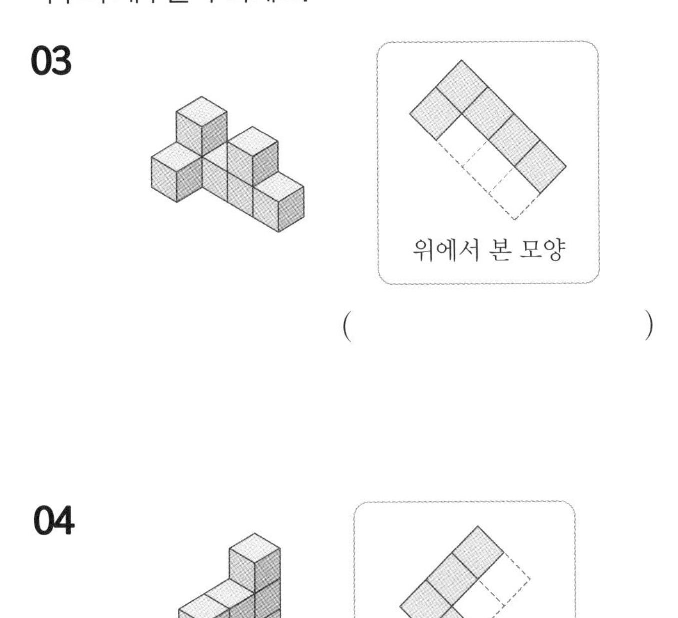

( )

04

위에서 본 모양

( )

[05~06] 쌓기나무로 쌓은 모양과 위에서 본 모양입니다. 앞과 옆에서 본 모양을 각각 그려 보세요.

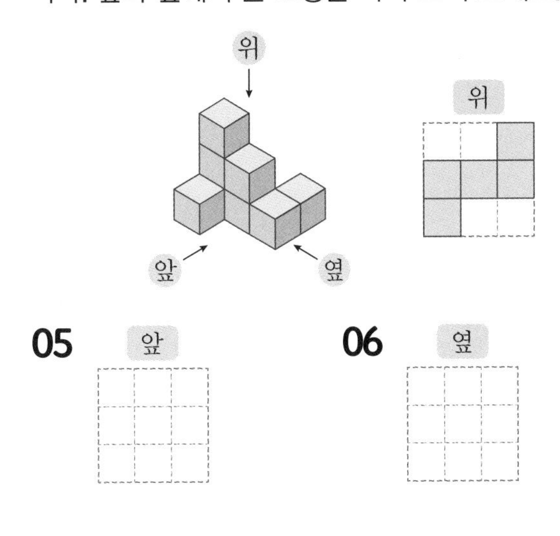

05 앞

06 옆

[07~08] 쌓기나무로 쌓은 모양과 1층 모양을 보고 2층과 3층의 모양을 각각 그려 보세요.

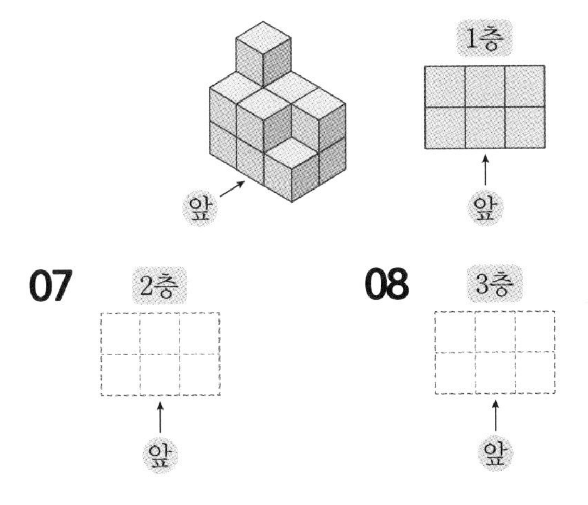

07 2층

앞

08 3층

앞

[09~10] 쌓기나무로 쌓은 모양을 보고 위에서 본 모양을 그린 것입니다. 관계있는 것을 찾아 기호를 써 보세요.

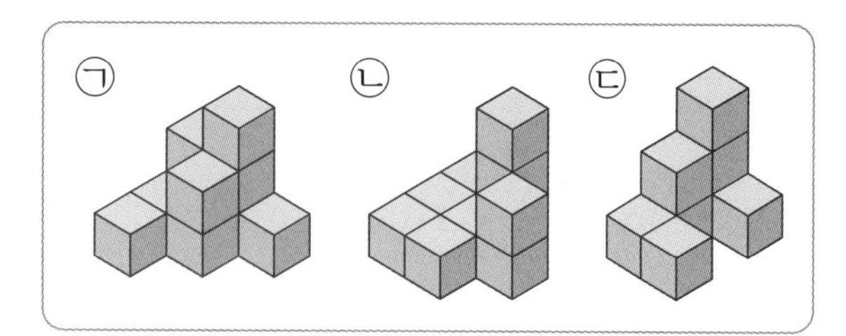

09

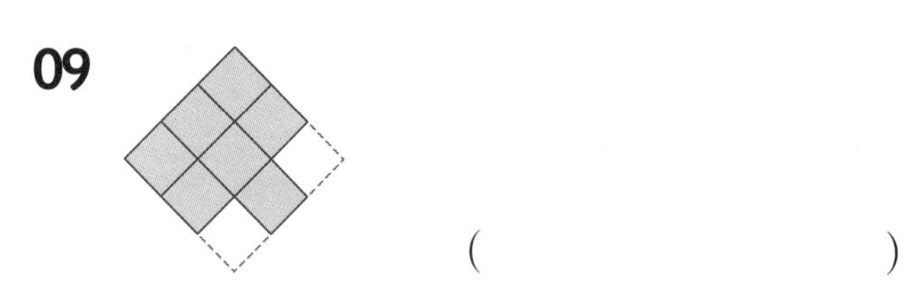

(　　　　　　　　)

10

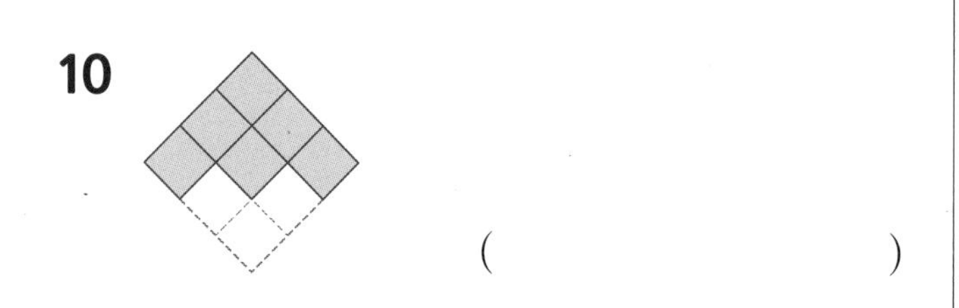

(　　　　　　　　)

11 창경궁에 있는 관천대는 조선시대의 천문 관측 시설입니다. 관천대를 보고 그림과 같이 쌓기나무를 쌓았습니다. 쌓은 모양을 옆에서 본 모양을 찾아 ○표 하세요. (단, 숨겨진 쌓기나무는 없습니다.)

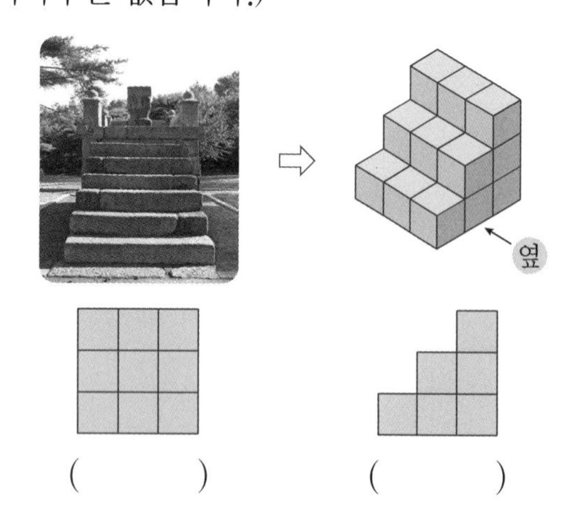

(　　　)　　　(　　　)

12 쌓기나무로 쌓은 모양을 보고 위에서 본 모양에 수를 써 보세요.

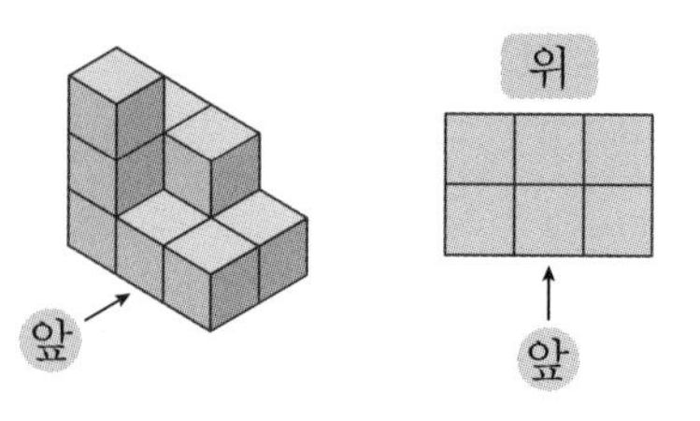

[13~15] 쌓기나무로 쌓은 모양을 보고 위에서 본 모양에 수를 썼습니다. 물음에 답하세요.

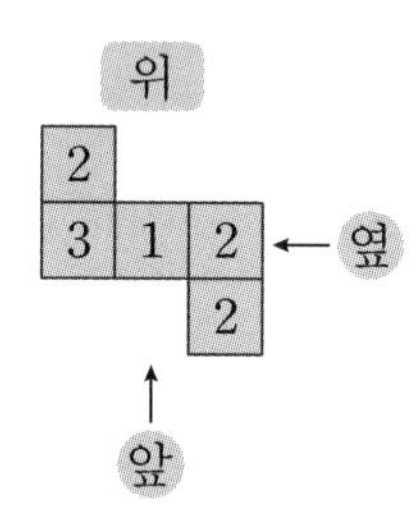

13 알맞은 말에 ○표 하세요.

앞과 옆에서 본 모양을 그릴 때 각 방향에서 보이는 가장 (큰 , 작은) 숫자의 층만큼 그립니다.

14 쌓기나무로 쌓은 모양을 앞에서 본 모양을 그려 보세요.

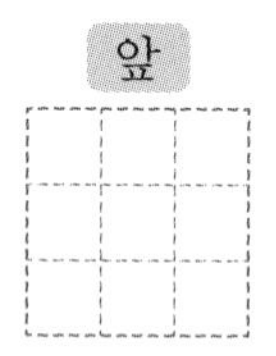

15 쌓기나무로 쌓은 모양을 옆에서 본 모양을 그려 보세요.

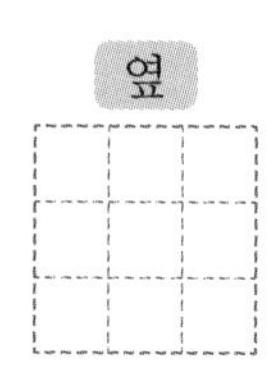

16 쌓기나무로 쌓은 모양을 위, 앞, 옆(오른쪽)에서 본 모양입니다. 쌓기나무를 쌓은 모양을 찾아 기호를 써 보세요.

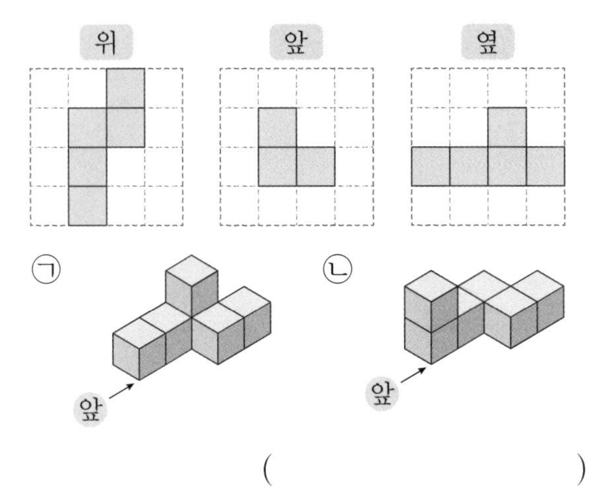

(　　　　　　　　)

17 모양에 쌓기나무 1개를 붙여서 만들 수 있는 모양을 모두 고르세요. ························ (　　　　)

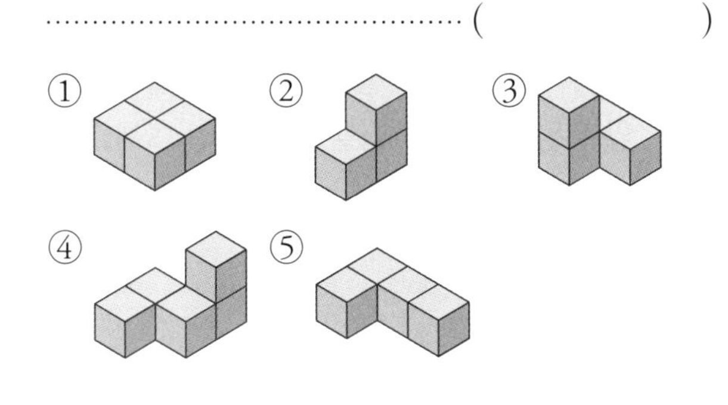

18 오른쪽은 쌓기나무 5개로 만든 모양입니다. 이 모양을 돌리거나 뒤집었을 때 같은 모양이 되는 것을 찾아 ○표 하세요.

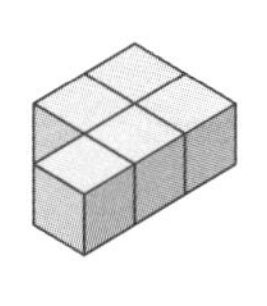

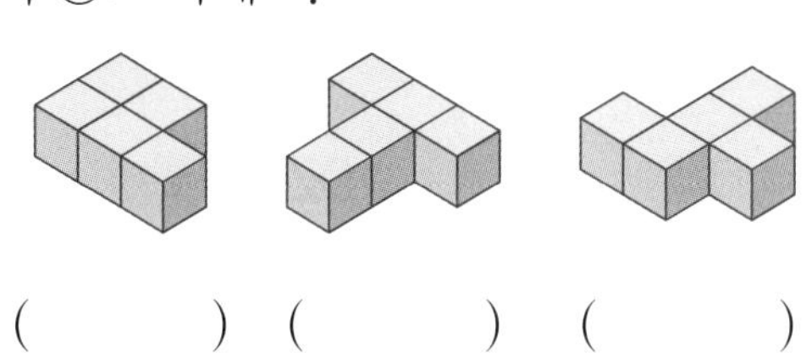

(　　　) (　　　) (　　　)

[19~20] 쌓기나무로 쌓은 모양을 위, 앞, 옆(오른쪽)에서 본 모양입니다. 똑같은 모양을 만들기 위해 필요한 쌓기나무의 개수를 구하려고 합니다. 물음에 답하세요.

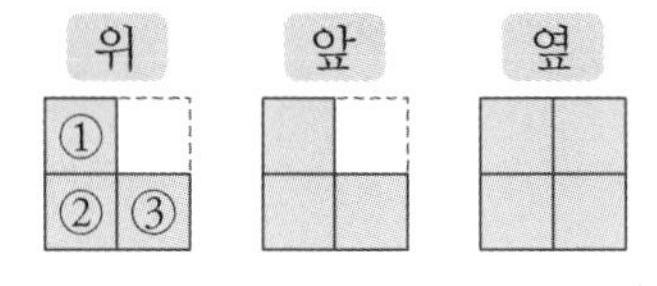

19 위에서 본 모양의 각 자리에 쌓인 쌓기나무는 몇 개인지 빈칸에 알맞은 수를 써넣으세요.

자리	①번	②번	③번
개수(개)	2		

20 똑같은 모양으로 쌓는 데 필요한 쌓기나무는 몇 개일까요?

(　　　　　　　　)

A 난이도 B C

단원 단원평가 2회

공간과 입체

점수

스피드 정답표 7쪽, 정답 및 풀이 28쪽

[01~02] 쌓기나무 5개로 쌓은 모양을 보고 1층과 2층을 각각 그려 보세요.

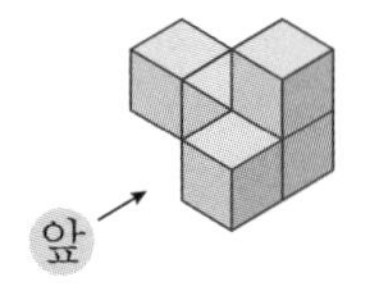

01 1층

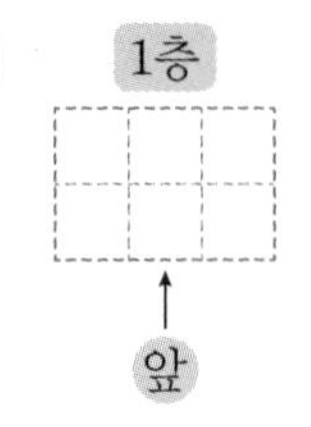

02 2층

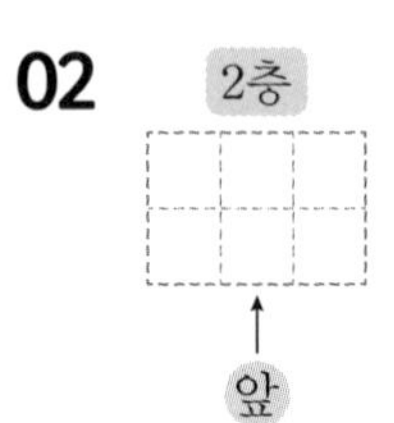

03 쌓기나무로 쌓은 모양과 1층의 모양을 보고 사용한 쌓기나무의 개수를 구하려고 합니다. □ 안에 알맞은 수를 써넣으세요.

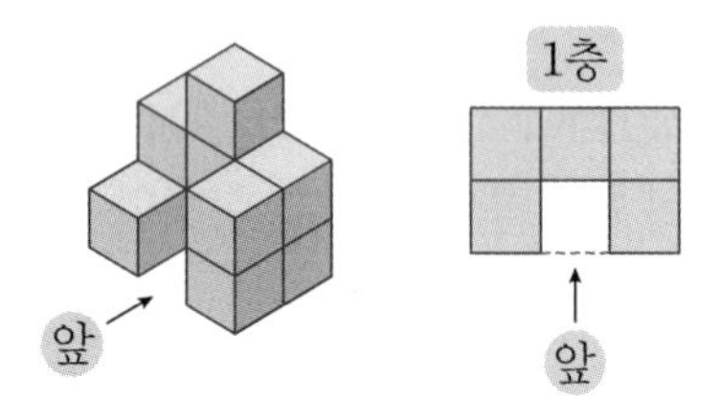

각 층에 놓인 쌓기나무는 1층에 □개, 2층에 □개, 3층에 □개이므로 사용한 쌓기나무는 모두 □개입니다.

04 보기와 같이 컵을 놓고 각 방향에서 보았을 때 가능한 모양에 ○표 하세요.

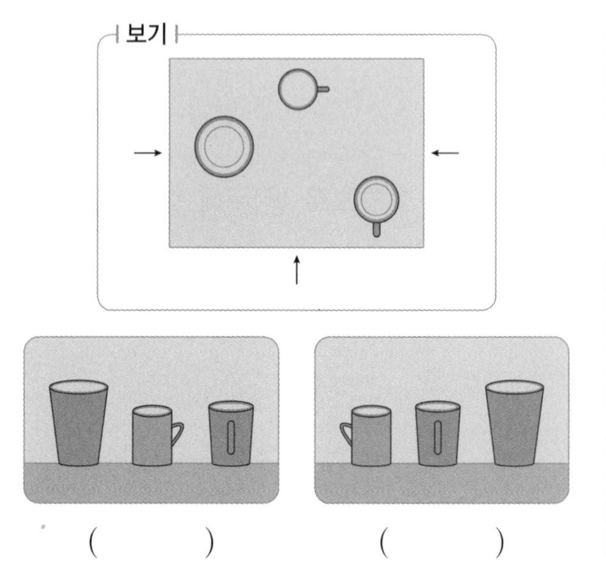

(　　　) (　　　)

05 주어진 모양과 똑같이 쌓는 데 필요한 쌓기나무는 몇 개일까요?

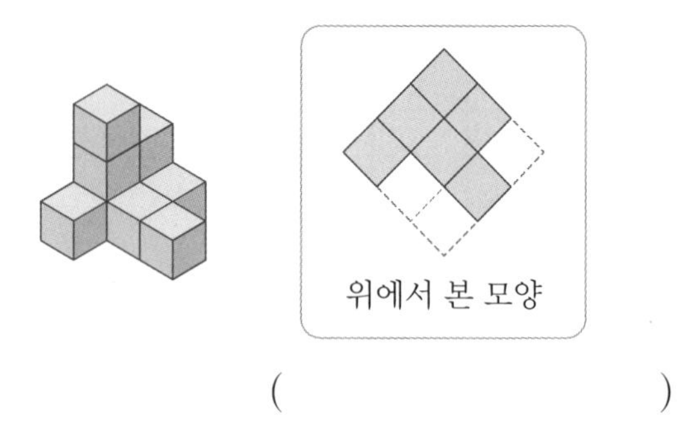

(　　　　　　　　　)

06 쌓기나무를 위, 앞, 옆에서 본 모양입니다. 어느 방향에서 본 모양인지 (　　) 안에 앞, 옆을 알맞게 써넣으세요.

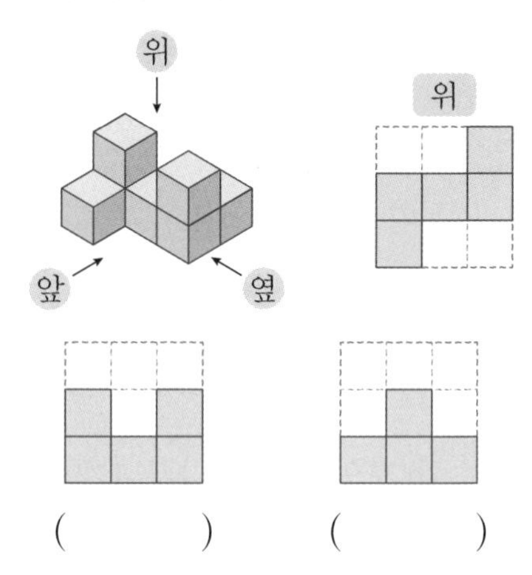

(　　　) (　　　)

[07~08] 쌓기나무로 쌓은 모양과 위에서 본 모양입니다. 앞과 옆에서 본 모양을 각각 그려 보세요.

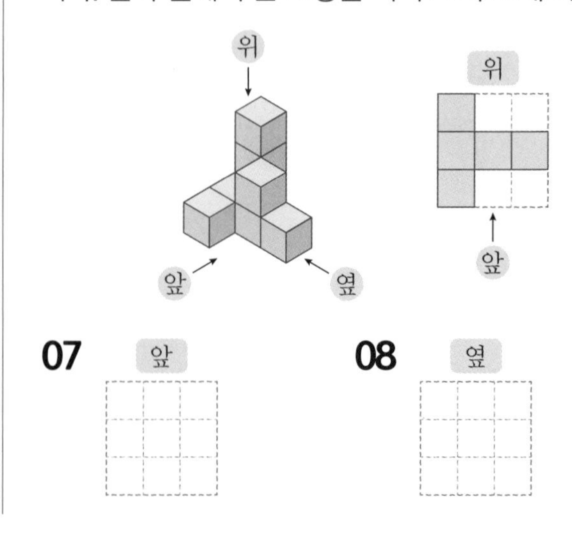

[09~10] 쌓기나무로 쌓은 모양을 층별로 나타낸 모양입니다. 물음에 답하세요.

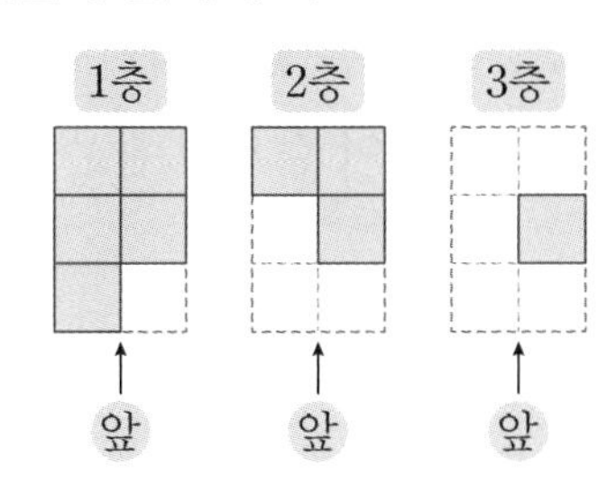

09 위에서 본 모양에 수를 쓰는 방법으로 쌓은 모양을 나타내어 보세요.

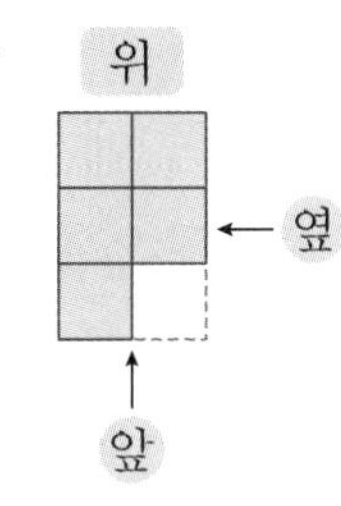

10 똑같은 모양을 쌓는 데 필요한 쌓기나무의 개수는 몇 개일까요?

(   )

11 쌓기나무로 쌓은 모양을 보고 위에서 본 모양에 수를 썼습니다. 관계있는 것끼리 선으로 이어 보세요.

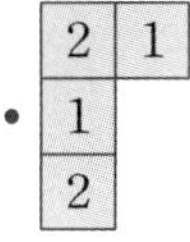

12 모양에 쌓기나무 1개를 붙여서 만들 수 있는 모양이 아닌 것을 찾아 기호를 써 보세요.

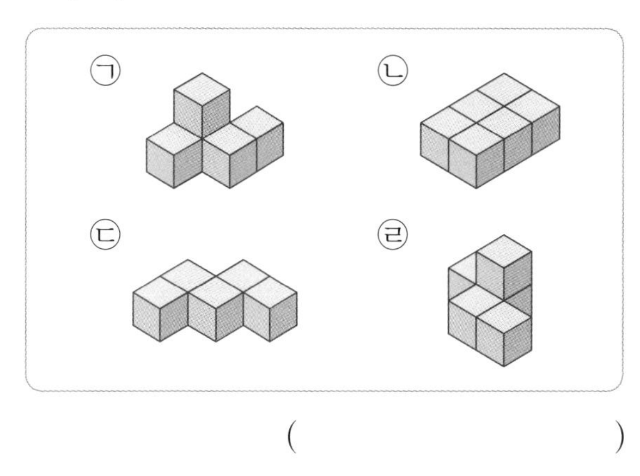

(   )

[13~14] 쌓기나무로 쌓은 모양을 위, 앞, 옆에서 본 모양을 보고 똑같은 모양으로 쌓기나무를 쌓으려고 합니다. 물음에 답하세요.

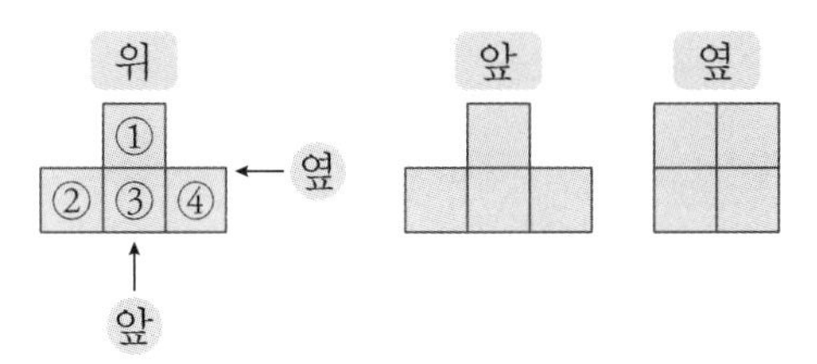

13 각 자리에 쌓인 쌓기나무는 몇 개인지 빈칸에 알맞은 수를 써넣으세요.

자리	①번	②번	③번	④번
개수(개)				

14 똑같은 모양을 만들기 위해 필요한 쌓기나무는 몇 개일까요?

(   )

15 쌓기나무 5개로 만든 모양을 돌리거나 뒤집었을 때 같은 모양이 되는 것을 찾아 기호를 써 보세요.

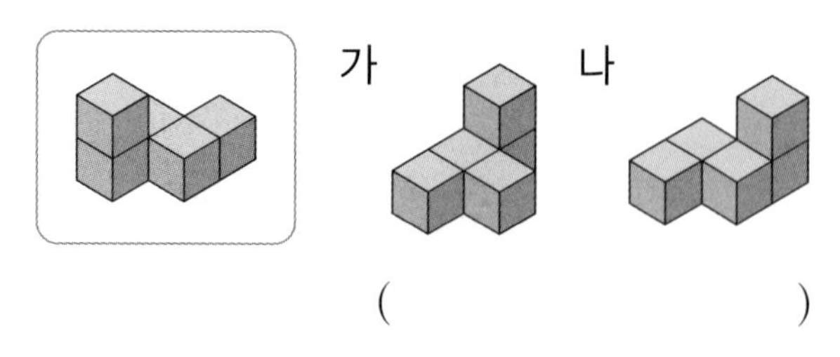

( )

16 쌓기나무로 쌓은 모양을 보고 위에서 본 모양에 수를 썼습니다. 앞에서 본 모양이 오른쪽 그림과 같은 것에 ○표 하세요.

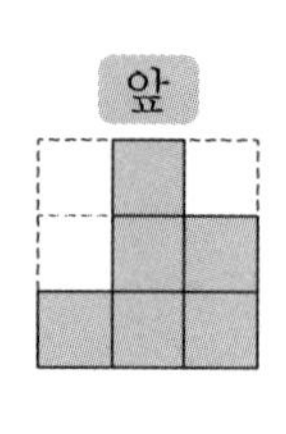

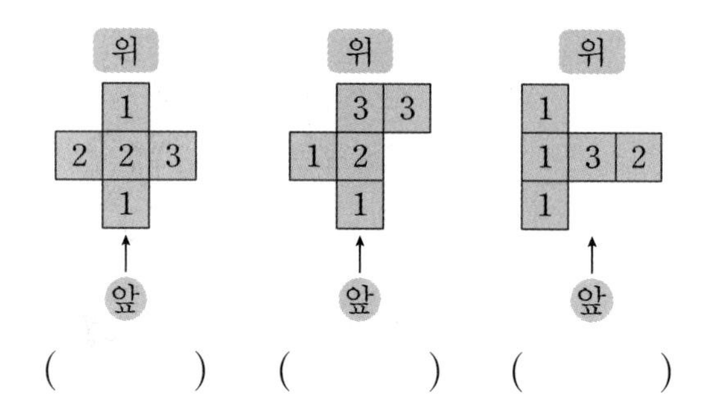

( ) ( ) ( )

17 쌓기나무로 쌓은 모양을 보고 위에서 본 모양에 수를 썼습니다. 앞과 옆에서 본 모양을 각각 그려 보세요.

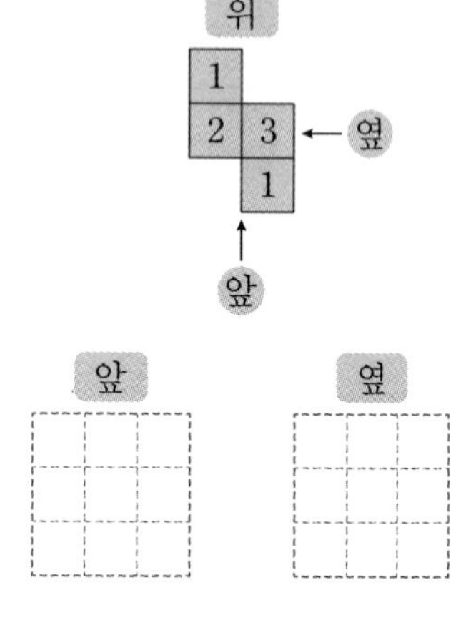

18 모양에 쌓기나무 1개를 더 붙여서 만들 수 있는 모양은 모두 몇 가지일까요? (단, 뒤집거나 돌려서 모양이 같으면 같은 모양입니다.)

( )

19 쌓기나무로 쌓은 모양을 보고 위, 앞, 옆(오른쪽)에서 본 모양을 그렸습니다. 쌓기나무를 쌓은 모양으로 가능한 모양을 찾아 기호를 써 보세요.

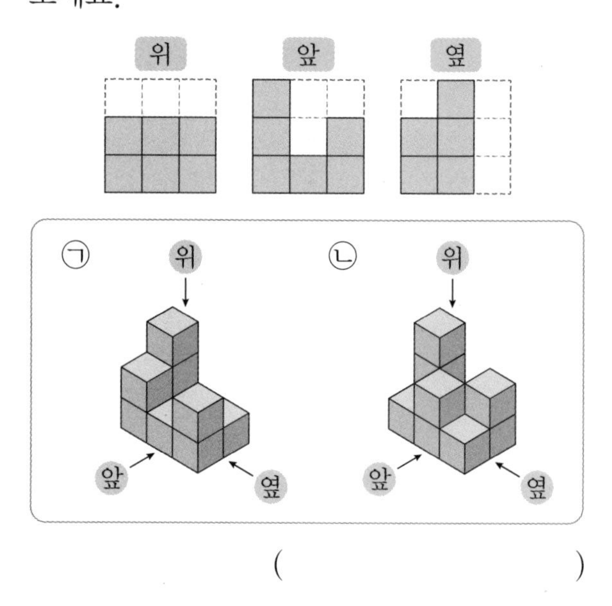

( )

20 쌓기나무를 3개, 2개를 붙여서 만든 보기의 두 가지 모양을 사용하여 만들 수 있는 새로운 모양이 아닌 것을 찾아 기호를 써 보세요.

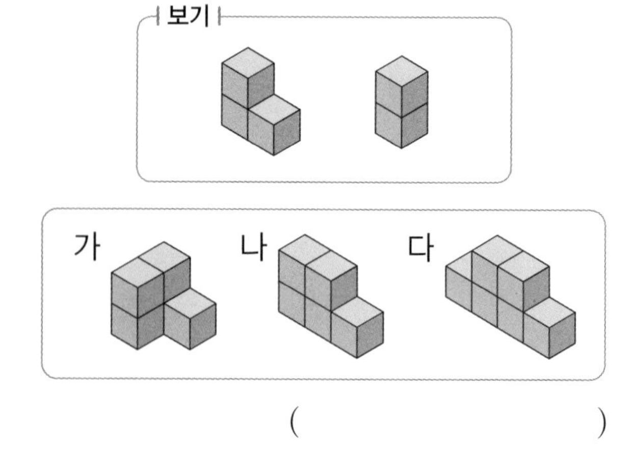

( )

스피드 정답표 7쪽, 정답 및 풀이 29쪽

01 쌓기나무로 쌓은 모양과 위에서 본 모양입니다. □ 안에 알맞은 수를 써넣으세요.

쌓은 쌓기나무는 1층에 □개, 2층에 □개, 3층에 □개이므로 모두 □개입니다.

[02~03] 쌓기나무로 쌓은 모양과 위에서 본 모양입니다. 앞과 옆에서 본 모양을 각각 그려 보세요.

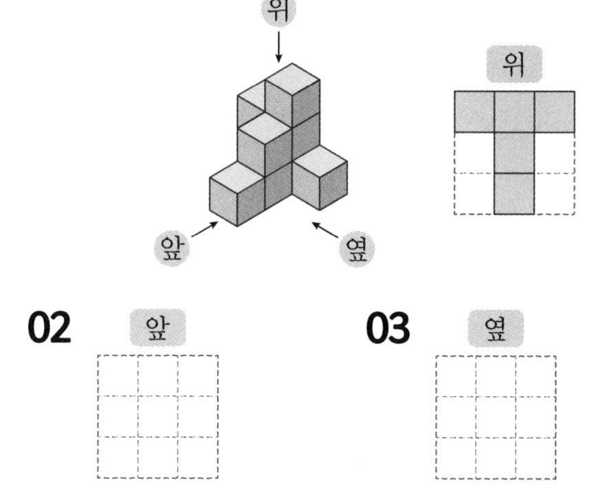

04 식탁 위에 놓인 과일을 찍은 사진입니다. 사진을 찍은 방향에 ○표 하세요.

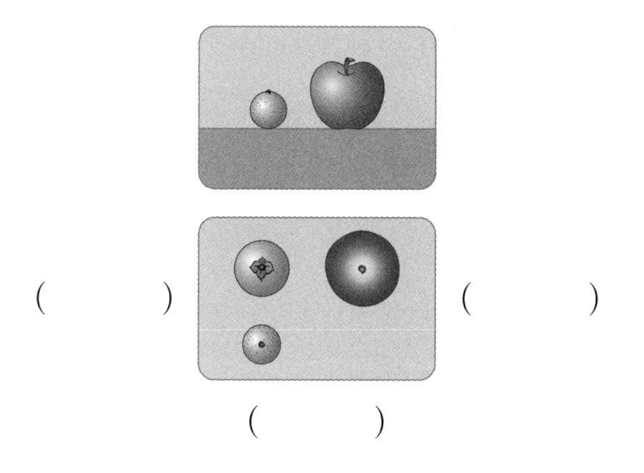

( ) ( )

( )

05 왼쪽 쌓기나무로 쌓은 모양을 보고 위에서 본 모양에 수를 써넣으세요.

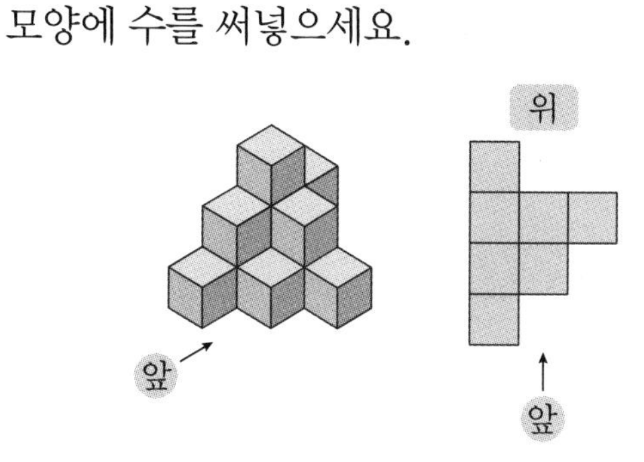

[06~07] 쌓기나무 10개로 쌓은 모양과 1층 모양을 보고 2층과 3층을 각각 그려 보세요.

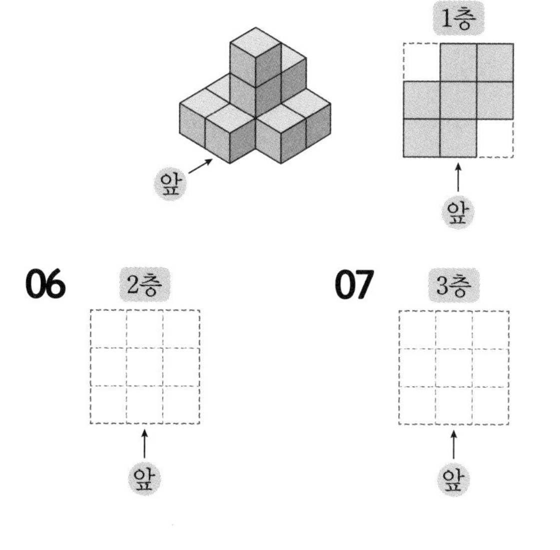

08 왼쪽 그림은 쌓기나무로 쌓은 모양을 보고 위에서 본 모양에 수를 쓴 것입니다. 앞에서 본 모양을 찾아 기호를 써 보세요.

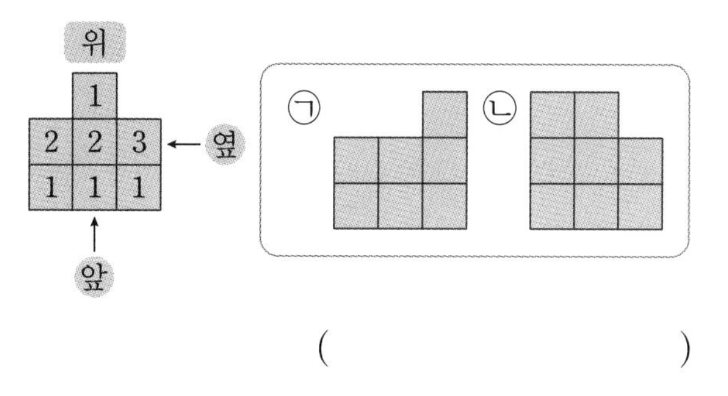

( )

[09~11] 쌓기나무로 쌓은 모양을 층별로 나타낸 모양입니다. 물음에 답하세요.

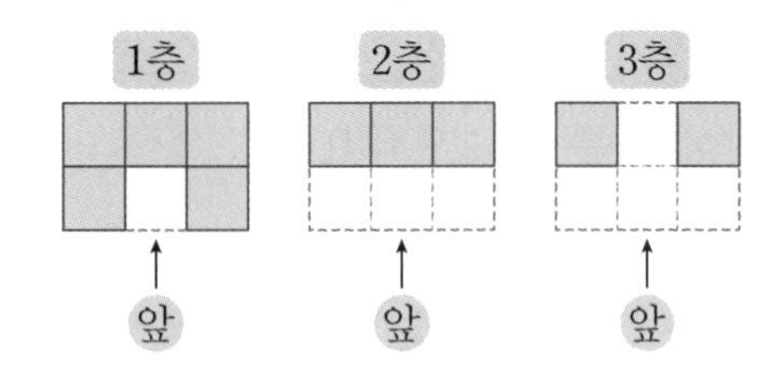

09 층별로 쌓은 쌓기나무의 개수를 써 보세요.

층	1층	2층	3층
개수(개)			

10 위의 그림을 보고 쌓기나무로 쌓은 모양을 앞에서 본 모양을 그려 보세요.

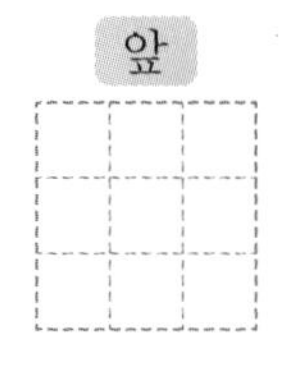

11 똑같은 모양으로 쌓는 데 필요한 쌓기나무는 몇 개일까요?

(　　　　　　　　　)

12 쌓기나무를 앞에서 본 모양이 다른 하나를 찾아 기호를 써 보세요.

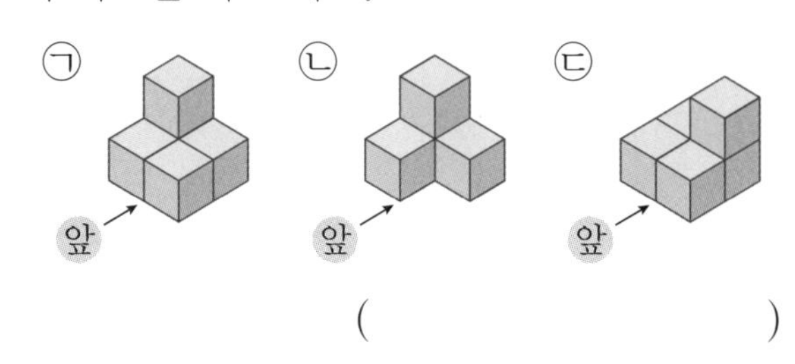

(　　　　　　　　　)

13 쌓기나무를 쌓은 모양을 보고 위에서 본 모양에 수를 썼습니다. 쌓은 모양을 옆에서 본 모양을 그려 보세요.

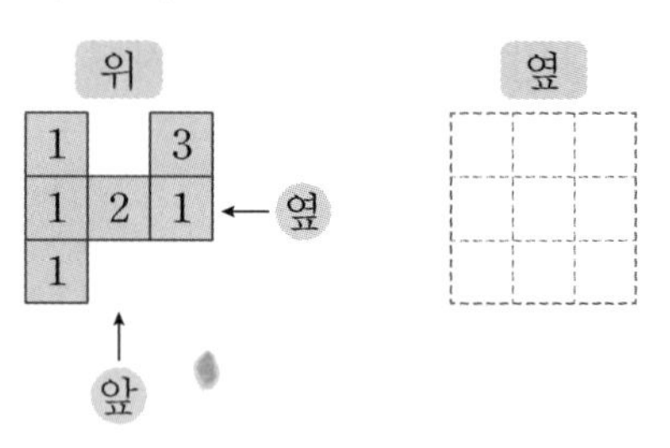

14 오른쪽 모양을 위에서 내려다 보면 어떤 모양인지 찾아 기호를 써 보세요.

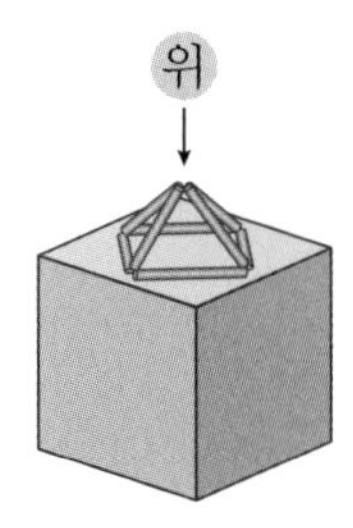

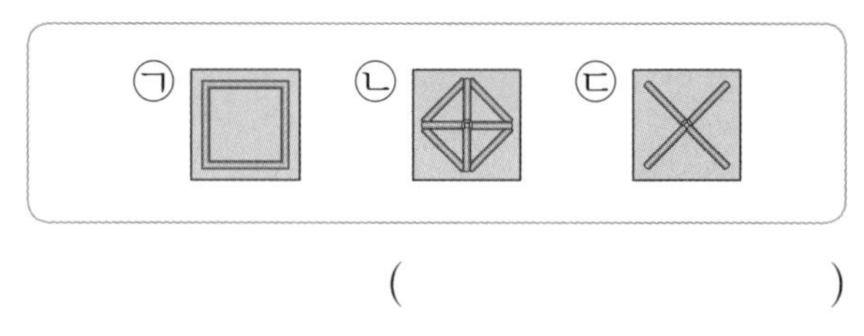

(　　　　　　　　　)

15 지수, 영신, 은경이가 각각 쌓기나무 5개로 만든 모양입니다. 서로 같은 모양을 만든 친구를 찾아 이름을 써 보세요.

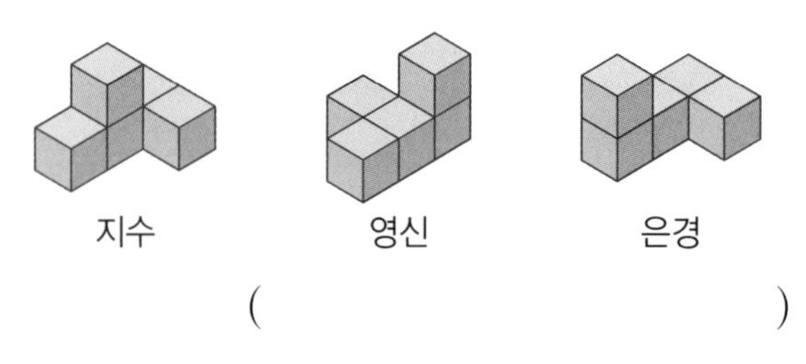

(　　　　　　　　　)

16 쌓기나무 6개로 만든 모양을 위, 앞, 옆(오른쪽)에서 본 모양입니다. 쌓은 모양을 찾아 기호를 써 보세요.

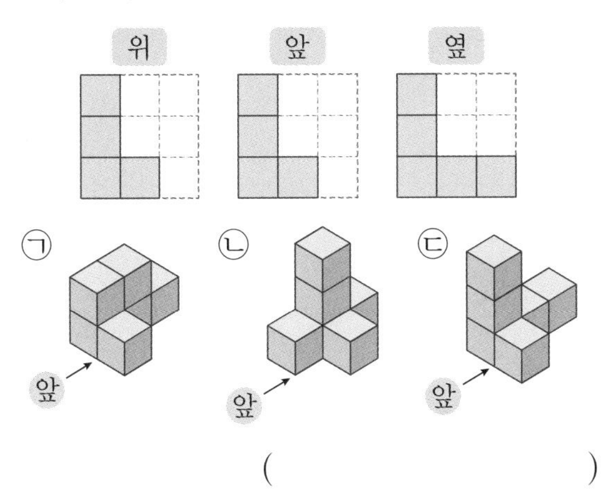

( )

17 쌓기나무를 4개, 3개를 붙여서 만든 두 가지 모양을 사용하여 만들 수 있는 모양이 <u>아닌</u> 것을 찾아 기호를 써 보세요.

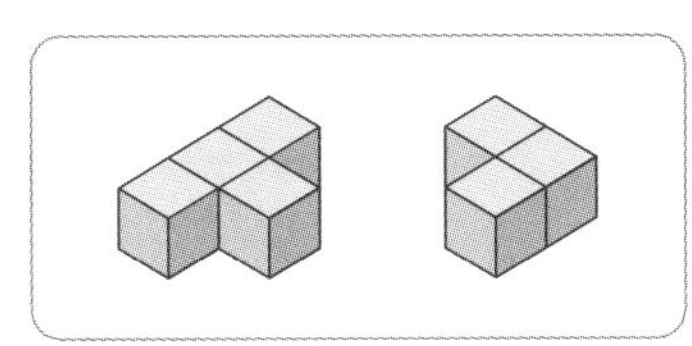

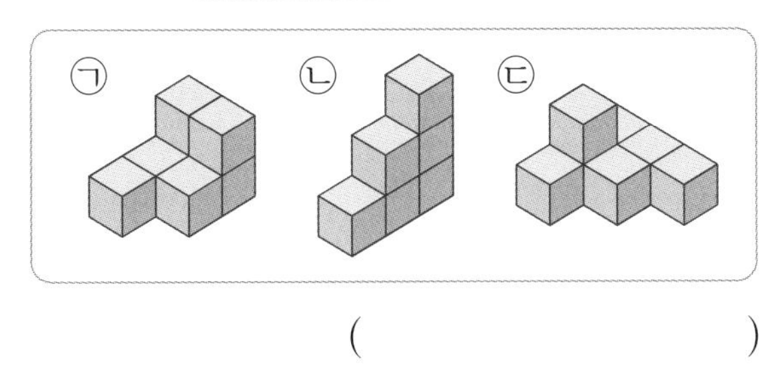

( )

[18~19] 쌓기나무로 쌓은 모양을 위, 앞, 옆(오른쪽)에서 본 모양입니다. 똑같은 모양으로 쌓는 데 필요한 쌓기나무는 몇 개인지 구하려고 합니다. 물음에 답하세요.

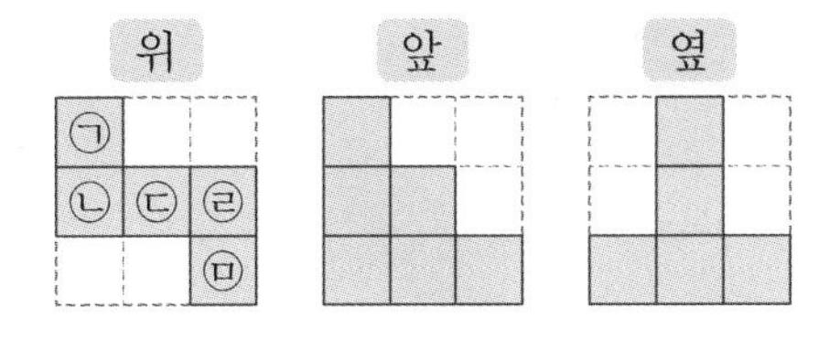

18 위에서 본 모양의 각 자리에 쌓인 쌓기나무의 개수를 써 보세요.

자리	㉠	㉡	㉢	㉣	㉤
개수(개)					

19 필요한 쌓기나무는 몇 개일까요?

( )

서술형

20 상현이는 가지고 있던 쌓기나무 20개 중에서 몇 개를 사용하여 다음과 같은 모양을 만들었습니다. 사용하고 남은 쌓기나무는 몇 개인지 풀이 과정을 쓰고 답을 구하세요.

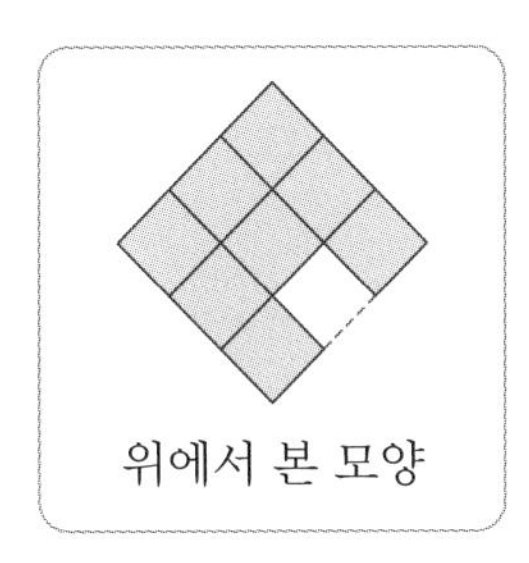

풀이

답

난이도 A B C

점수

스피드 정답표 7쪽, 정답 및 풀이 29쪽

[01~02] 쌓기나무로 쌓은 모양을 보고 1층과 2층 모양을 각각 그려 보세요.

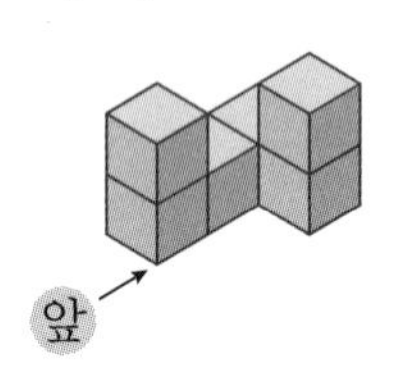

01 1층

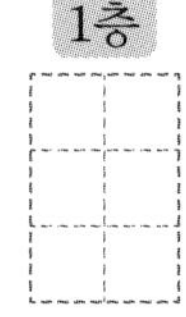

02 2층

[03~04] 쌓기나무로 쌓은 모양과 위에서 본 모양입니다. 쌓은 쌓기나무의 개수를 구하세요.

03

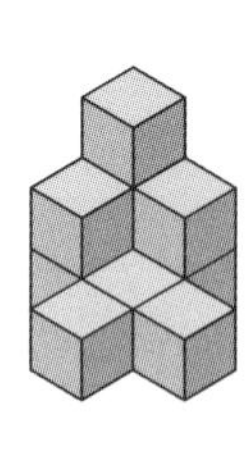

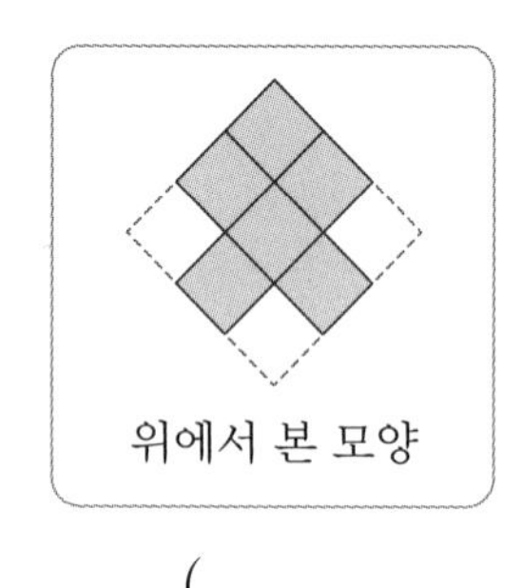

(　　　　　　　　　　)

04

(　　　　　　　　　　)

05 쌓기나무로 쌓은 모양을 보고 위에서 본 모양에 수를 썼습니다. 관계있는 것끼리 선으로 이어 보세요.

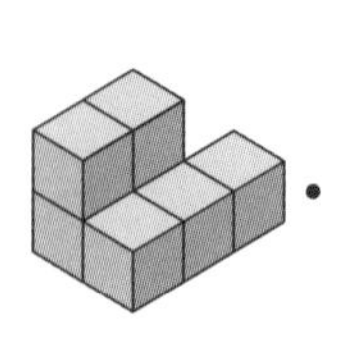

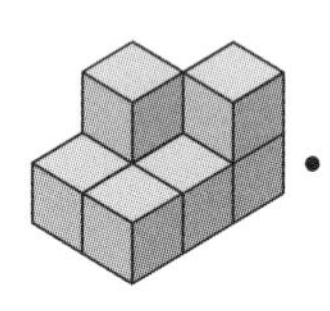

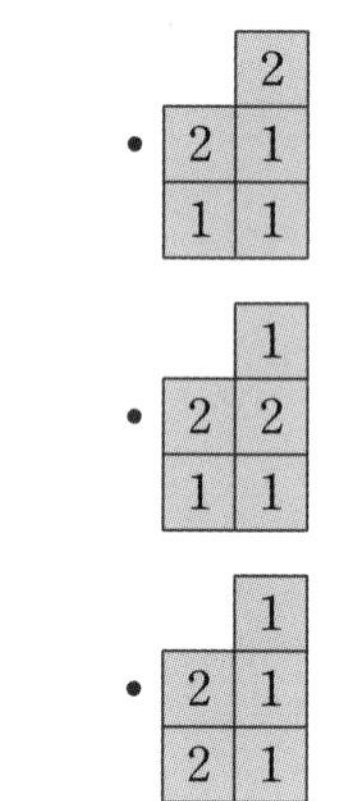

[06~07] 쌓기나무로 쌓은 모양과 위에서 본 모양입니다. 앞과 옆에서 본 모양을 각각 그려 보세요.

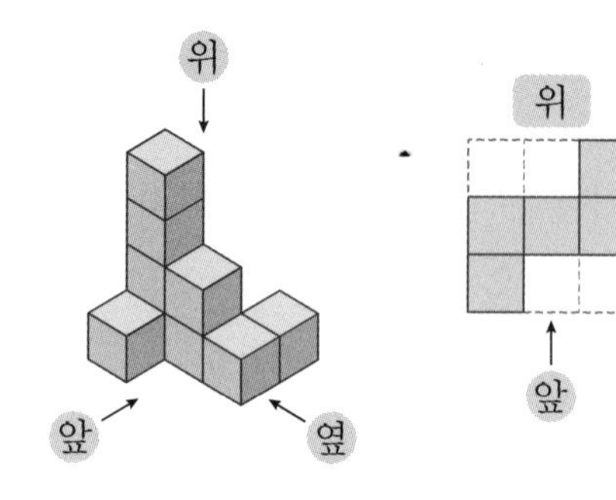

06 앞

07 옆

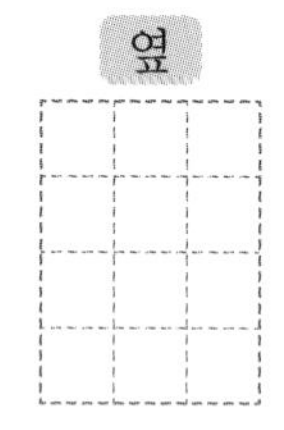

08 쌓기나무로 쌓은 모양을 보고 위에서 본 모양에 수를 써 보세요.

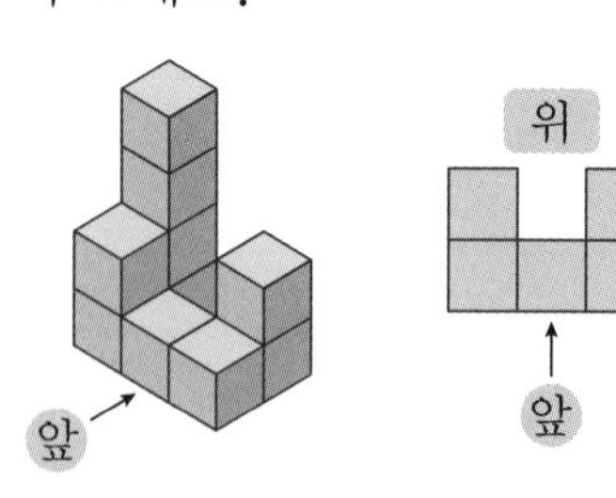

09 모양에 쌓기나무 1개를 붙여서 만들 수 있는 모양을 모두 찾아 기호를 써 보세요.

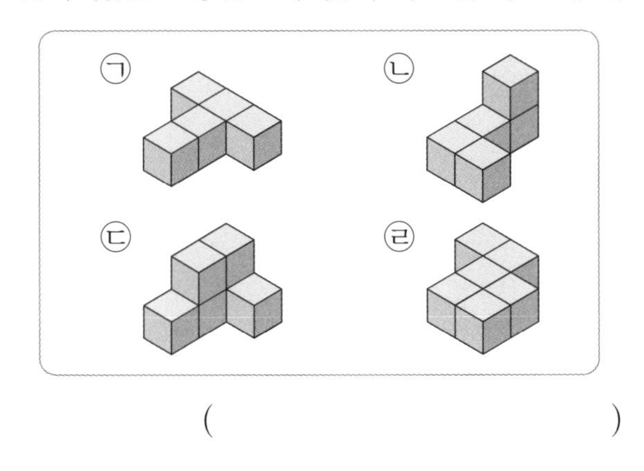

(　　　　　　　　　　)

10 쌓기나무 6개로 쌓은 모양을 층별로 나타낸 모양을 보고 쌓은 모양을 찾아 기호를 써 보세요.

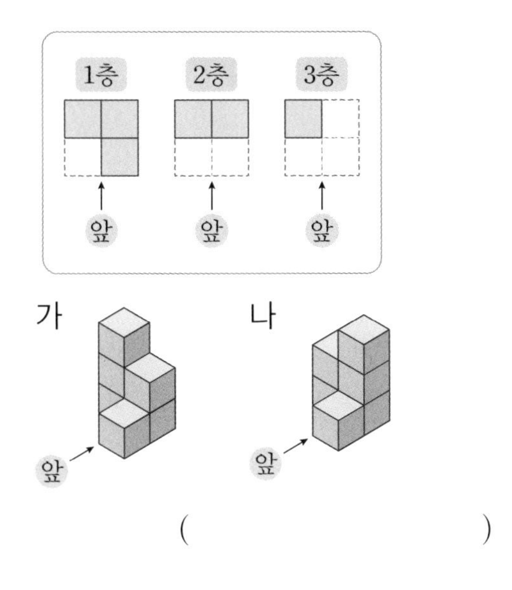

(　　　　　　　　　　)

11 쌓기나무 7개로 쌓은 모양을 위와 앞에서 본 모양입니다. 옆(오른쪽)에서 본 모양을 그려 보세요.

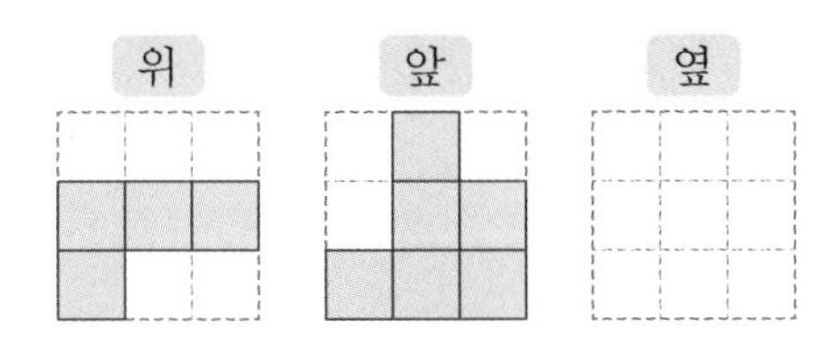

[12~13] 쌓기나무로 쌓은 모양을 층별로 나타낸 모양입니다. 물음에 답하세요.

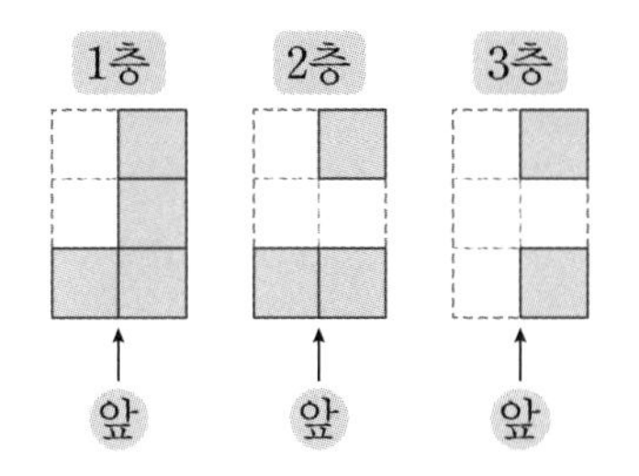

12 쌓기나무로 쌓은 모양을 위에서 본 모양에 수를 쓰는 방법으로 나타내어 보세요.

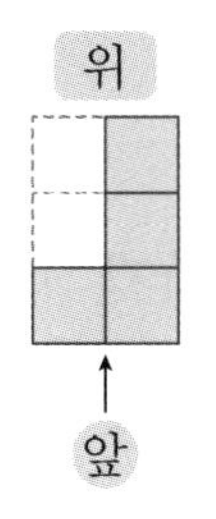

13 똑같은 모양으로 쌓는 데 필요한 쌓기나무는 몇 개일까요?

(　　　　　　　　　　)

14 위, 앞, 옆(오른쪽)에서 본 모양이 다음과 같도록 쌓기나무를 바르게 쌓은 것을 찾아 기호를 써 보세요.

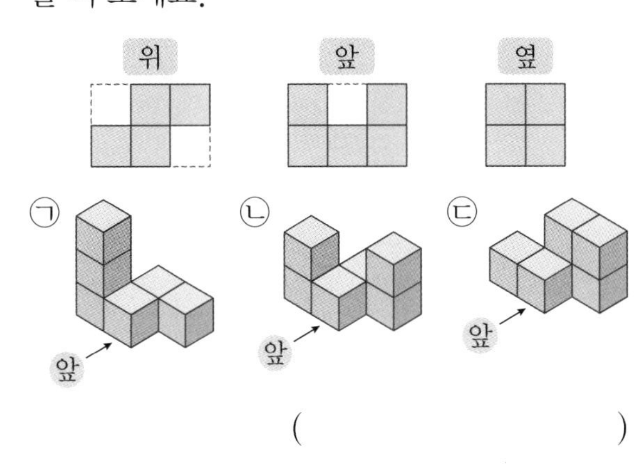

(　　　　　　　　　　)

15 서로 같은 모양끼리 선으로 이어 보세요.

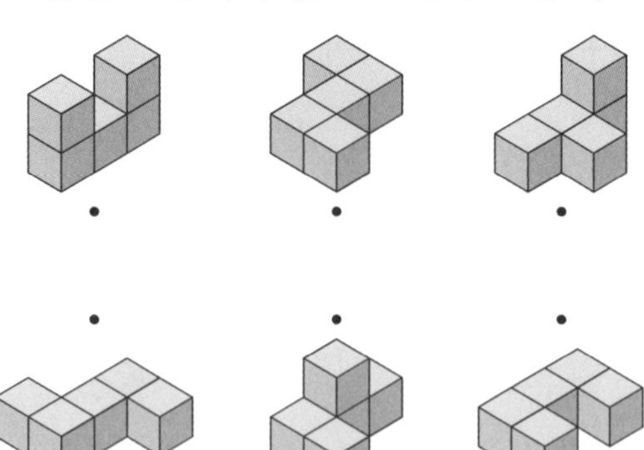

16 쌓기나무를 각각 4개, 2개를 붙여서 만든 두 가지 모양을 사용하여 만들 수 있는 모양을 찾아 기호를 써 보세요.

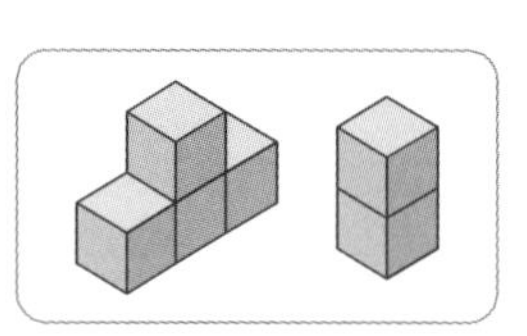

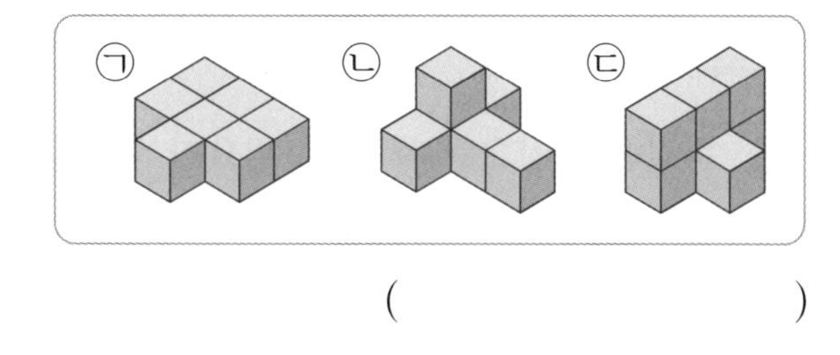

( )

17 쌓기나무로 1층 위에 2층을 쌓으려고 합니다. 1층 모양을 보고 2층으로 알맞은 모양을 찾아 기호를 써 보세요.

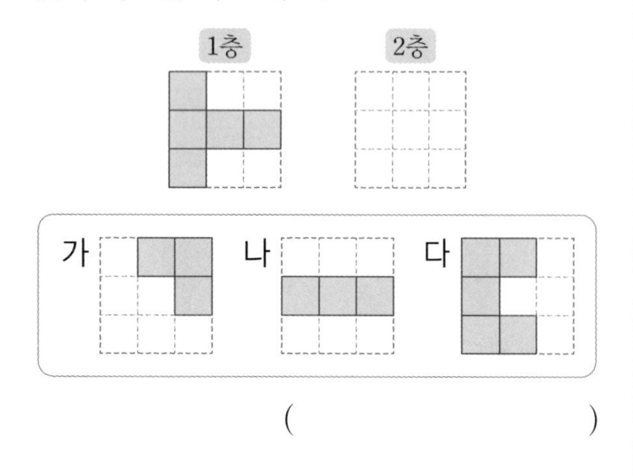

( )

18 모양에 쌓기나무 1개를 붙여서 만들 수 있는 모양은 모두 몇 가지일까요?
(단, 뒤집거나 돌려서 모양이 같으면 같은 모양입니다.)

( )

19 수희와 영철이는 위에서 본 모양이 오른쪽과 같은 모양을 각각 만들었습니다. 누가 쌓기나무를 몇 개 더 많이 사용했을까요?

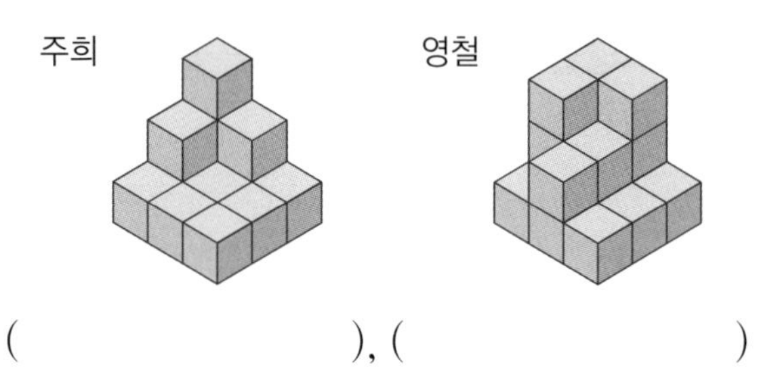

( ), ( )

서술형

20 위, 앞, 옆(오른쪽)에서 본 모양이 다음과 같이 되도록 쌓기나무를 쌓으려면 쌓기나무는 모두 몇 개 필요한지 풀이 과정을 쓰고 답을 구하세요.

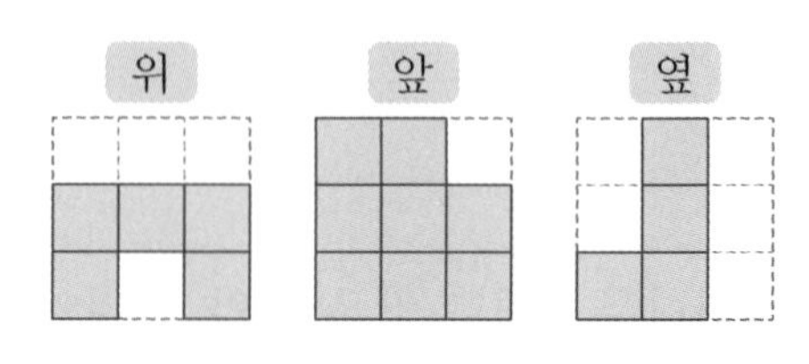

풀이

답

A B C 난이도

3 단원 단원평가 5회

공간과 입체

점수

스피드 정답표 8쪽, 정답 및 풀이 30쪽

01 배를 타고 여러 방향에서 사진을 찍었습니다. 다음은 어느 방향에서 찍은 사진인지 기호를 써 보세요.

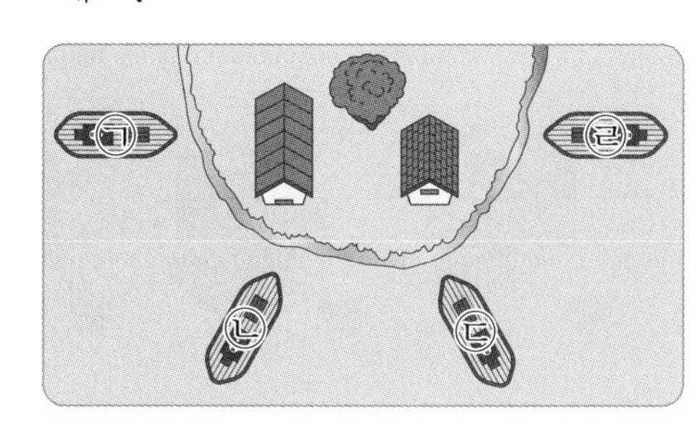

(　　　　　　　　)

02 주어진 모양과 똑같이 쌓는 데 필요한 쌓기나무의 개수를 구하세요.

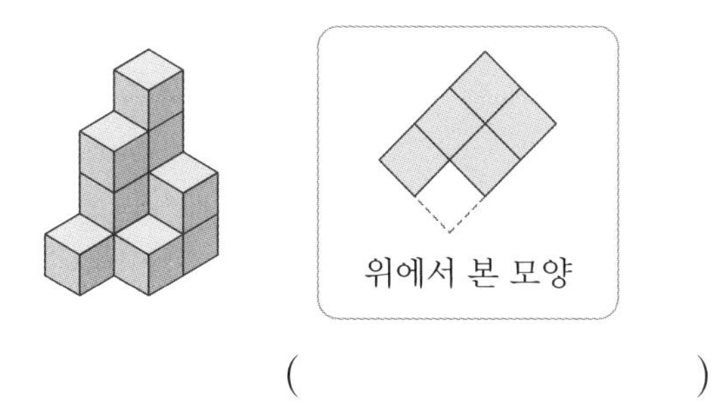

(　　　　　　　　)

[03~04] 쌓기나무로 쌓은 모양과 위에서 본 모양입니다. 앞과 옆에서 본 모양을 각각 그려 보세요.

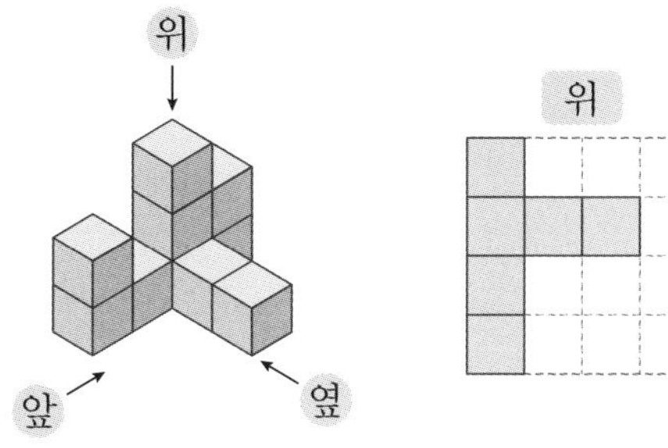

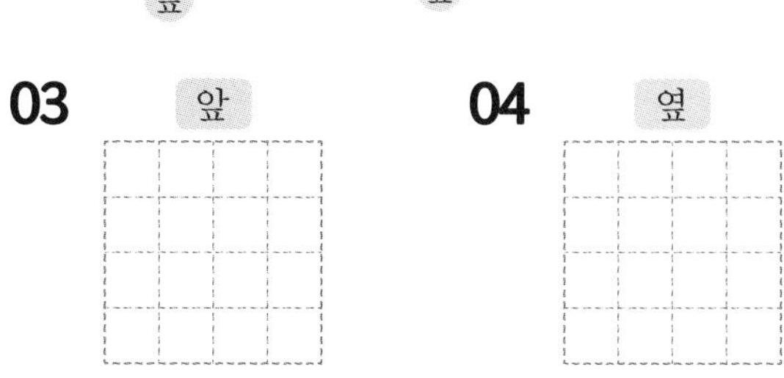

05 쌓기나무로 쌓은 모양과 1층 모양을 보고 2층 모양을 그려 보세요.

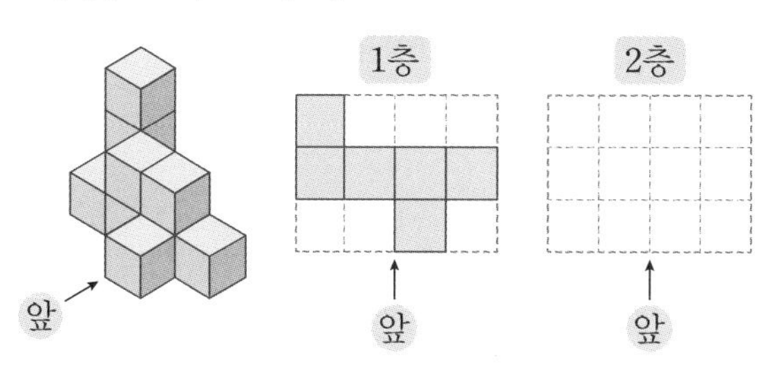

06 모양에 쌓기나무 1개를 붙여서 만들 수 있는 모양을 찾아 기호를 써 보세요.

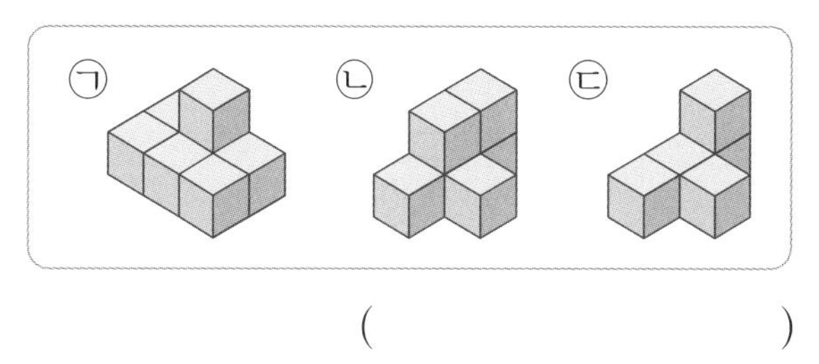

(　　　　　　　　)

07 오른쪽과 같이 쌓기나무를 각각 4개, 3개를 붙여서 만든 두 가지 모양을 사용하여 만들 수 있는 새로운 모양을 찾아 ○표 하세요.

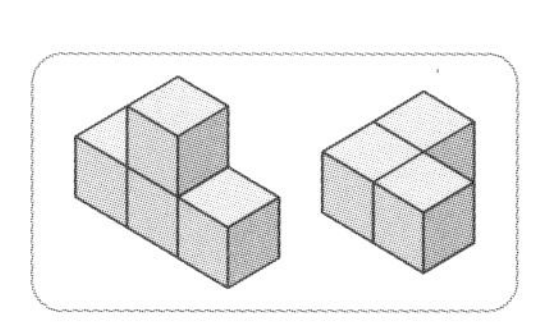

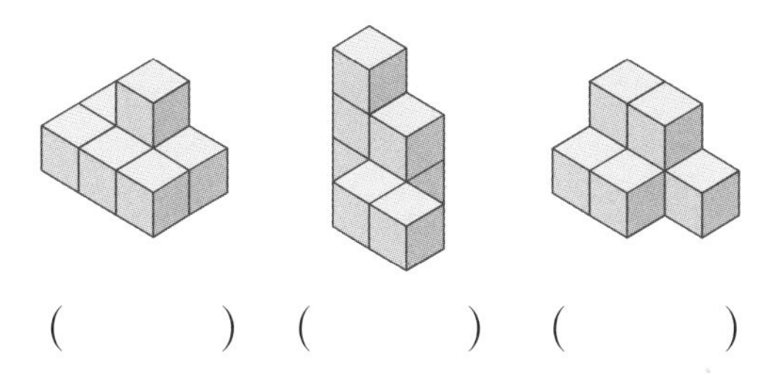

(　　　) (　　　) (　　　)

08 쌓기나무로 쌓은 모양을 보고 위에서 본 모양에 수를 썼습니다. 옆에서 본 모양을 그려 보세요.

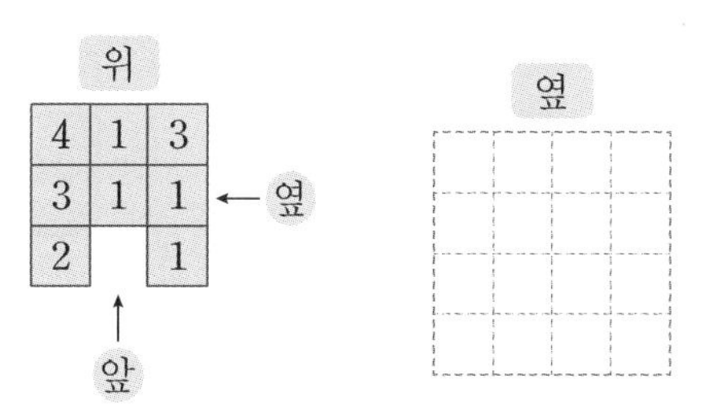

09 서로 같은 모양끼리 선으로 이어 보세요.

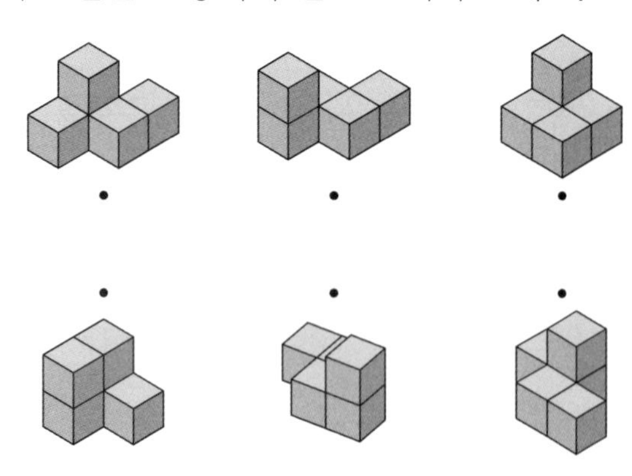

[10~11] 쌓기나무로 쌓은 모양을 층별로 나타낸 모양입니다. 물음에 답하세요.

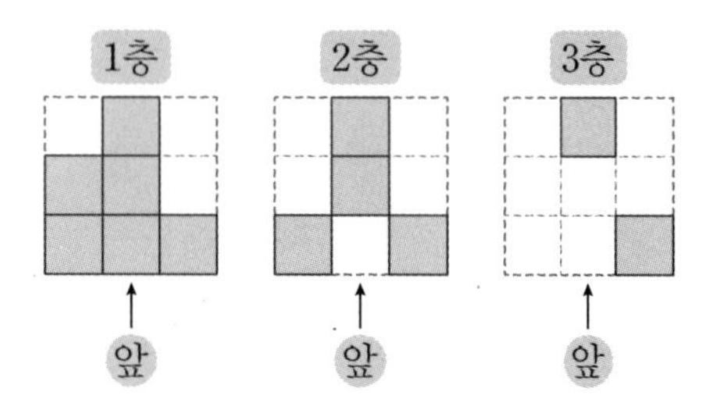

10 쌓기나무로 쌓은 모양을 앞에서 본 모양을 그려 보세요.

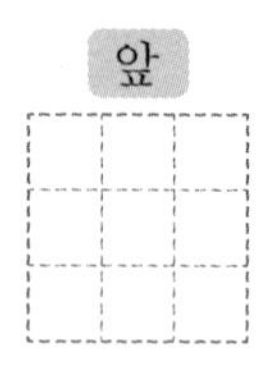

11 똑같은 모양으로 쌓는 데 필요한 쌓기나무는 몇 개일까요?

(　　　　　　　　)

12 쌓기나무로 쌓은 모양을 위, 앞, 옆(오른쪽)에서 본 모양입니다. 똑같은 모양으로 쌓는 데 필요한 쌓기나무는 몇 개일까요?

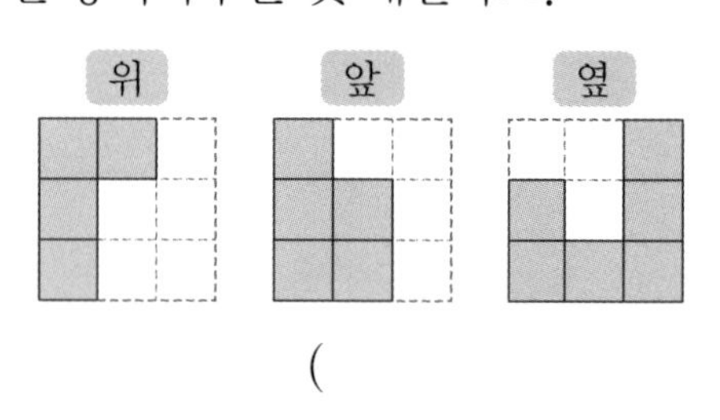

(　　　　　　　　)

13 쌓기나무 7개로 쌓은 모양을 위, 앞, 옆(오른쪽)에서 본 모양입니다. 쌓은 모양을 찾아 기호를 써 보세요.

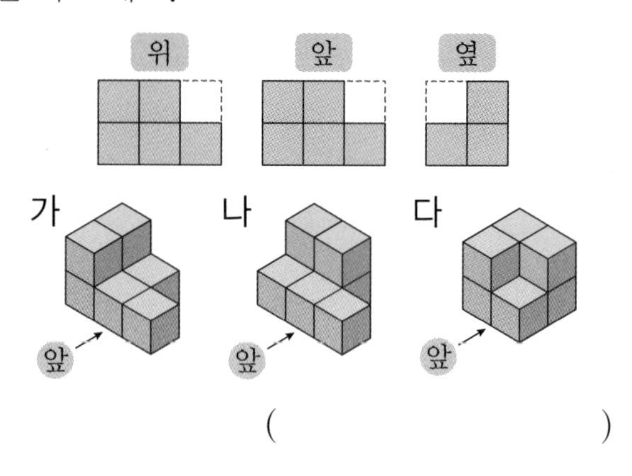

(　　　　　　　　)

서술형

14 주어진 모양과 똑같이 쌓을 때 가와 나 중 사용된 쌓기나무의 개수가 더 많은 것은 어느 것인지 풀이 과정을 쓰고 답을 구하세요.

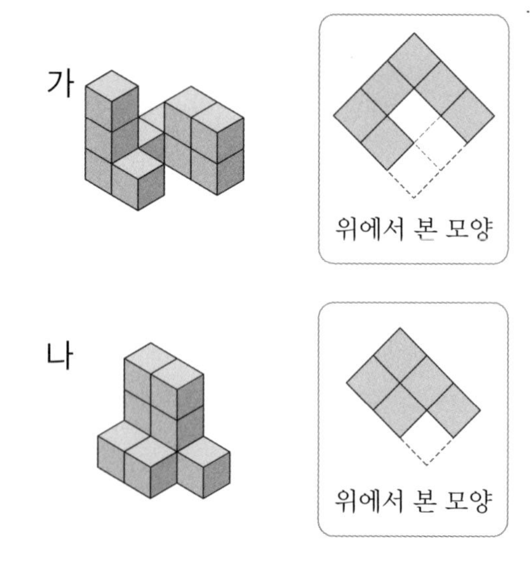

풀이

답

15 쌓기나무 7개로 조건 을 만족하는 모양을 만들 때 쌓은 모양을 위에서 본 모양에 수를 쓰는 방법으로 나타내어 보세요.

조건
- 앞에서 본 모양과 옆에서 본 모양이 서로 같습니다.
- 3층까지 놓여 있습니다.

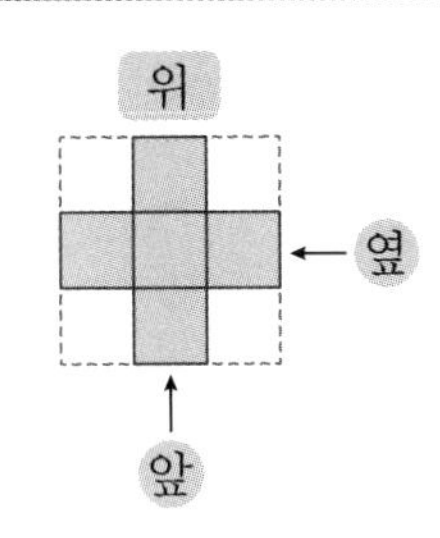

16 쌓기나무로 1층 위에 2층과 3층을 쌓으려고 합니다. 1층 모양을 보고 2층과 3층으로 알맞은 모양을 각각 찾아 기호를 써 보세요.

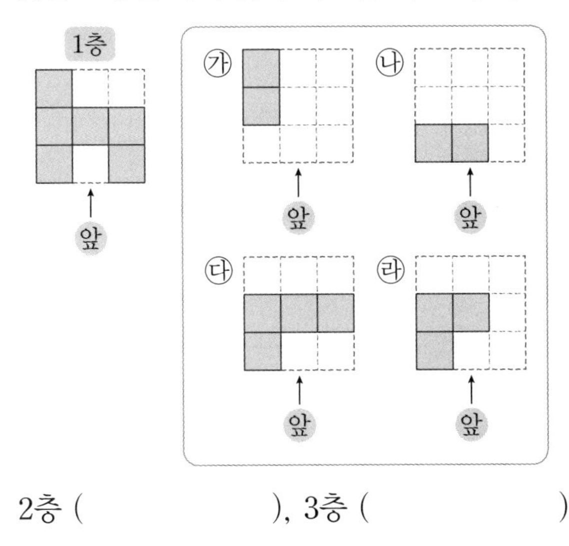

2층 (　　　　　), 3층 (　　　　　)

17 쌓기나무로 쌓은 모양을 보고 위에서 본 모양이 될 수 있는 것을 찾아 기호를 써 보세요.

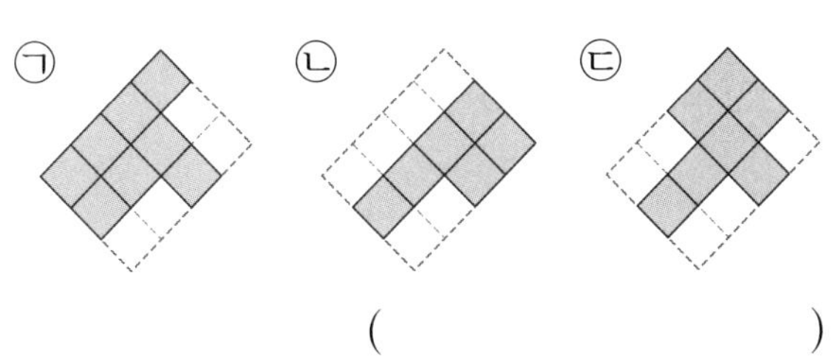

(　　　　　)

[18~19] 쌓기나무로 쌓은 모양을 위, 앞, 옆(오른쪽)에서 본 모양을 그린 것입니다. 물음에 답하세요.

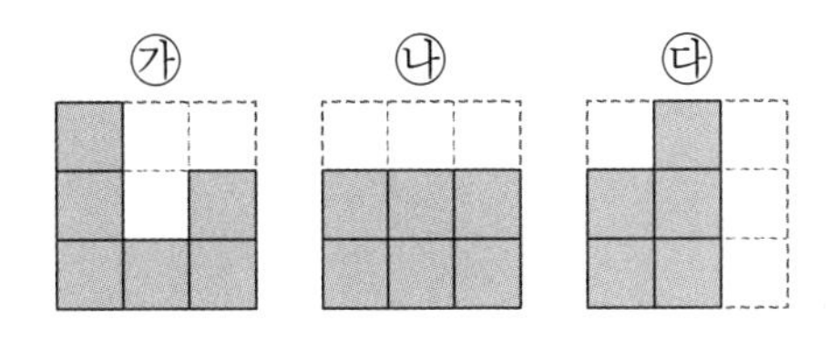

18 위, 앞, 옆에서 본 모양을 각각 찾아 기호를 써 보세요.

위 (　　　) 앞 (　　　) 옆 (　　　)

19 위와 같은 방법으로 쌓기나무를 쌓으면 여러 가지 모양이 나올 수 있습니다. 쌓기나무를 가장 많이 사용한 경우를 위에서 본 모양에 수를 쓰는 방법으로 나타내어 보세요.

서술형

20 쌓기나무로 쌓은 모양을 위, 앞, 옆(오른쪽)에서 본 모양입니다. 쌓기나무를 가장 많이 사용한 경우에 사용한 쌓기나무는 모두 몇 개인지 풀이 과정을 쓰고 답을 구하세요.

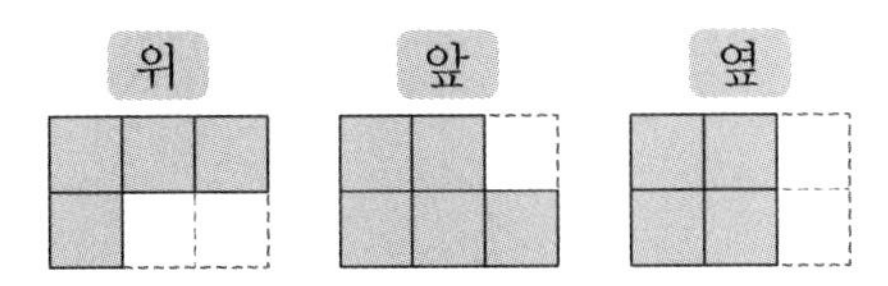

풀이

답 ______________

3 공간과 입체

점수

스피드 정답표 8쪽, 정답 및 풀이 31쪽

01 오른쪽 모양과 똑같이 쌓는 데 필요한 쌓기나무는 몇 개인지 구하세요.

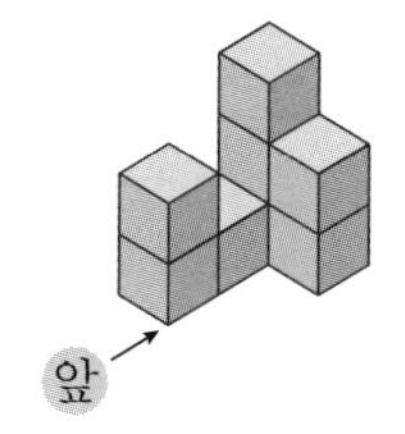

❶ 쌓기나무로 쌓은 모양을 위에서 본 모양에 수를 쓰는 방법으로 나타내어 보세요.

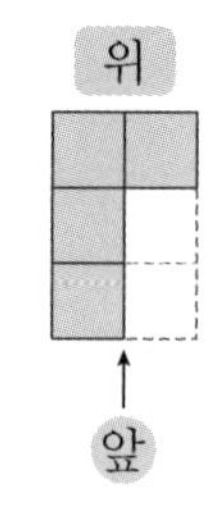

❷ 똑같은 모양으로 쌓는 데 필요한 쌓기나무는 몇 개일까요?

( )

02 오른쪽은 쌓기나무로 쌓은 모양을 층별로 나타낸 모양입니다. 똑같은 모양으로 쌓는 데 필요한 쌓기나무는 몇 개인지 구하세요.

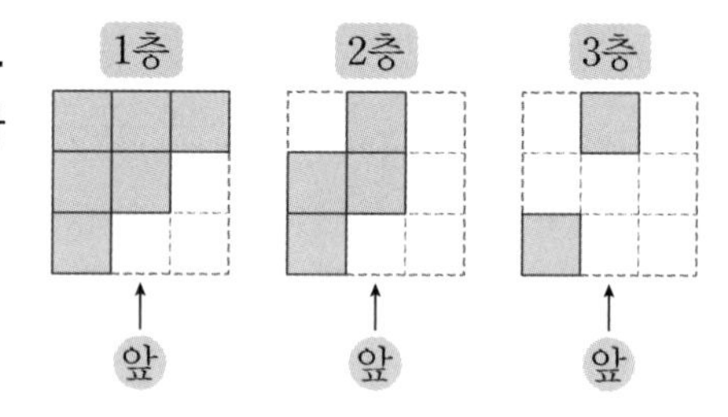

❶ 1층에 쌓인 쌓기나무는 몇 개일까요?

( )

❷ 2층에 쌓인 쌓기나무는 몇 개일까요?

( )

❸ 3층에 쌓인 쌓기나무는 몇 개일까요?

( )

❹ 똑같은 모양으로 쌓는 데 필요한 쌓기나무는 몇 개일까요?

( )

03 왼쪽과 같이 구멍이 있는 상자에 쌓기나무를 붙여서 만든 모양을 넣으려고 합니다. 상자 안에 들어갈 수 있는 모양은 어느 것인지 구하세요.

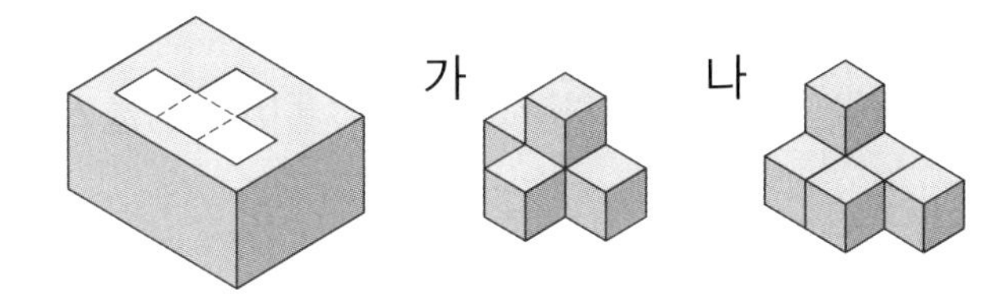

❶ 가와 나 모양을 각각 위, 앞, 옆에서 본 모양을 그려 보세요.

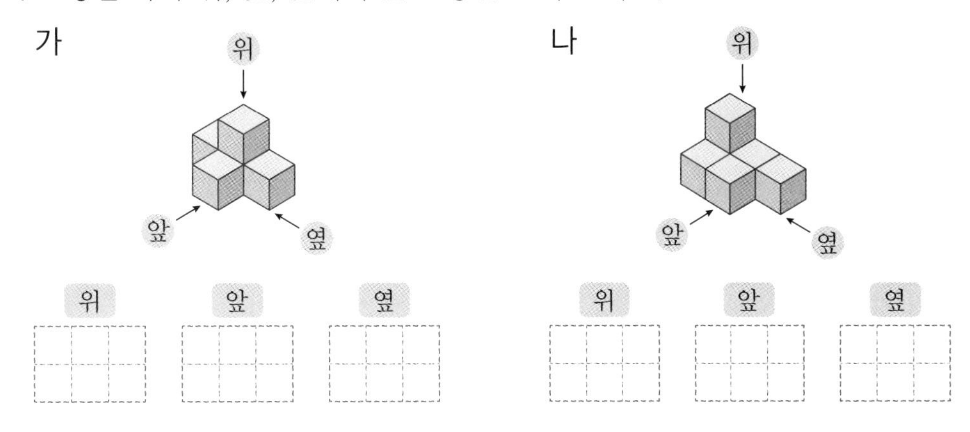

❷ 위, 앞, 옆에서 본 모양 중 상자의 구멍과 같은 모양이 있는 것을 찾아 기호를 써 보세요.

( )

❸ 상자 안에 들어갈 수 있는 모양을 찾아 기호를 써 보세요.

( )

04 재경이는 쌓기나무를 15개 가지고 있습니다. 오른쪽과 같은 계단 모양을 만드는 데 더 필요한 쌓기나무는 몇 개인지 구하세요.

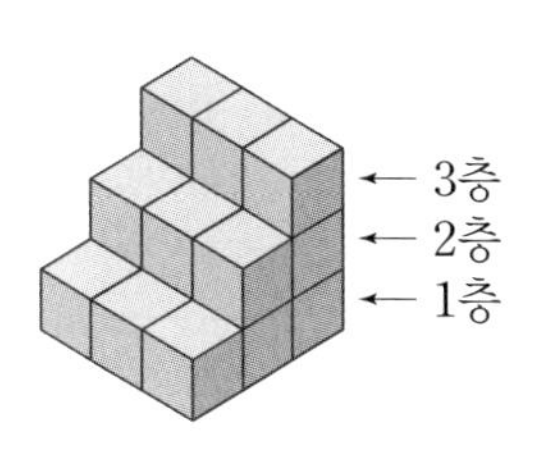

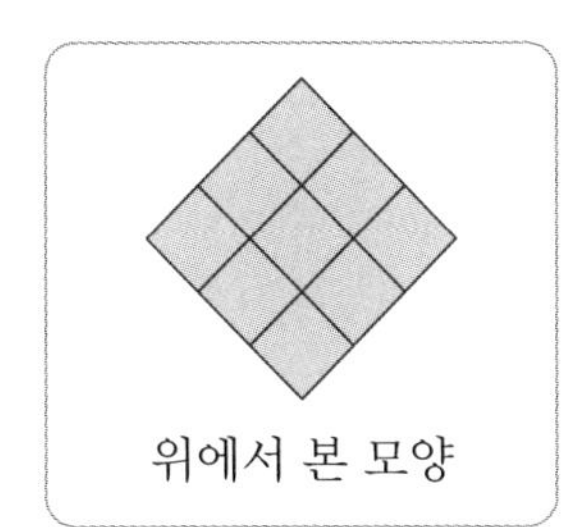
위에서 본 모양

❶ 각 층에 쌓여 있는 쌓기나무는 몇 개일까요?

1층 ( ), 2층 ( ), 3층 ( )

❷ 주어진 모양과 똑같이 쌓는 데 필요한 쌓기나무는 몇 개일까요?

( )

❸ 계단 모양을 만드는 데 더 필요한 쌓기나무는 몇 개일까요? ( )

풀이 과정을 직접 쓰는

서술형평가

공간과 입체

점수

스피드 정답표 8쪽, 정답 및 풀이 31쪽

01 다음 모양과 똑같이 쌓는 데 필요한 쌓기나무는 몇 개인지 위에서 본 모양에 수를 쓰는 방법을 이용하여 구하려고 합니다. 풀이 과정을 쓰고 답을 구하세요.

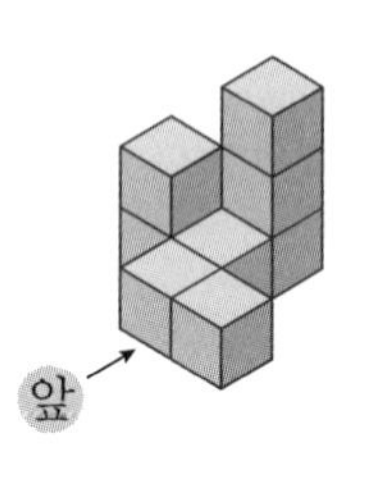

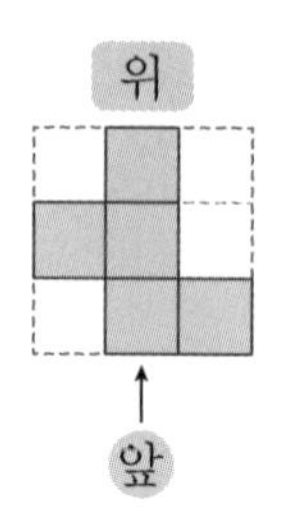

풀이

답

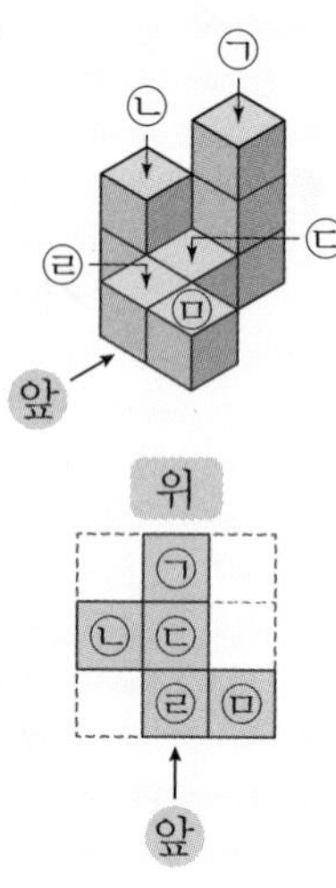

각 자리에 쌓인 쌓기나무의 개수를 세어 봅니다.

02 쌓기나무로 쌓은 모양을 층별로 나타낸 모양입니다. 똑같은 모양으로 쌓는 데 필요한 쌓기나무는 몇 개인지 풀이 과정을 쓰고 답을 구하세요.

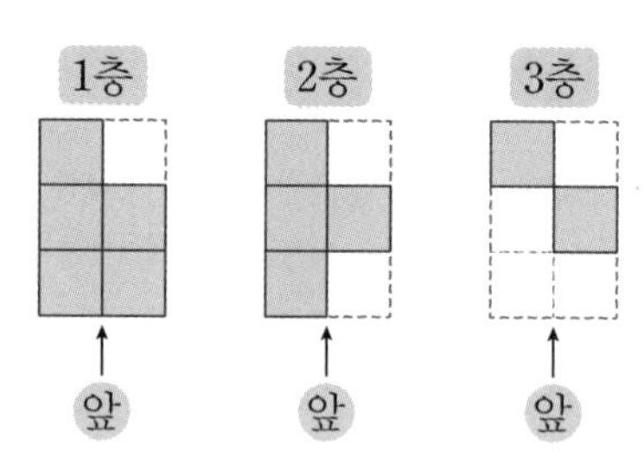

풀이

답

어떻게 풀까요?

- 각 층을 나타낸 모양에서 색칠된 칸 수는 각 층에 쌓여 있는 쌓기나무의 개수와 같습니다.

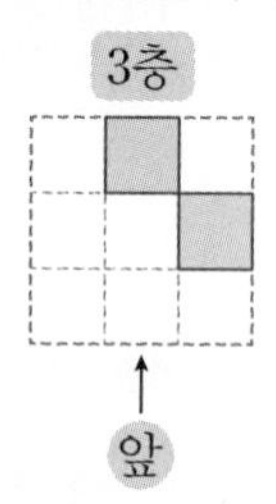

(3층에 놓인 쌓기나무의 수)
=(색칠된 칸의 수)
=2개

03 구멍이 있는 상자에 오른쪽과 같이 쌓기나무를 붙여서 만든 모양을 넣으려고 합니다. 모양을 넣을 수 있는 상자는 어느 것인지 오른쪽 모양을 위, 앞, 옆에서 본 모양을 그려 풀이 과정을 쓰고 답을 구하세요.

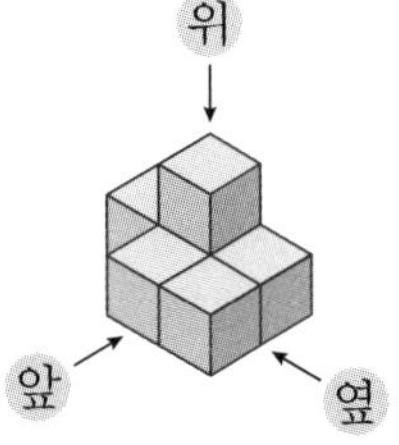
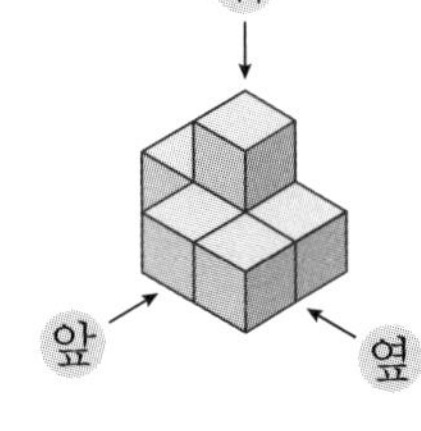

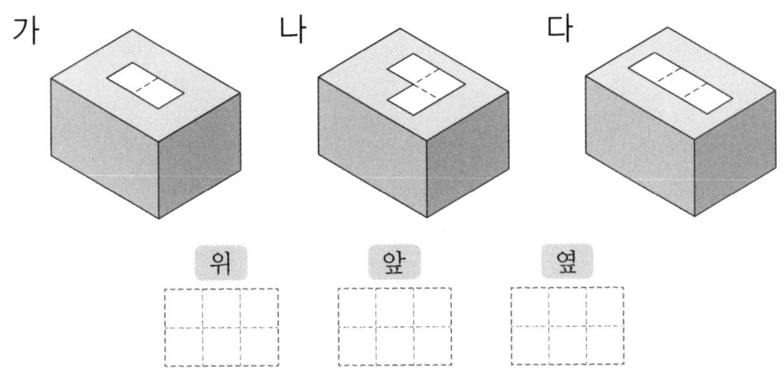

위 앞 옆

풀이

답 ______________

> **어떻게 풀까요?**
> - 쌓기나무로 만든 모양을 보고 위, 앞, 옆에서 본 모양을 먼저 그려 봅니다.

04 재경이는 쌓기나무 20개를 가지고 있습니다. 다음과 같은 모양을 만들고 남는 쌓기나무는 몇 개인지 풀이 과정을 쓰고 답을 구하세요.

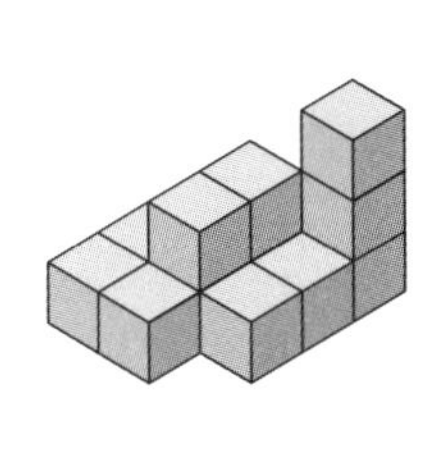

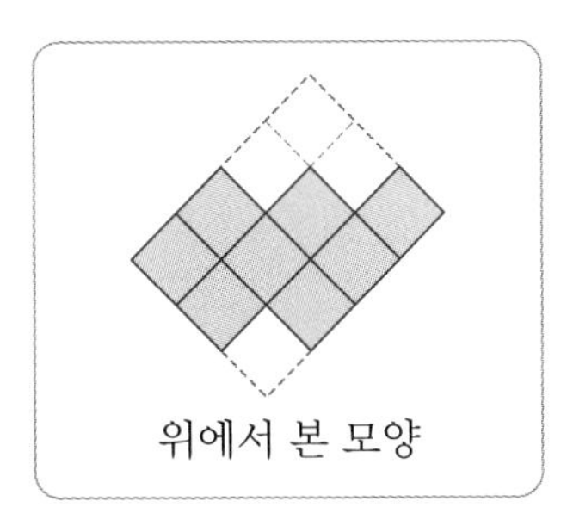
위에서 본 모양

풀이

답 ______________

> **어떻게 풀까요?**
> - 위에서 본 모양을 보고 층별로 몇 개의 쌓기나무가 있는지 세어 보거나 쌓인 자리별로 쌓기나무의 개수를 세어 봅니다.

스피드 정답표 9쪽, 정답 및 풀이 32쪽

오답률 16%

01 쌓기나무로 1층 위에 서로 다른 모양으로 2층과 3층을 쌓으려고 합니다. 1층 모양을 보고 2층과 3층으로 쌓을 수 있는 모양을 찾아 기호를 쓰세요.

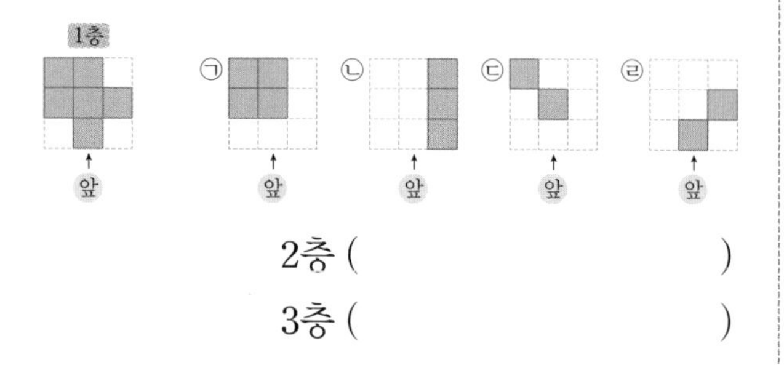

2층 (　　　　　　)

3층 (　　　　　　)

오답률 19%

02 | 보기 |의 두 모양을 사용하여 만들 수 있는 모양을 찾아 기호를 쓰세요.

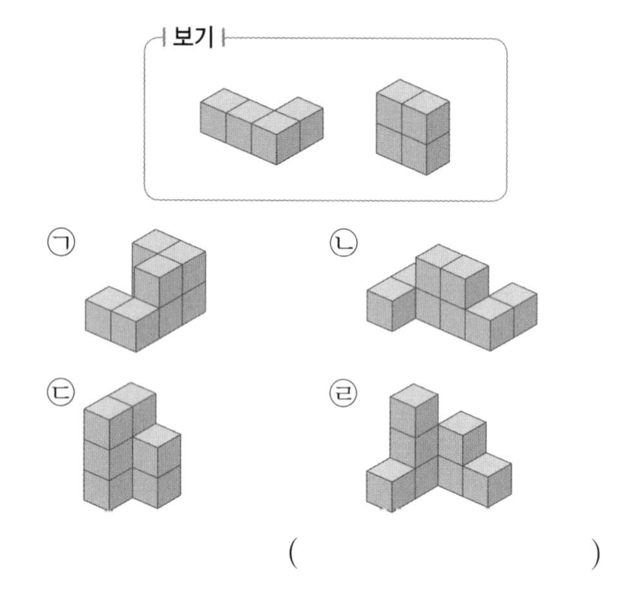

(　　　　　　)

오답률 26%

03 쌓기나무로 쌓은 모양을 위, 앞, 옆에서 본 그림입니다. 사용한 쌓기나무는 몇 개일까요?

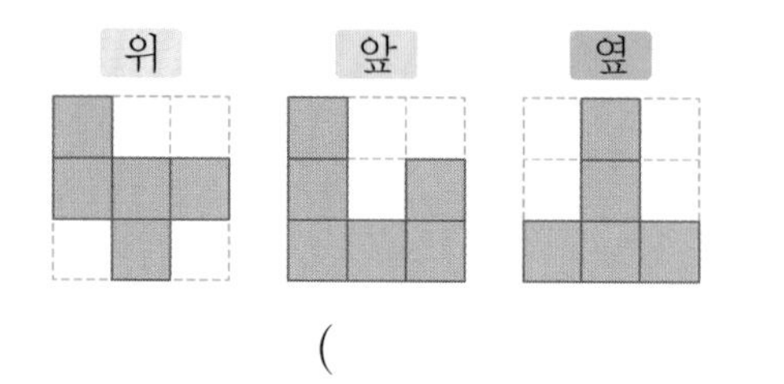

(　　　　　　)

오답률 31%

04 왼쪽 정육면체 모양에서 쌓기나무 몇 개를 빼내었더니 오른쪽 모양이 되었습니다. 빼낸 쌓기나무는 몇 개일까요?

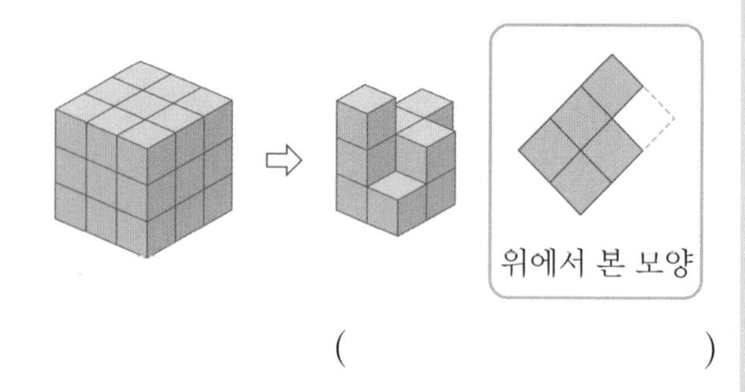

(　　　　　　)

오답률 34%

05 쌓기나무 4개로 만든 모양입니다. 같은 모양 2개를 찾아 기호를 쓰세요.

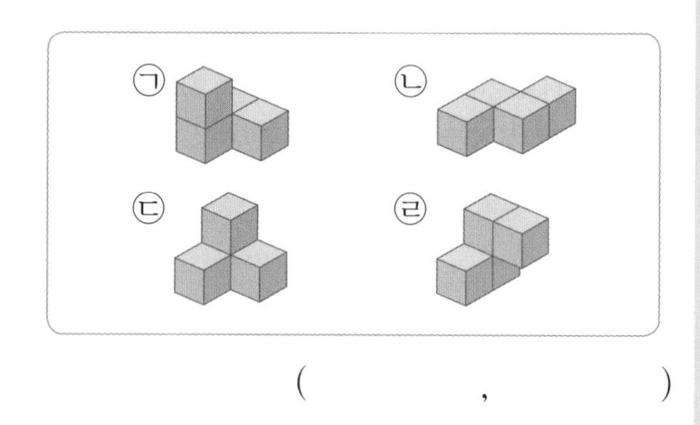

(　　　　,　　　　)

CONTENTS

4

비례식과 비례배분

비례식과 비례배분

개념 ① 비의 성질 알아보기

- 전항: 비 2 : 3에서 기호 ':' 앞에 있는 2
- 후항: 비 2 : 3에서 기호 ':' 뒤에 있는 ❶ ☐

2 : 3
전항 ← 2, 3 → 후항

- 비의 전항과 후항에 0이 아닌 같은 수를 곱하여도 비율은 같습니다.

$2:3 \Rightarrow \frac{2}{3}$ $\quad 4:6 \Rightarrow \frac{4}{6}\left(=\frac{2}{3}\right)$

- 비의 전항과 후항을 0이 아닌 같은 수로 나누어도 비율은 같습니다.

$21:14 \Rightarrow \frac{21}{14}$ $\quad 3:2 \Rightarrow \frac{3}{2}\left(=\frac{21}{14}\right)$

개념 ② 간단한 자연수의 비로 나타내기

- 소수의 비를 간단한 자연수의 비로 나타내기 → 각 항에 10, 100, 1000을 곱하기

$1.7 : 2.3 \xrightarrow{\times 10} 17 : 23$

- 분수의 비를 간단한 자연수의 비로 나타내기 → 각 항에 분모의 공배수를 곱하기

$\frac{1}{5} : \frac{1}{4} \xrightarrow{\times 20} 4 : 5$

- 간단한 자연수의 비로 나타내기 → 각 항을 두 수의 공약수로 나누기

$24 : 40 \xrightarrow{\div 8} 3 : 5$

$300 : 1100 \xrightarrow{\div 100} 3 :$ ❷ ☐

개념 ③ 비례식 알아보기

- 비례식: 비율이 같은 두 비를 기호 '='를 사용하여 4 : 5=16 : 20과 같이 나타낸 식

외항 → 비례식에서 바깥쪽에 있는 수

4 : 5 = 16 : 20

내항 → 비례식에서 안쪽에 있는 수

개념 ④ 비례식의 성질 알아보기

- 비례식에서 외항의 곱과 내항의 곱은 ❸ (같습니다 , 다릅니다).

$6\times25=150$

$6:5 = 30:25$

$5\times30=150$

개념 ⑤ 비례식 활용하기

- 사과 4개에 5000원일 때 사과 12개의 값은 얼마인지 구하기

① 사과 12개의 값을 ●원이라 하고 비례식 세우기

4 : 5000=12 : ●

② 비례식의 성질을 이용하여 ●의 값 구하기

4×●=5000×12

4×●=60000

●=60000÷4= ❹ ☐

⇨ 사과 12개의 값은 15000원입니다.

개념 ⑥ 비례배분하기

- 비례배분: 전체를 주어진 비로 배분하는 것
- 12를 3 : 1로 나누기

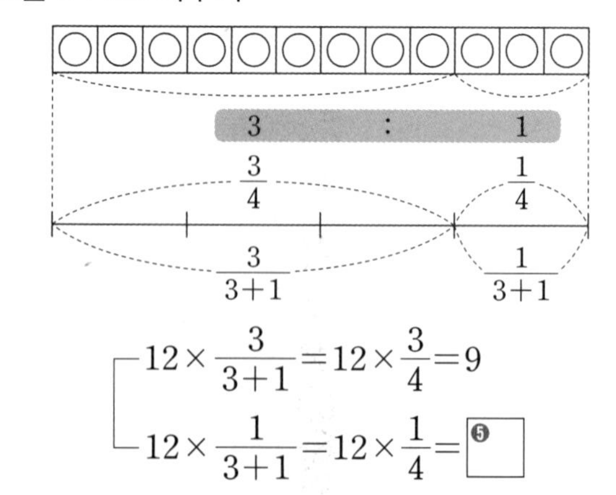

$12\times\frac{3}{3+1}=12\times\frac{3}{4}=9$

$12\times\frac{1}{3+1}=12\times\frac{1}{4}=$ ❺ ☐

| 정답 | ❶ 3 ❷ 11 ❸ 같습니다 ❹ 15000 ❺ 3

▶ 비의 성질 알아보기 ~ 간단한 자연수의 비로 나타내기

스피드 정답표 9쪽, 정답 및 풀이 32쪽

[01~02] 전항에 △표, 후항에 ○표 하세요.

01 4 : 5

02 6 : 13

[03~05] 비의 성질을 이용하여 □ 안에 알맞은 수를 써넣으세요.

03 ×□

9 : 12 18 : □

×2

04 ÷7

49 : 14 7 : □

÷□

05

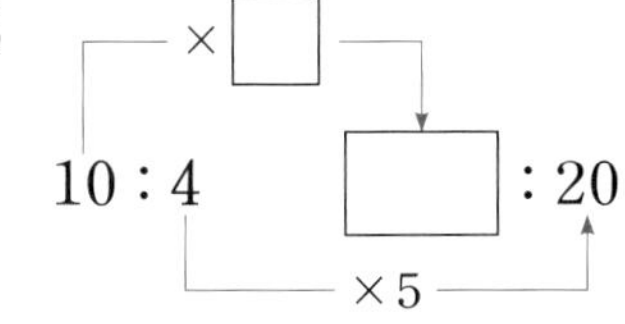

[06~08] □ 안에 알맞은 수를 써넣어 간단한 자연수의 비로 나타내어 보세요.

06

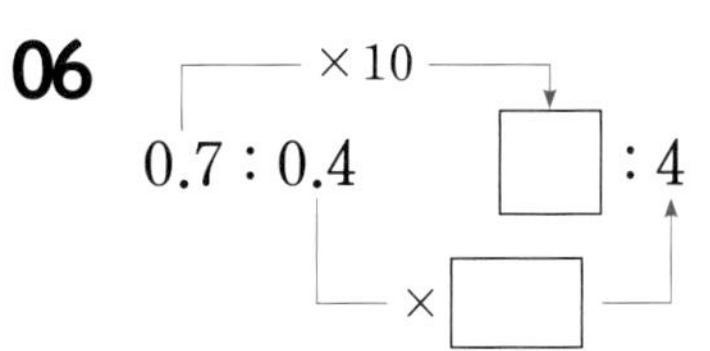

07

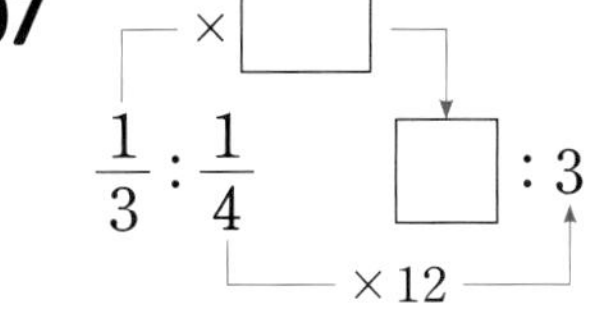

08

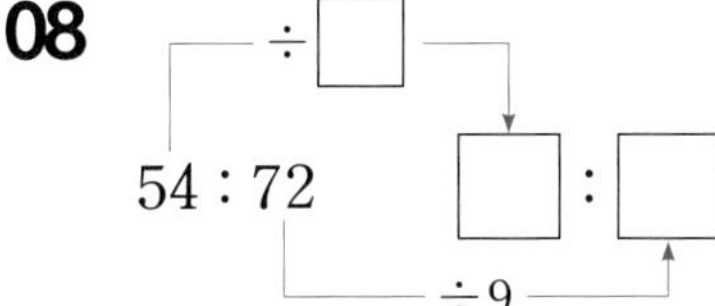

[09~10] 가장 간단한 자연수의 비로 나타내어 보세요.

09 $\frac{1}{7} : \frac{3}{10}$

( )

10 $9 : \frac{7}{5}$

( )

4 단원 쪽지시험 2회

비례식과 비례배분

점수

▶ 비례식 알아보기 ~ 비례식의 성질 알아보기

스피드 정답표 9쪽, 정답 및 풀이 32쪽

01 □ 안에 알맞은 말을 써넣으세요.

> 비율이 같은 두 비를 기호 '='를 사용하여 나타낸 식을 □(이)라고 합니다.

[02~03] 외항에 △표, 내항에 ○표 하세요.

02 4 : 6 = 12 : 18

03 20 : 70 = 2 : 7

[04~05] 비율이 같은 두 비를 찾아 비례식으로 나타내어 보세요.

04

> 3 : 5　　12 : 10　　6 : 10

□ : □ = □ : □

05

> 10 : 4　　20 : 6　　60 : 18

□ : □ = □ : □

[06~07] 옳은 비례식을 찾아 ○표 하세요.

06

2 : 5=8 : 20	11 : 15=45 : 33
(　　　)	(　　　)

07

16 : 24=3 : 2	12 : 15=4 : 5
(　　　)	(　　　)

[08~10] 비례식의 성질을 이용하여 □ 안에 알맞은 수를 써넣으세요.

08 11 : 2=□ : 8

09 4 : 9=8 : □

10 □ : 27=7 : 9

비례식과 비례배분 점수

▶ 비례식 활용하기

스피드 정답표 9쪽, 정답 및 풀이 32쪽

[01~03] 어머니께서 쌀과 보리를 2 : 1로 섞어 밥을 지으려고 합니다. 쌀을 4컵 넣었다면 보리를 몇 컵 넣어야 하는지 구하세요.

01 넣을 보리의 컵 수를 ★컵이라 할 때 비례식을 완성하세요.

2 : 1= __________

02 비례식의 성질을 이용하여 **01**의 비례식에서 ★은 얼마인지 구하세요.

(　　　　　　)

03 보리는 몇 컵을 넣어야 할까요?

(　　　　　　)

[04~05] 가로와 세로가 3 : 4인 직사각형을 그리려고 합니다. 세로를 40 cm로 할 때 가로는 몇 cm로 해야 하는지 구하세요.

04 가로를 ★ cm라 할 때 비례식을 완성하세요.

3 : 4= __________

05 가로는 몇 cm로 해야 할까요?

(　　　　　　)

[06~08] 사탕 8개에 2400원일 때 사탕 3개를 사려면 얼마가 필요한지 구하세요.

06 사탕의 개수와 가격의 비입니다. □ 안에 알맞은 수를 써넣으세요.

8 : □

07 사탕 3개의 가격을 ★원이라 할 때 비례식을 완성하세요.

8 : 2400= __________

08 비례식의 성질을 이용하여 사탕 3개의 값은 얼마인지 구하세요.

(　　　　　　)

[09~10] 500 mL 우유 2통이 2500원일 때 7500원으로 살 수 있는 우유는 몇 통인지 구하세요.

09 7500원으로 살 수 있는 우유의 수를 ★통이라 할 때 비례식을 완성하세요.

2 : 2500= __________

10 7500원으로 살 수 있는 우유는 몇 통일까요?

(　　　　　　)

비례식과 비례배분

점수

▶ 비례배분하기

스피드 정답표 9쪽, 정답 및 풀이 33쪽

[01~02] 비례배분하려고 합니다. □ 안에 알맞은 수를 써넣으세요.

01 10을 3 : 7로 나누기

$10\times\frac{3}{3+\square}=10\times\frac{3}{\square}=\square$

$10\times\frac{7}{3+\square}=10\times\frac{7}{\square}=\square$

02 28을 9 : 5로 나누기

$28\times\frac{9}{9+\square}=28\times\frac{9}{\square}=\square$

$28\times\frac{5}{9+\square}=28\times\frac{5}{\square}=\square$

[03~04] ▭ 안의 수를 주어진 비로 나누려면 전체를 몇으로 나누어야 하는지 구하세요.

03 48 ⇨ 3 : 5

(　　　　　　　　)

04 60 ⇨ 2 : 1

(　　　　　　　　)

[05~06] □ 안에 알맞은 수를 써넣어 비례배분해 보세요.

05 600원을 1 : 2로 나누기

$600\times\frac{1}{\square}=\square$(원)

$600\times\frac{2}{\square}=\square$(원)

06 바둑돌 50개를 3 : 2로 나누기

$50\times\frac{3}{\square}=\square$(개)

$50\times\frac{\square}{\square}=\square$(개)

[07~10] ● 안의 수를 주어진 비로 나누어 [,] 안에 써 보세요.

07 350　1 : 6 ⇨ [　　　　,　　　　]

08 105　11 : 4 ⇨ [　　　　,　　　　]

09 720　5 : 3 ⇨ [　　　　,　　　　]

10 90　7 : 8 ⇨ [　　　　,　　　　]

비례식과 비례배분

점수

스피드 정답표 9쪽, 정답 및 풀이 33쪽

01 □ 안에 알맞은 말을 써넣으세요.

> □ 이 같은 두 비를 기호 '='를 사용하여 나타낸 식을 비례식이라고 합니다.

02 비에서 전항을 찾아 써 보세요.

> 3 : 9

( )

03 비례식 9 : 6=18 : 12에서 외항을 모두 찾아 써 보세요.

( )

04 두 비를 보고 □ 안에 알맞은 말을 써넣으세요.

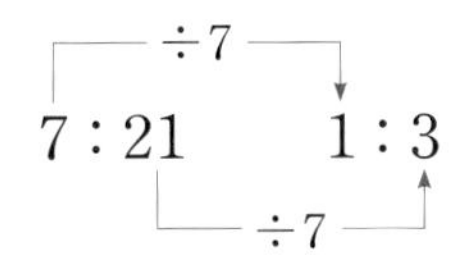

> 비의 전항과 후항을 0이 아닌 같은 수로 □ 비율은 같습니다.

05 비의 성질을 이용하여 □ 안에 알맞은 수를 써넣으세요.

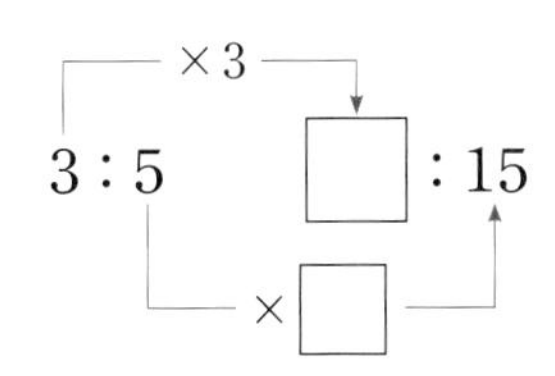

[06~07] 빵 10개를 2 : 3으로 나누어 포장하려고 합니다. 물음에 답하세요.

06 □ 안에 알맞은 수를 써넣으세요.

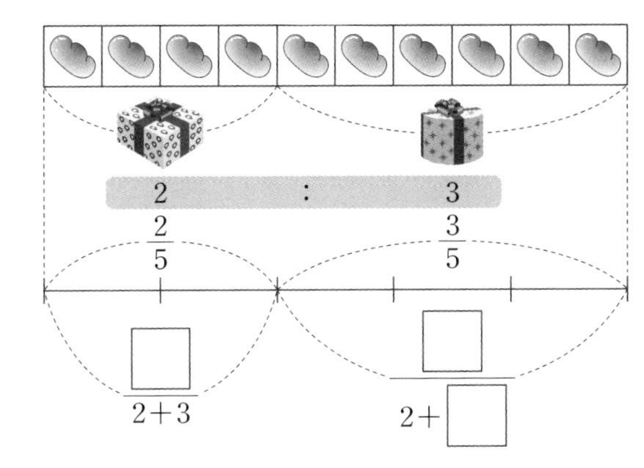

07 상자에 포장해야 하는 빵은 각각 몇 개일까요?

( )

( )

08 옳은 비례식에 ○표 하세요.

( ) ( )

09 비례식의 성질을 이용하여 □ 안에 알맞은 수를 써넣으세요.

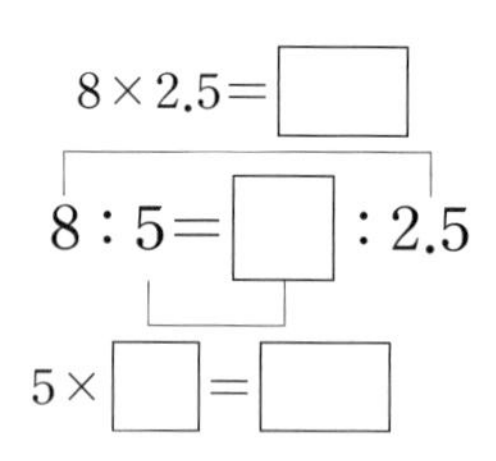

10 비의 성질을 이용하여 □ 안에 알맞은 수를 써넣으세요.

> 비의 전항과 후항에 0이 아닌 같은 수를 곱하여도 비율은 같습니다.

2 : 5 ⇨ 6 : □

⇨ □ : 20

11 구슬 21개를 지호와 재희가 5 : 2로 나누어 가지려고 합니다. □ 안에 알맞은 수를 써넣으세요.

지호: $21\times\frac{\square}{5+2}=\square$(개)

재희: $21\times\frac{\square}{5+2}=\square$(개)

[12~13] □ 안에 알맞은 수를 써넣어 가장 간단한 자연수의 비로 나타내어 보세요.

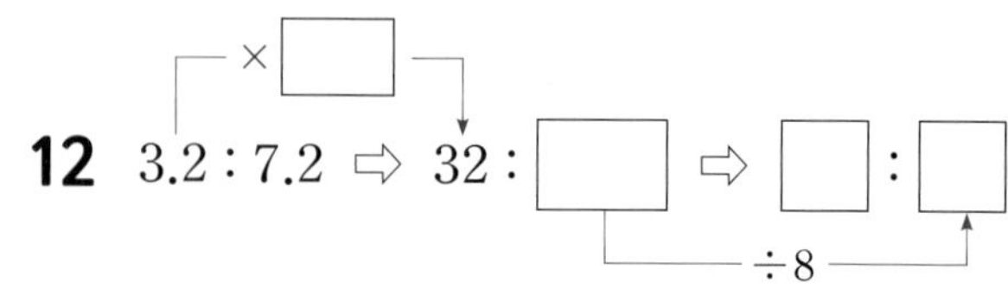

13 $1\frac{1}{2}$: 0.5 ⇨ $\frac{\square}{2}$: $\frac{\square}{10}$

×10 ⇩ ×□

□ : □

÷□ ⇩ ÷□

□ : □

14 ⬭ 안의 수를 주어진 비로 나누어 [,] 안에 써 보세요.

54	4 : 5 ⇨ [,]

15 비의 성질을 이용하여 비율이 같은 비를 찾아 선으로 이어 보세요.

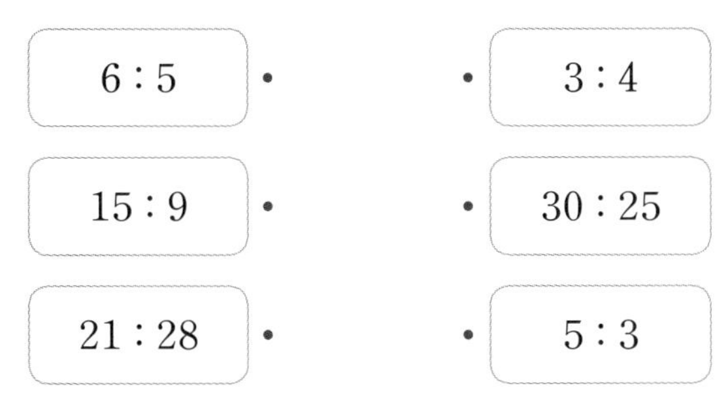

16 비의 전항과 후항을 0이 아닌 같은 수로 나누어 비율이 같은 비를 2개 써 보세요.

8 : 12 ⇨ ______________

17 가장 간단한 자연수의 비로 나타내어 보세요.

8 : 1.4

(   )

18 경석이와 형의 몸무게의 비는 4 : 5이고 경석이의 몸무게는 36 kg입니다. 다음은 형의 몸무게를 알아보기 위해 비례식을 세운 것입니다. 비례식의 성질을 이용하여 □ 안에 알맞은 수를 써넣고 형의 몸무게를 구하세요.

4 : 5=36 : □

(   )

19 주어진 비와 비율이 같은 비를 찾아 비례식으로 나타내어 보세요.

27 : 28 45 : 35 7 : 9

9 : 7=□ : □

20 길이가 30 cm인 색 테이프를 진영이와 미나가 3 : 2로 나누어 가지려고 합니다. 진영이가 갖게 되는 색 테이프의 길이는 몇 cm일까요?

(   )

스피드 정답표 10쪽, 정답 및 풀이 34쪽

[01~02] □ 안에 알맞은 수나 말을 써넣으세요.

01 비 4 : 3에서 4를 □, 3을 □이라고 합니다.

02 비례식 3 : 4=6 : 8에서 외항은 □, 8이고, 내항은 □, □입니다.

03 비례식은 어느 것일까요? ………… (　　　)

① $9\times5=45$　② $6\times7=3\times14$

③ 2 : 3=4 : 6　④ $20\div10=2$

⑤ $13+8=25-4$

04 비의 성질을 이용하여 □ 안에 알맞은 수를 써넣으세요.

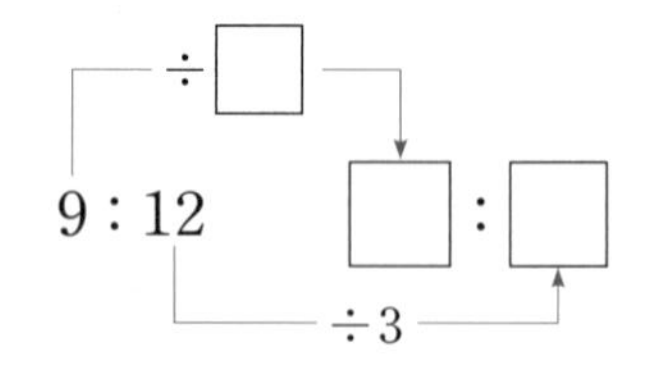

05 비례식을 보고 □ 안에 알맞은 수를 써넣으세요.

5 : 9=30 : 54

외항의 곱: $5\times$□=□

내항의 곱: $9\times$□=□

[06~07] □ 안에 알맞은 수를 써넣어 가장 간단한 자연수의 비로 나타내어 보세요.

06 $\frac{4}{5}:\frac{3}{4}=\left(\frac{4}{5}\times\square\right):\left(\frac{3}{4}\times20\right)$

$=\square:\square$

07 $60:72=(60\div\square):(72\div\square)$

$=\square:\square$

08 비 0.9 : 0.4를 가장 간단한 자연수의 비로 나타내려고 합니다. 각 항에 얼마를 곱해야 할까요?

( )

09 80을 2 : 3으로 나누려고 합니다. □ 안에 알맞은 수를 써넣으세요.

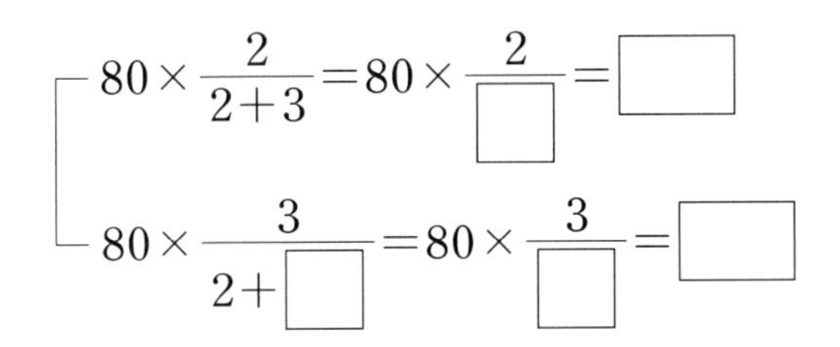

10 옳은 비례식에 ○표 하세요.

$2.4 : 3.5=5 : 4$	$\frac{1}{8} : \frac{1}{18}=9 : 4$
( )	( )

11 비의 전항과 후항에 0이 아닌 같은 수를 곱하여 비율이 같은 비를 2개 써 보세요.

6 : 7 ⇨ ____________

12 비례식의 □ 안에 알맞은 수를 찾아 선으로 이어 보세요.

9 : □=72 : 56 •		• 7
□ : 5=24 : 15 •		• 8
		• 9

13 비율이 같은 두 비를 찾아 비례식으로 나타내어 보세요.

2 : 5　　6 : 8　　4 : 10

□ : □=□ : □

14 가로가 44 cm이고 세로가 12 cm인 직사각형입니다. 가로와 세로의 비를 가장 간단한 자연수의 비로 나타내어 보세요.

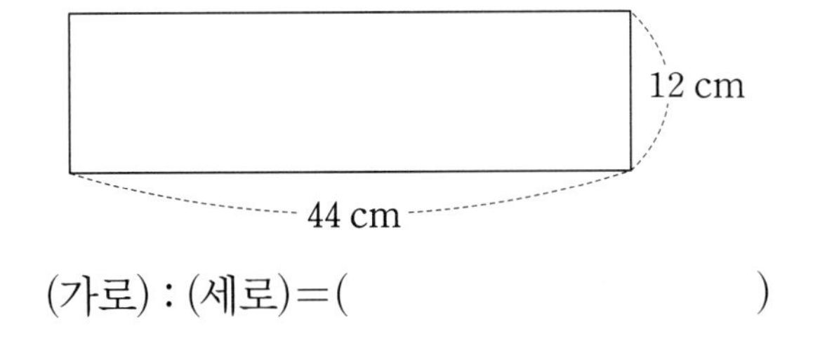

(가로) : (세로)=( )

15 한 시간 동안 100 km를 달리는 버스가 있습니다. 이 버스가 같은 빠르기로 80 km를 가려면 몇 시간이 걸리는지 비례식을 이용하여 구하려고 합니다. 알맞은 비례식을 고르세요. ………………………………… (　　　)

① $100:1=\square:80$

② $1:100=\square:80$

③ $1:100=80:\square$

④ $100:80=\square:1$

⑤ $1:\square=80:100$

[16~17] 색연필 84자루를 재석이와 경은이가 4 : 3으로 나누어 가지려고 합니다. 물음에 답하세요.

16 재석이와 경은이는 색연필을 각각 전체의 몇 분의 몇을 갖게 되는지 □ 안에 알맞은 수를 써넣으세요.

$$(\text{재석})=\frac{\square}{4+3}=\frac{\square}{\square}$$

$$(\text{경은})=\frac{\square}{4+\square}=\frac{\square}{\square}$$

17 재석이와 경은이는 색연필을 각각 몇 자루씩 나누어 가지면 됩니까?

재석 (　　　)

경은 (　　　)

18 어머니는 쌀과 보리쌀을 5 : 1로 섞어서 밥을 짓습니다. 쌀을 275 g 넣으면 보리쌀은 몇 g 넣어야 하는지 비례식의 성질을 이용하여 구하려고 합니다. □ 안에 알맞은 수를 써넣고 답을 구하세요.

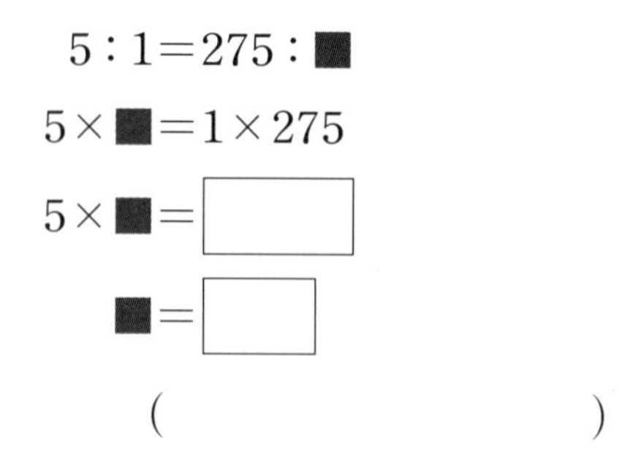

(　　　)

19 지연이와 채은이의 키의 비를 가장 간단한 자연수의 비로 나타내어 보세요.

> 지연: 내 키는 144 cm야.
> 채은: 내 키는 156 cm야.

(지연) : (채은)=□ : □

20 외항의 곱이 48인 비례식이 있습니다. 이 비례식의 내항이 8과 ★일 때 ★의 값을 구하세요.

(　　　)

스피드 정답표 10쪽, 정답 및 풀이 34쪽

01 □ 안에 알맞은 말을 써넣으세요.

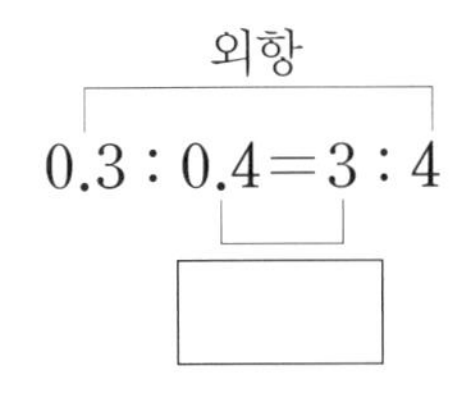

02 후항을 써 보세요.

16 : 10

(   )

03 비의 성질을 이용하여 □ 안에 알맞은 수를 써넣으세요.

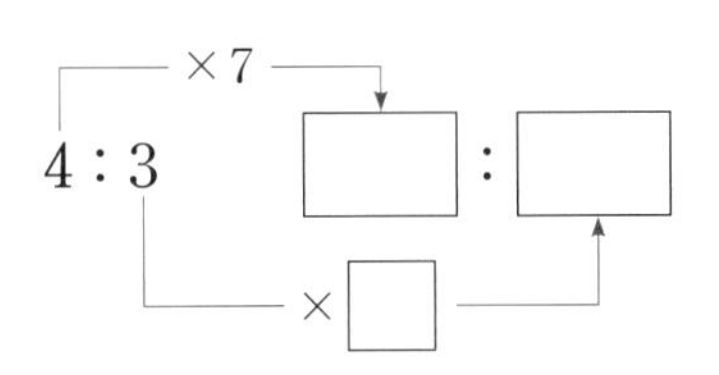

04 비례식에서 외항의 곱과 내항의 곱을 구하고, 크기를 비교하여 ○ 안에 >, =, <를 알맞게 써넣으세요.

6 : 5 = 18 : 15

외항의 곱	□ × □ = □
내항의 곱	□ × □ = □

외항의 곱 ○ 내항의 곱

05 □ 안에 알맞은 수를 써넣어 간단한 자연수의 비로 나타내어 보세요.

$\frac{1}{2} : \frac{1}{3}$ → (×6) → □ : 2

06 비례식의 성질을 이용하여 ★에 알맞은 수를 구하려고 합니다. □ 안에 알맞은 수를 써넣으세요.

5 : 3 = 20 : ★ ⇨ 5 × ★ = 3 × □

5 × ★ = □

★ = □

07 44를 8 : 3으로 나누려고 합니다. □ 안에 알맞은 수를 써넣으세요.

$44 \times \frac{8}{8+3} = 44 \times \frac{□}{11} = □$

$44 \times \frac{□}{8+□} = 44 \times \frac{3}{□} = □$

08 주어진 비의 성질을 이용하여 비율이 같은 비를 2개 써 보세요.

비의 전항과 후항을 0이 아닌 같은 수로 나누어도 비율은 같습니다.

56 : 72 ⇨ ____________

[09~10] 가장 간단한 자연수의 비로 나타내어 보세요.

09

0.8 : 2.4

( )

10

$1\frac{1}{2}$: 0.9

( )

11 옳은 비례식을 모두 고르세요. ( )

① 6 : 5=12 : 15 ② 2 : 3=6 : 9
③ 12 : 8=3 : 2 ④ 13 : 5=10 : 13
⑤ 42 : 30=6 : 5

12 주어진 수를 1 : 4로 나누어 써 보세요.

75 ⇨ [,]

13 비율이 같은 두 비를 찾아 비례식으로 나타내어 보세요.

24 : 6　　5 : 2　　25 : 10　　1 : 4

( )

14 두 비율을 보고 비례식으로 나타내어 보세요.

$\frac{4}{7}$　　$\frac{12}{21}$

4 : □ = □ : □

15 비례식에서 □ 안에 알맞은 수가 큰 것부터 차례로 기호를 써 보세요.

㉠ □ : 4 = 6 : 8
㉡ 6 : 1.4 = 3 : □
㉢ 5 : □ = 4 : 1.6

( )

16 비례식에서 내항의 곱이 680일 때, □ 안에 알맞은 수를 써넣으세요.

□ : 34 = □ : 85

17 색종이 2묶음의 값은 700원입니다. 색종이 5묶음은 얼마인지 알아보려고 합니다. 색종이 5묶음의 값을 ■원이라 하여 비례식을 완성하고 답을 구하세요.

2 : □ = □ : ■

( )

18 직사각형 중에서 가로와 세로의 비가 3 : 2와 비율이 같은 것을 모두 찾아 기호를 써 보세요.

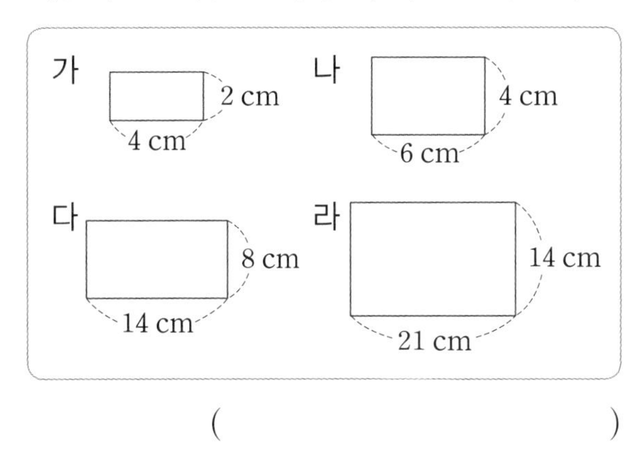

( )

19 대화를 읽고 은수는 초콜릿을 몇 개 가졌는지 구하세요.

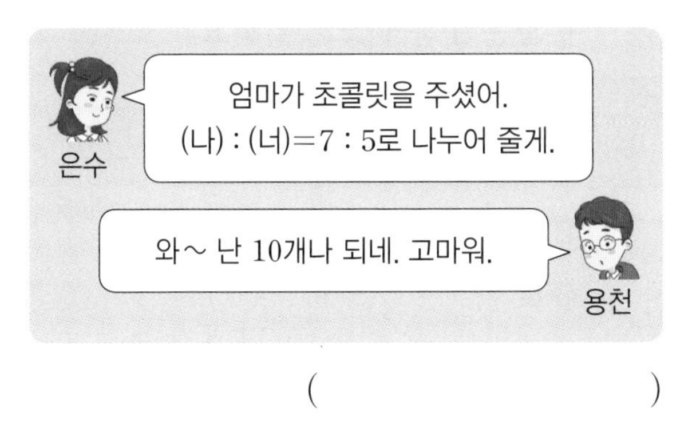

( )

서술형

20 민정이네 가족은 6명이고 경선이네 가족은 5명입니다. 감자 66 kg을 민정이네 가족과 경선이네 가족의 사람 수의 비로 나눌 때 민정이네 가족이 갖게 되는 감자는 몇 kg인지 풀이 과정을 쓰고 답을 구하세요.

풀이

답

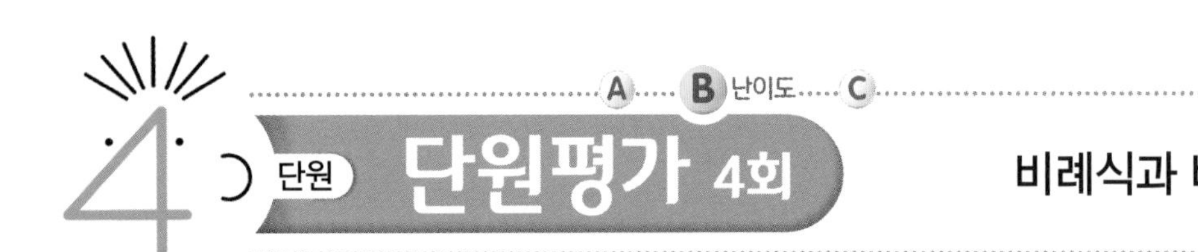

비례식과 비례배분

점수

스피드 정답표 10쪽, 정답 및 풀이 35쪽

01 □ 안에 알맞은 수를 써넣으세요.

비례식 4 : 6＝12 : 18에서 외항은 □, □이고 내항은 □, □입니다.

02 비의 성질을 이용하여 비율이 같은 비를 쓰려고 합니다. 다음 중 □ 안에 공통으로 들어갈 수 없는 수는 어느 것일까요? ······· (　　　)

8 : 9 ⇨ (8×□) : (9×□)

① 0　② 1　③ 3
④ 8　⑤ 9

03 비례식에서 외항의 곱과 내항의 곱을 각각 구하세요.

6 : 5＝42 : 35

외항의 곱 (　　　)
내항의 곱 (　　　)

04 □ 안에 알맞은 수를 써넣어 간단한 자연수의 비로 나타내어 보세요.

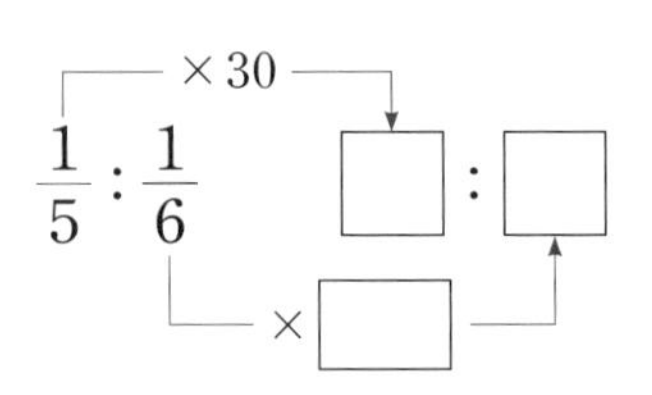

05 비의 성질을 이용하여 □ 안에 알맞은 수를 써넣으세요.

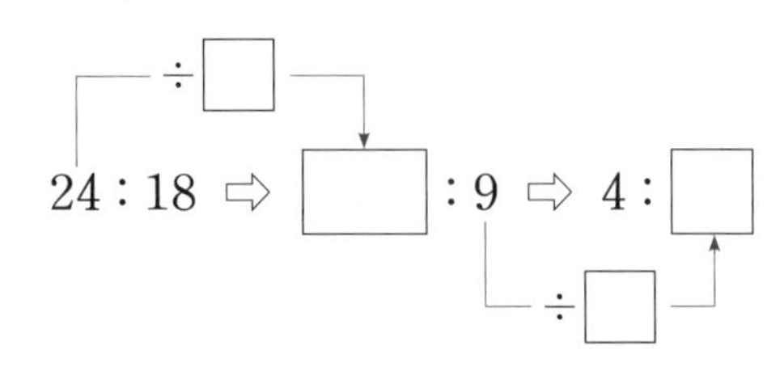

06 70을 3 : 4로 나누려고 합니다. □ 안에 알맞은 수를 써넣으세요.

$70\times\dfrac{3}{3+\square}=\square$

$70\times\dfrac{\square}{3+\square}=\square$

07 옳은 비례식에 ○표 하세요.

40 : 48＝25 : 30	20 : 16＝25 : 35
(　　　)	(　　　)

[08~09] 비례식의 성질을 이용하여 □ 안에 알맞은 수를 써넣으세요.

08 $6:\square=24:20$

09 $3.2:4=\square:0.5$

10 가장 간단한 자연수의 비로 나타낸 것을 찾아 선으로 이어 보세요.

$4.5:15$ •		• $2:5$
$\frac{1}{6}:\frac{3}{14}$ •		• $3:10$
$0.32:0.8$ •		• $7:9$

11 ▭ 안의 수를 주어진 비로 나누어 [,] 안에 써 보세요.

36 $4:5$ ⇨ [,]

12 비례식에서 ■와 ▲의 곱을 구하세요.

■ : 42 = 15 : ▲

( )

[13~14] 시은이와 정석이는 초콜릿 맛 우유를 만들었습니다. 물음에 답하세요.

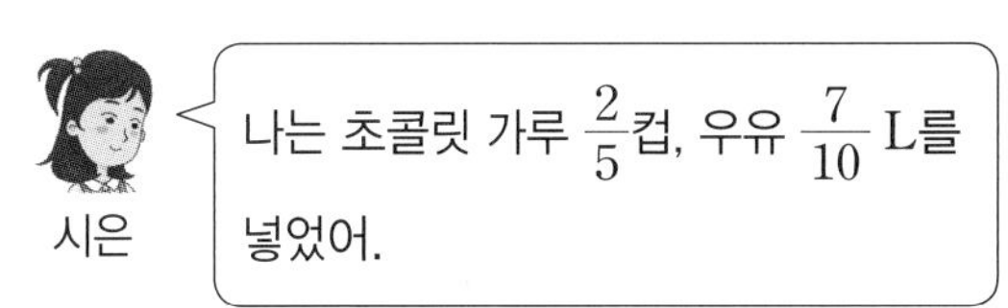

13 두 사람이 초콜릿 맛 우유를 만들 때 사용한 초콜릿 가루와 우유의 양의 비를 가장 간단한 자연수의 비로 나타내어 보세요.

시은 $\frac{2}{5}:\frac{7}{10}$=( )

정석 $0.4:0.7$=( )

14 알맞은 말에 ○표 하세요.

두 사람이 만든 초콜릿 맛 우유의 진하기는 (같습니다 , 다릅니다).

15 비율이 같은 두 비를 찾아 비례식으로 나타내어 보세요.

3 : 5	40 : 24	24 : 40	9 : 20

(　　　　　　　　　　)

16 한 시간 동안 정민이는 감자를 $12\frac{1}{2}$ kg 캤고, 동생은 10.4 kg을 캤습니다. 정민이와 동생이 한 시간 동안 캔 감자의 무게의 비를 가장 간단한 자연수의 비로 나타내어 보세요.

(　　　　　　　　　　)

17 비율이 0.8인 비에서 후항이 20이면 전항은 얼마일까요?

(　　　　　　　　　　)

18 어떤 가게에서 음료수를 한 봉지에 3개씩 담아 1000원에 팔고 있습니다. 13000원으로는 이 음료수를 몇 개 살 수 있을까요?

(　　　　　　　　　　)

19 동건이와 형진이가 함께 체중계에 올라가 몸무게를 재었더니 81 kg이었습니다. 동건이와 형진이의 몸무게의 비가 5 : 4일 때 더 무거운 사람의 몸무게는 몇 kg일까요?

(　　　　　　　　　　)

서술형

20 건물을 보고 대화하는 두 친구의 생각이 옳은지 쓰고 그렇게 생각한 이유를 써 보세요.

지민: 가 건물은 높이가 10 m이고 나 건물은 20 m야. 가 건물과 나 건물의 높이의 비는 10 : 20으로 나타낼 수 있어.

윤아: 가 건물과 나 건물의 높이의 비는 1 : 20야.

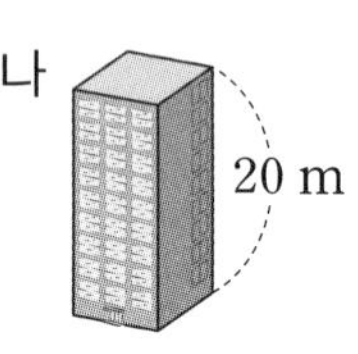

답 ______________________

이유 ______________________

스피드 정답표 10쪽, 정답 및 풀이 36쪽

01 전항에 ○표 하세요

9 : 6

02 비 1.6 : 0.03을 가장 간단한 자연수의 비로 나타내려면 각 항에 얼마를 곱해야 할까요?

(　　　　　　　)

03 가장 간단한 자연수의 비로 나타내어 보세요.

$3.1 : 1\frac{1}{6}$

(　　　　　　　)

04 주어진 수를 3 : 4로 나누어 [,] 안에 써 보세요.

84 ⇨ [　　　,　　　]

05 연필을 은혜는 32자루, 석재는 24자루 가지고 있습니다. 은혜와 석재가 가지고 있는 연필 수의 비를 가장 간단한 자연수의 비로 나타내어 보세요.

(은혜) : (석재)=(　　　　　　　)

06 비의 성질을 이용하여 비율이 같은 비를 찾아 선으로 이어 보세요.

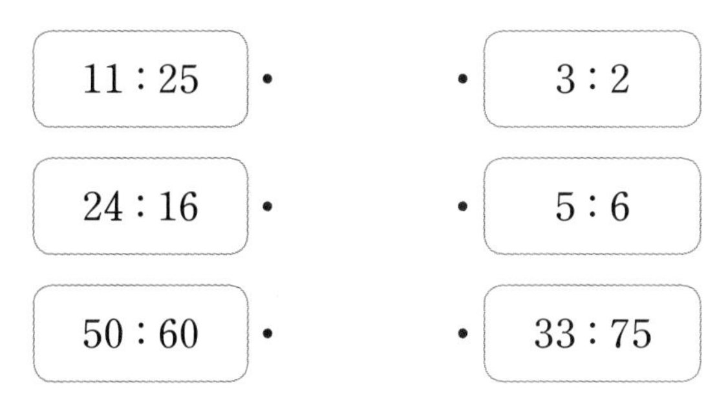

07 비례식에서 □ 안에 알맞은 수를 써넣으세요.

$\frac{1}{9}$: □ =9 : 54

08 영진이네 반 남학생 수에 대한 여학생 수의 비가 7 : 8입니다. 남학생이 16명일 때 여학생은 몇 명일까요?

(　　　　　　　)

09 어떤 복사기는 5초에 8장을 복사할 수 있습니다. 이 복사기로 24장을 복사하려면 몇 초가 걸릴까요?

( )

10 다음 중 비례식을 만들기 위해 □ 안에 알맞은 비는 어느 것일까요? ( )

$14:9=\square$

① 42 : 30 ② 28 : 18
③ 3.3 : 2.1 ④ 1.2 : 0.8
⑤ 17 : 7

11 비례식에서 □ 안에 알맞은 수가 가장 큰 것을 찾아 기호를 써 보세요.

㉠ $4:5=1\frac{1}{3}:\square$
㉡ $\square:9=0.3:1$
㉢ $\frac{2}{15}:6=\square:1\frac{1}{4}$

( )

12 비례식에서 외항의 곱과 내항의 곱의 합은 120입니다. □ 안에 알맞은 수를 써넣으세요.

$3:\square=15:\square$

13 |조건|에 알맞게 비례식을 완성해 보세요.

|조건|
- 비례식에서 두 비의 비율은 $\frac{1}{2}$로 같습니다.
- 비례식에서 외항의 곱은 16입니다.

$8:\square=\square:\square$

서술형

14 태극기는 가로와 세로의 비가 3 : 2인 직사각형 모양입니다. 태극기의 둘레가 220 cm일 때 세로는 몇 cm인지 풀이 과정을 쓰고 답을 구하세요.

풀이

답

15 4000원짜리 아이스크림을 사기 위해 지우와 형이 2 : 3으로 돈을 나누어 낸다면 형은 지우보다 얼마를 더 많이 내야 할까요?

(　　　　　　　　　　)

16 수 카드 중에서 4장을 골라 비례식을 만들어 보세요.

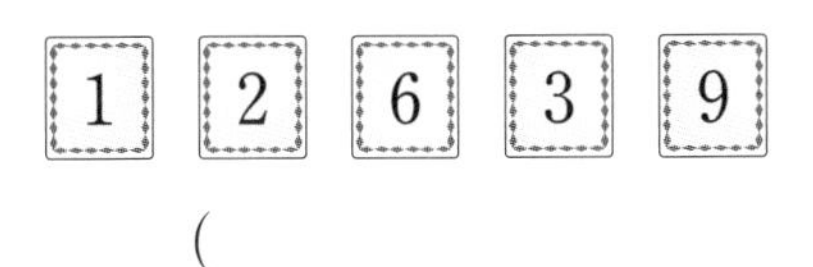

(　　　　　　　　　　)

서술형

17 밑변의 길이와 높이의 비가 5 : 7인 평행사변형입니다. 평행사변형의 넓이는 몇 cm^2인지 풀이 과정을 쓰고 답을 구하세요.

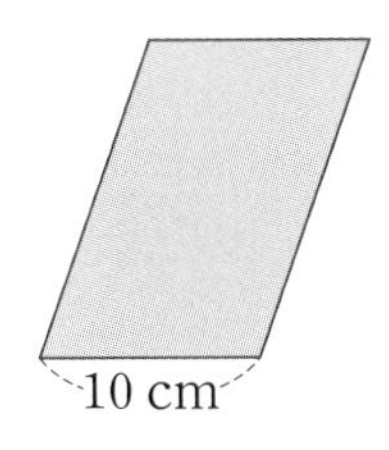

풀이

답 ____________________

18 5분 동안 6 km를 달리는 자동차가 있습니다. 같은 빠르기로 96 km를 가려면 몇 시간 몇 분이 걸릴까요?

(　　　　　　　　　　)

19 직선 가와 나는 서로 평행합니다. 직사각형 ㉠과 사다리꼴 ㉡의 넓이의 비를 가장 간단한 자연수의 비로 나타내어 보세요.

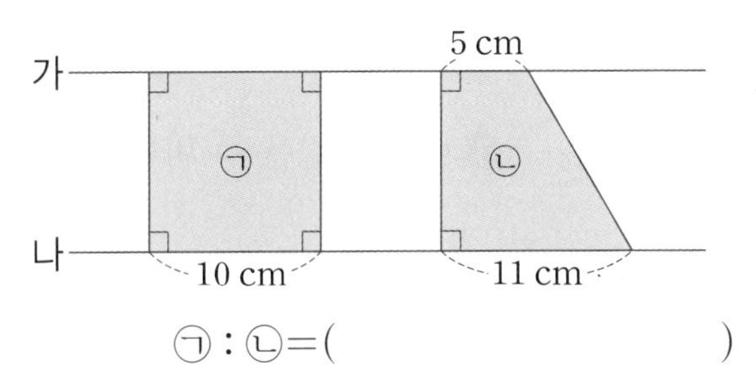

㉠ : ㉡=(　　　　　　　　　　)

20 맞물려 돌아가는 두 톱니바퀴가 있습니다. 가의 톱니 수는 18개이고 나의 톱니 수는 30개입니다. 가가 35번 돌 때 나는 몇 번 돌까요?

(　　　　　　　　　　)

비례식과 비례배분

점수

스피드 정답표 11쪽, 정답 및 풀이 36쪽

01 비율이 같은 두 비를 찾아 비례식으로 나타내어 보세요.

2 : 9　　10 : 24　　4 : 18

❶ 비의 비율을 기약분수로 나타내어 보세요.

2 : 9= □　　10 : 24= □　　4 : 18= □

❷ 비율이 같은 두 비를 찾아 써 보세요.

(　　　　　　), (　　　　　　)

❸ 비율이 같은 두 비를 비례식으로 나타내어 보세요.

(　　　　　　)

02 $0.9 : \frac{2}{5}$를 가장 간단한 자연수의 비로 나타내려고 합니다. 두 가지 방법으로 나타내어 보세요.

❶ 후항을 소수로 바꾸어 가장 간단한 자연수의 비로 나타내어 보세요.

$\frac{2}{5}$를 소수로 바꾸면 0.9 : □이므로 전항과 후항에 □을 곱하면 □ : □가 됩니다.

(　　　　　　)

❷ 전항을 분수로 바꾸어 가장 간단한 자연수의 비로 나타내어 보세요.

0.9를 분수로 바꾸면 □ : $\frac{2}{5}$이므로 전항과 후항에 □을 곱하면 □ : □가 됩니다.

(　　　　　　)

03 높이와 밑변의 길이의 비가 5 : 9인 삼각형이 있습니다. 이 삼각형의 높이가 25 cm일 때 밑변의 길이는 몇 cm인지 구하세요.

❶ 삼각형의 밑변의 길이를 ● cm라고 하여 비례식을 써 보세요.

식 ______________ = ______________

❷ ❶의 식에서 ●는 얼마인지 비례식의 성질을 이용하여 구하세요.

(　　　　　　　　)

❸ 삼각형의 밑변의 길이는 몇 cm일까요?

(　　　　　　　　)

04 딸기 1080 g을 딸기 잼과 딸기 파이에 7 : 2로 나누어 넣으려고 합니다. 딸기 잼에 넣어야 하는 딸기는 몇 g인지 구하세요.

❶ 딸기 잼에 넣어야 하는 딸기의 양은 전체의 몇 분의 몇인지 □ 안에 알맞은 수를 써넣으세요.

딸기 잼에 넣어야 하는 딸기의 양은 전체의 $\frac{\square}{7+\square}=\frac{\square}{\square}$입니다.

❷ 딸기 잼에 넣어야 하는 딸기의 양을 구하는 식을 써 보세요.

식 ______________________________

❸ 딸기 잼에 넣어야 하는 딸기는 몇 g일까요?

(　　　　　　　　)

4 비례식과 비례배분

스피드 정답표 11쪽, 정답 및 풀이 37쪽

01 비율이 같은 두 비를 찾아 비례식으로 나타내려고 합니다. 풀이 과정을 쓰고 답을 구하세요.

3 : 4	15 : 8	9 : 12	18 : 36

풀이

답 ______________

어떻게 풀까요?

- 3 : 4, 15 : 8, 9 : 12, 18 : 36의 비율을 각각 구한 후 비율이 같은 두 비를 찾아 비례식으로 나타냅니다.

02 밑면의 넓이가 같은 직육면체 모양의 상자 가와 나가 있습니다. 두 상자의 높이가 다음과 같을 때 상자 가와 나의 높이의 비를 가장 간단한 자연수의 비로 나타내려고 합니다. 풀이 과정을 쓰고 답을 구하세요.

가

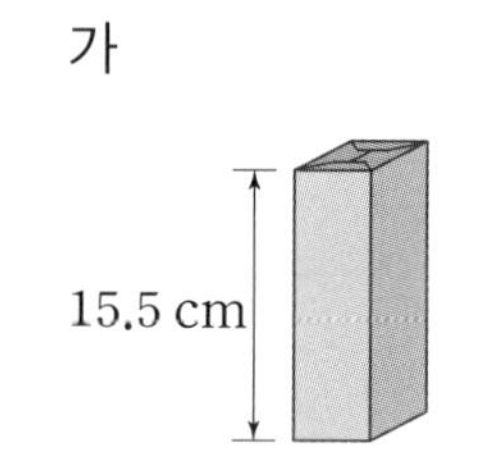

나

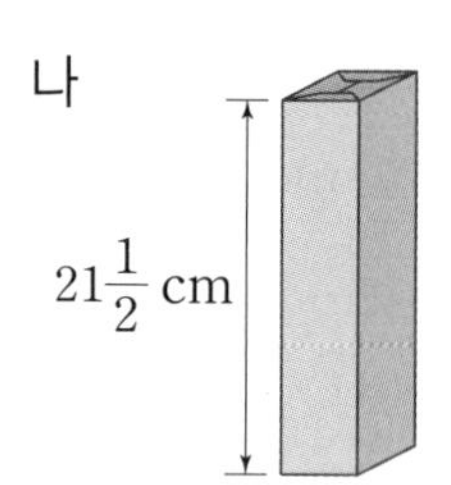

풀이

답 ______________

어떻게 풀까요?

- 15.5를 분수로 고치거나 $21\frac{1}{2}$을 소수로 고친 다음 비의 성질을 이용하여 가장 간단한 자연수의 비로 나타냅니다.

03 높이와 밑변의 길이의 비가 8 : 3인 삼각형이 있습니다. 이 삼각형의 밑변의 길이가 15 cm일 때 높이는 몇 cm인지 풀이 과정을 쓰고 답을 구하세요.

풀이

답 ____________

> 어떻게 풀까요?
> - 높이를 ● cm라 하여 비례식을 세웁니다.
> ⇨ 8 : 3=● : 15

04 밀가루 1530 g을 케이크와 쿠키에 5 : 4로 나누어 넣으려고 합니다. 쿠키에 넣어야 하는 밀가루는 몇 g인지 풀이 과정을 쓰고 답을 구하세요.

풀이

답 ____________

> 어떻게 풀까요?
> - 쿠키에 넣어야 하는 밀가루는 전체 밀가루 양의 $\frac{4}{5+4}$입니다.

05 어느 회사에서 갑과 을에게 98000원을 일한 시간에 따라 나누어 주려고 합니다. 갑이 일한 시간은 5시간이고 을이 일한 시간은 9시간일 때 갑과 을은 각각 얼마를 받으면 되는지 풀이 과정을 쓰고 답을 구하세요.

풀이

답 갑: ____________, 을: ____________

> 어떻게 풀까요?
> - (갑이 일한 시간) : (을이 일한 시간) =5 : 9
> 를 이용하여 98000원을 나눕니다.

스피드 정답표 11쪽, 정답 및 풀이 37쪽

오답률 16%

01 옳은 비례식을 모두 찾아 기호를 쓰세요.

㉠ $3:5=60:100$

㉡ $1.5:4.5=6:9$

㉢ $\frac{2}{7}:\frac{3}{14}=14:7$

㉣ $40:24=5:3$

( )

오답률 25%

02 상우와 형이 10500원을 $3:4$로 나누어 가지려고 합니다. 형이 가지게 되는 돈은 얼마일까요? ( )

① 4000원 ② 4500원 ③ 5000원
④ 5500원 ⑤ 6000원

오답률 25%

03 평행사변형 가와 나의 높이는 같습니다. 평행사변형 가와 나의 넓이의 비를 간단한 자연수의 비로 나타낸 것을 고르세요. ( )

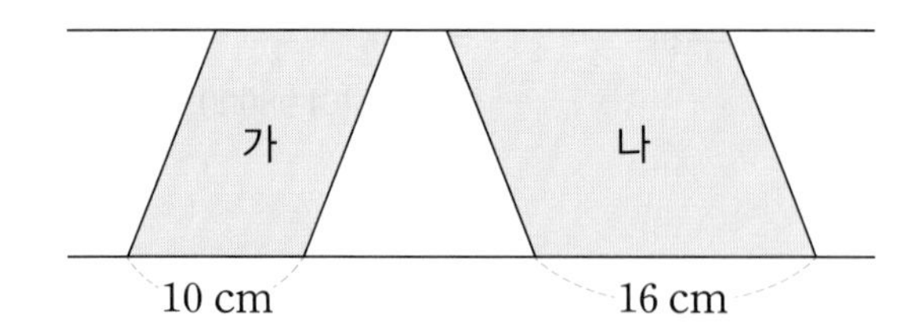

① $4:7$ ② $2:5$ ③ $5:6$
④ $5:8$ ⑤ $5:9$

오답률 32%

04 색종이 64장을 윤서와 지아가 나누어 가지려고 합니다. 윤서와 지아가 $3:5$로 나누어 가진다면 색종이를 각각 몇 장씩 가질 수 있을까요?

윤서 ( )
지아 ( )

오답률 47%

05 어느 복사기는 8초에 7장을 복사할 수 있습니다. 이 복사기가 35장을 복사하려면 시간이 몇 초 걸릴까요?

( )

CONTENTS

5

원의 넓이

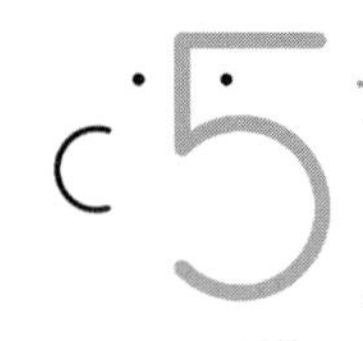

5 단원 개념정리

원의 넓이

개념 1 원주와 지름의 관계 알아보기

- 원주: 원의 둘레

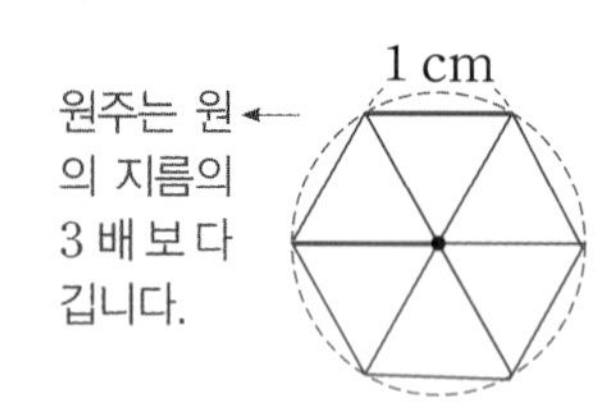

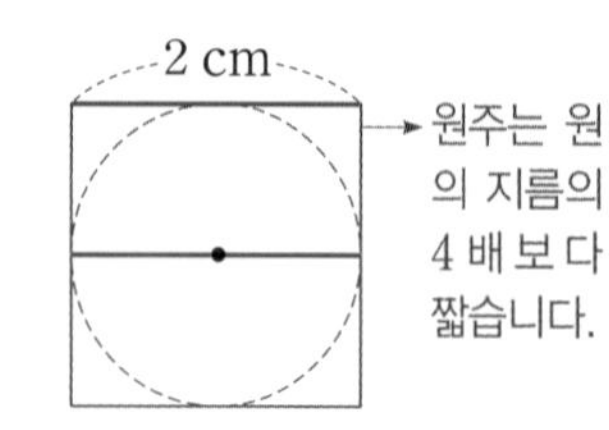

(원의 지름)$\times 3<$(원주)

(원주)$<$(원의 지름)$\times 4$

개념 2 원주율 알아보기

- 원주율: 원의 지름에 대한 원주의 비율

(원주율)=(원주)÷(지름)

→ 원주율은 필요에 따라 3, 3.1, 3.14 등으로 어림하여 사용합니다.

- 원주율 구하기

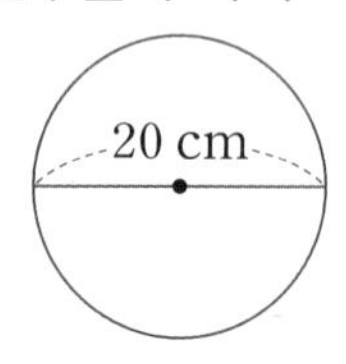

(원주율)

$=62.8\div 20$

$=$ ❶ ☐

원주: 62.8 cm

개념 3 원주와 지름 구하기

- (원주)=(지름)×(원주율)

(지름)=(원주)÷(원주율)

- 원주와 지름 구하기 (원주율: 3.1)

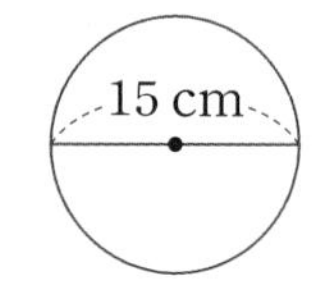

(원주)$=15\times 3.1$

$=46.5$ (cm)

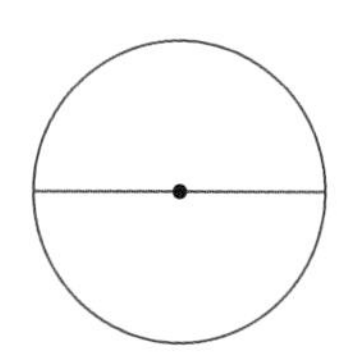

(지름)$=62\div 3.1$

$=20$ (cm)

원주: 62 cm

개념 4 원의 넓이 어림하기

- 정사각형을 이용하기

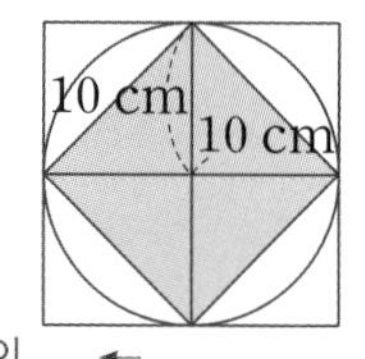

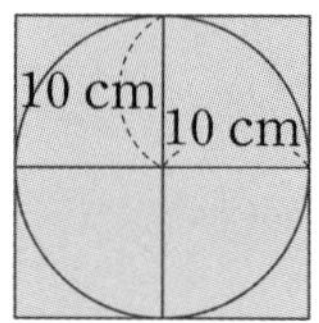

원 안의 정사각형의 넓이 ← $200\text{ cm}^2<$(원의 넓이)

(원의 넓이)$<400\text{ cm}^2$ → 원 밖의 정사각형의 넓이

- 모눈의 수를 이용하기

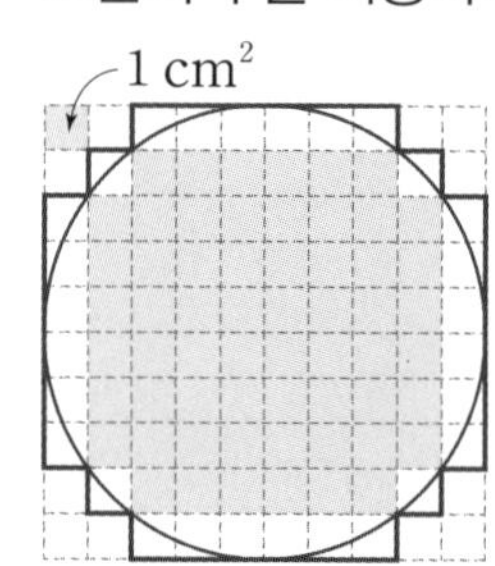

→ 원 안의 색칠한 모눈의 수

$60\text{ cm}^2<$(원의 넓이)

(원의 넓이)$<$ ❷ ☐ cm^2

↑ 굵은 선 안쪽의 모눈의 수

개념 5 원의 넓이 구하는 방법

- (원의 넓이)=(반지름)×(❸ ☐)×(원주율)
- 원의 넓이 구하기 (원주율: 3.14)

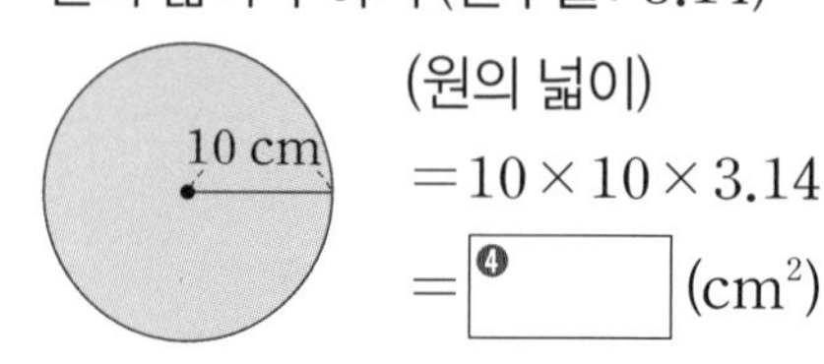

(원의 넓이)

$=10\times 10\times 3.14$

$=$ ❹ ☐ (cm^2)

개념 6 여러 가지 원의 넓이 구하기

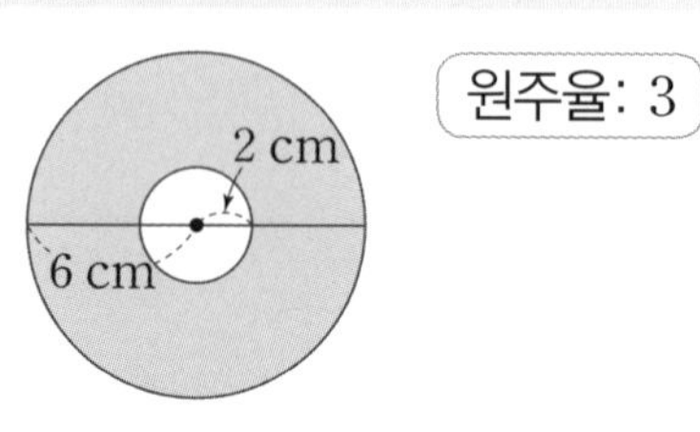

원주율: 3

(색칠한 부분의 넓이)

=(큰 원의 넓이)−(작은 원의 넓이)

반지름: 6 cm / 반지름: 2 cm

$=6\times 6\times 3-2\times 2\times 3=$ ❺ ☐ (cm^2)

| 정답 | ❶ 3.14 ❷ 88 ❸ 반지름 ❹ 314 ❺ 96

▶ 원주와 지름의 관계 알아보기 ~ 원주와 지름 구하기

스피드 정답표 11쪽, 정답 및 풀이 38쪽

01 원의 둘레를 무엇이라고 할까요?

( )

[02~03] 원주율을 구하세요.

02

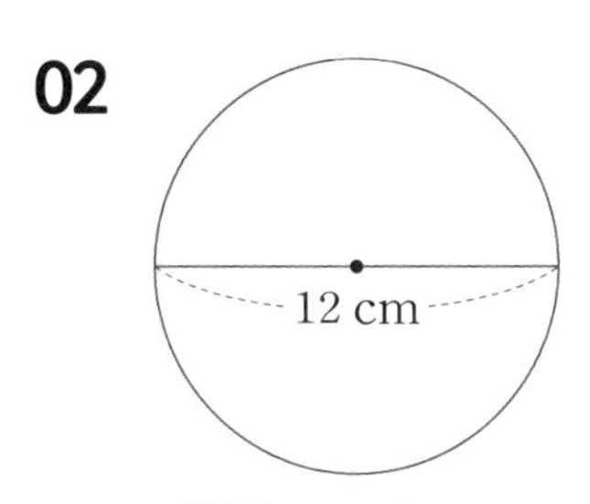

원주: 37.68 cm

( )

03

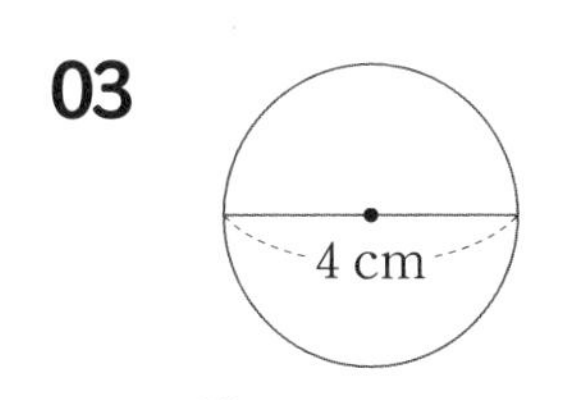

원주: 12.4 cm

( )

[04~05] 원주는 몇 cm인지 구하세요. (원주율: 3.1)

04

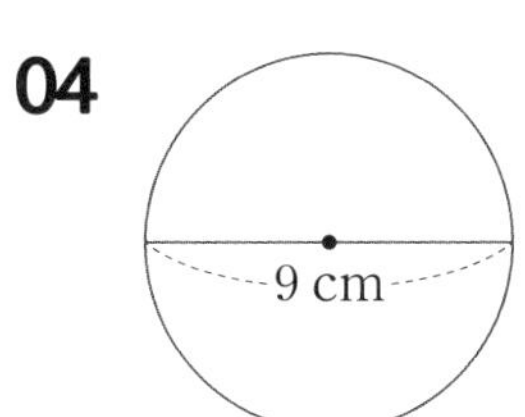

( )

05

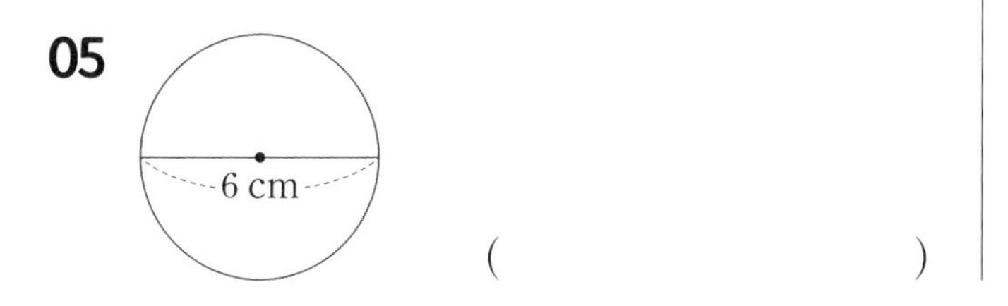

( )

[06~07] 원주는 몇 cm인지 구하세요. (원주율: 3.14)

06

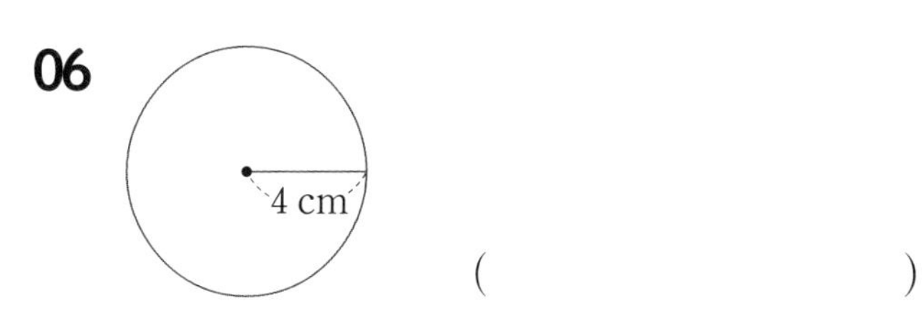

( )

07

5 cm

( )

[08~10] 원주가 다음과 같은 원의 지름은 몇 cm인지 구하세요. (원주율: 3)

08

원주가 27 cm인 원

( )

09

원주가 33 cm인 원

( )

10

원주가 45 cm인 원

( )

스피드 정답표 11쪽, 정답 및 풀이 38쪽

[01~03] 정사각형의 넓이를 이용하여 원의 넓이를 어림하려고 합니다. 물음에 답하세요.

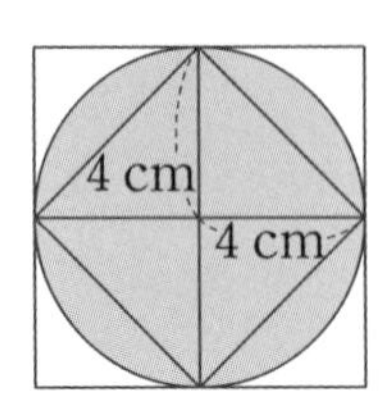

01 위 그림을 보고 ○ 안에 >, =, <를 알맞게 써넣으세요.

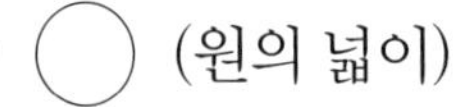

(원 안의 정사각형의 넓이) ○ (원의 넓이)

(원의 넓이) ○ (원 밖의 정사각형의 넓이)

02 □ 안에 알맞은 수를 써넣으세요.

(원 안의 정사각형의 넓이)

$=\square\times\square\div2=\square\,(\mathrm{cm}^2)$

(원 밖의 정사각형의 넓이)

$=\square\times\square=\square\,(\mathrm{cm}^2)$

03 원의 넓이를 어림해 보세요.

$\square\,\mathrm{cm}^2<$(원의 넓이)

(원의 넓이)$<\square\,\mathrm{cm}^2$

[04~05] 원의 넓이는 몇 cm^2인지 구하세요. (원주율: 3)

04

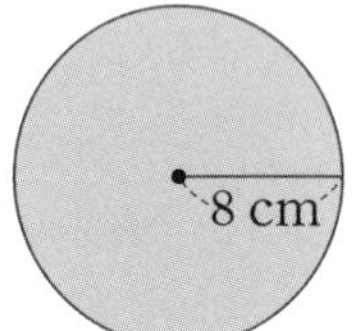

(　　　　　　　　)

05

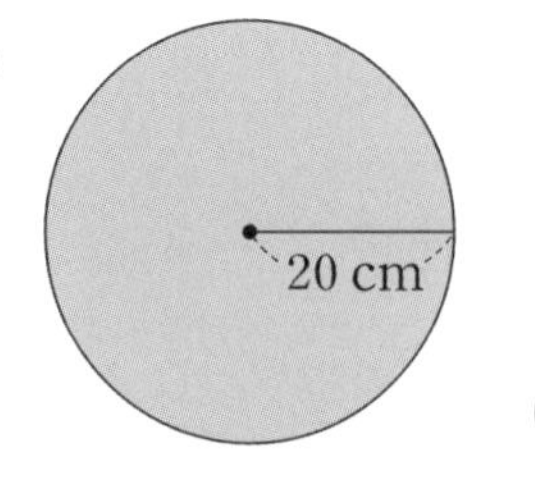

(　　　　　　　　)

[06~08] 원의 넓이는 몇 cm^2인지 구하세요. (원주율: 3.14)

06

(　　　　　　　　)

07

(　　　　　　　　)

08

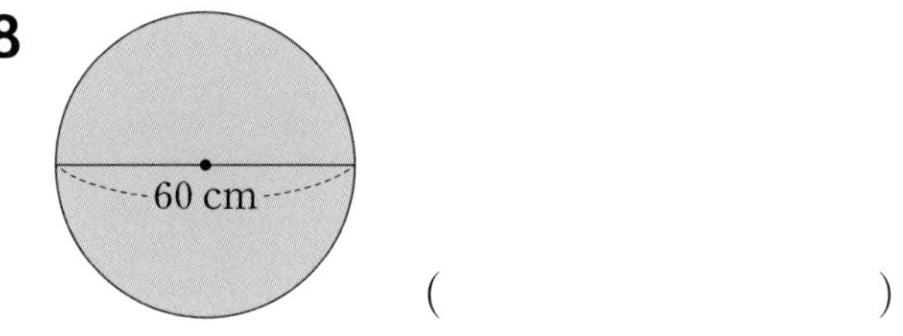

(　　　　　　　　)

[09~10] 색칠한 부분의 넓이는 몇 cm^2인지 구하세요. (원주율: 3.1)

09

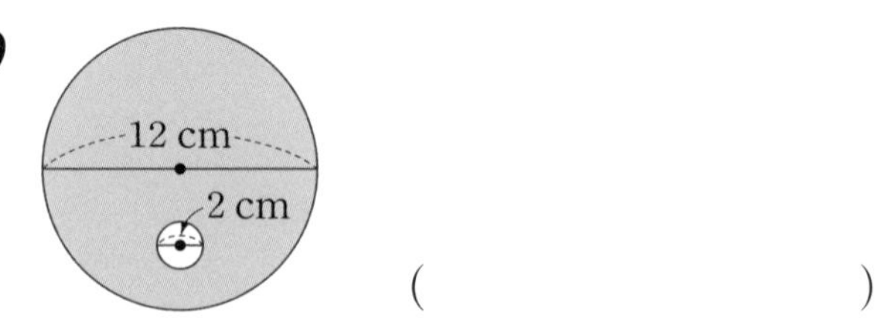

(　　　　　　　　)

10

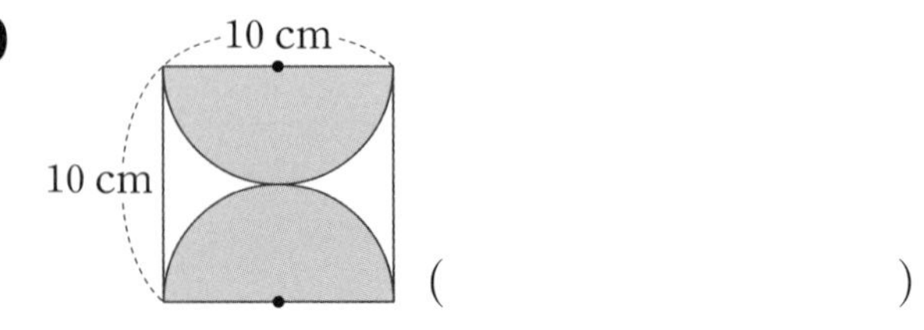

(　　　　　　　　)

원의 넓이

점수

스피드 정답표 12쪽, 정답 및 풀이 38쪽

01 □ 안에 알맞은 말을 써넣으세요.

원의 둘레를 □(이)라고 합니다.

02 원에 원주를 나타내어 보세요.

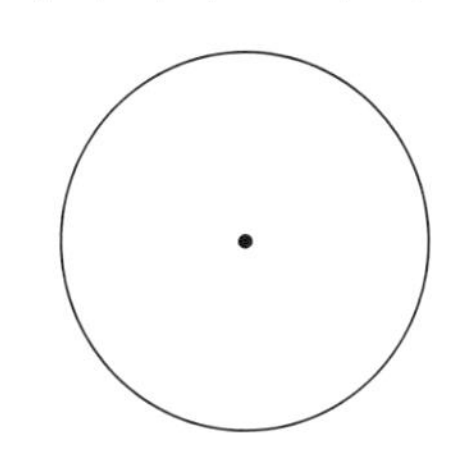

03 지윤이는 통조림 통의 밑면인 원의 원주와 지름을 재어 보았습니다. (원주)÷(지름)을 반올림하여 주어진 자리까지 나타내어 보세요.

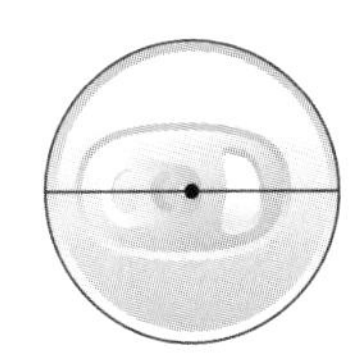

원주: 21.99 cm
지름: 7 cm

반올림하여 소수 첫째 자리까지	반올림하여 소수 둘째 자리까지

04 원의 지름을 구하려고 합니다. □ 안에 알맞은 말이나 수를 써넣으세요. (원주율: 3)

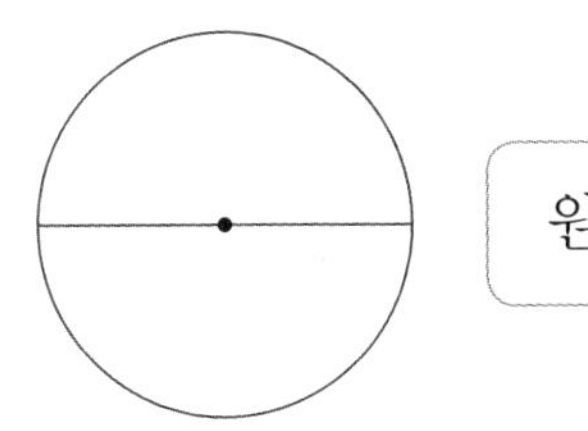

원주: 15 cm

(지름)=(원주)÷(□)
=15÷□=□ (cm)

05 원주를 구하려고 합니다. □ 안에 알맞은 수를 써넣으세요. (원주율: 3.14)

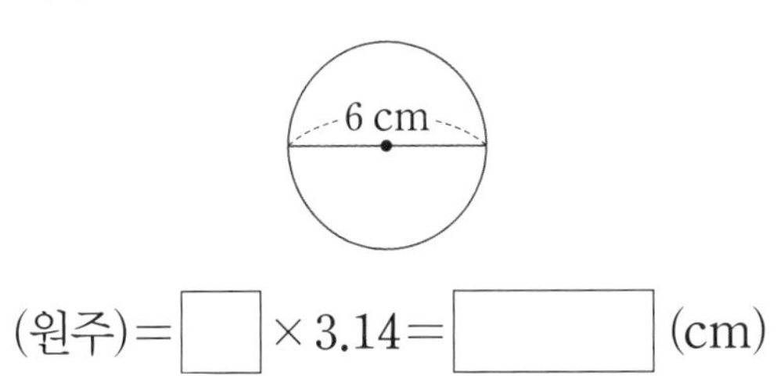

(원주)=□×3.14=□ (cm)

06 원의 넓이를 구하려고 합니다. □ 안에 알맞은 수를 써넣으세요. (원주율: 3.1)

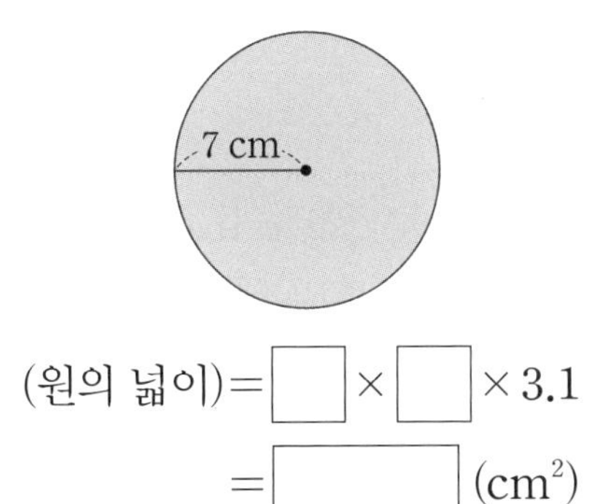

(원의 넓이)=□×□×3.1
=□ (cm^2)

07 설명이 맞으면 ○표, 틀리면 ×표 하세요.

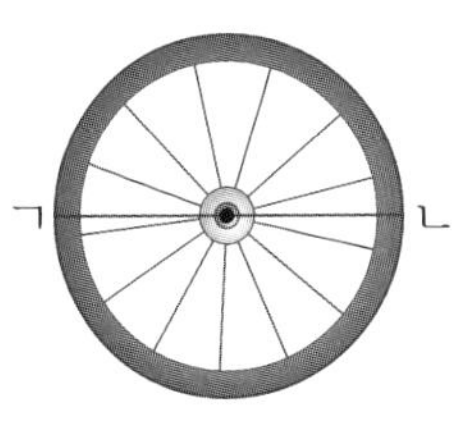

• 원의 중심을 지나는 선분 ㄱㄴ은 원의 지름입니다. ………………………… (　　)
• 원주와 지름의 길이는 같습니다. ………………………… (　　)

[08~10] 원의 넓이를 어림하려고 합니다. 물음에 답하세요.

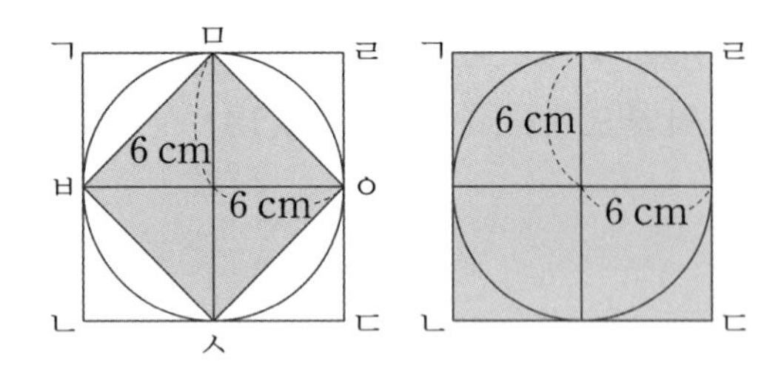

08 위 그림을 보고 ○ 안에 >, =, <를 알맞게 써넣으세요.

(원 안의 정사각형의 넓이) ◯ (원의 넓이)

(원 밖의 정사각형의 넓이) ◯ (원의 넓이)

09 원 안의 정사각형 ㅁㅂㅅㅇ의 넓이와 원 밖의 정사각형 ㄱㄴㄷㄹ의 넓이를 각각 구하세요.

정사각형 ㅁㅂㅅㅇ의 넓이	
정사각형 ㄱㄴㄷㄹ의 넓이	

10 □ 안에 알맞은 수를 써넣으세요.

원의 넓이는 원 안의 정사각형 ㅁㅂㅅㅇ의 넓이 □ cm^2보다 크고 원 밖의 정사각형 ㄱㄴㄷㄹ의 넓이 □ cm^2보다 작습니다.

[11~13] 원을 한 없이 잘라 이어 붙여서 점점 직사각형에 가까워지는 도형으로 바꾸어 보았습니다. 물음에 답하세요.

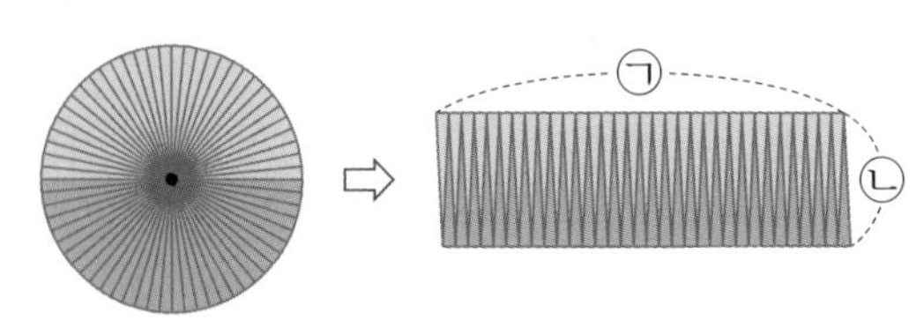

11 ㉠의 길이와 같은 것을 찾아 ○표 하세요.

(원주) $\times 2$	(원주) $\times \frac{1}{2}$
(　　)	(　　)

12 ㉡의 길이와 같은 것을 찾아 ○표 하세요.

원의 지름	원의 반지름
(　　)	(　　)

13 □ 안에 알맞은 말을 써넣으세요.

(원의 넓이)

= (□) × $\frac{1}{2}$ × (반지름)

= (원주율) × (□) × $\frac{1}{2}$ × (반지름)

= (원주율) × (□) × (□)

14 원의 지름은 몇 cm인지 구하세요. (원주율: 3)

원주: 33 cm

(　　　　　)

15 원주는 몇 cm인지 구하세요. (원주율: 3.14)

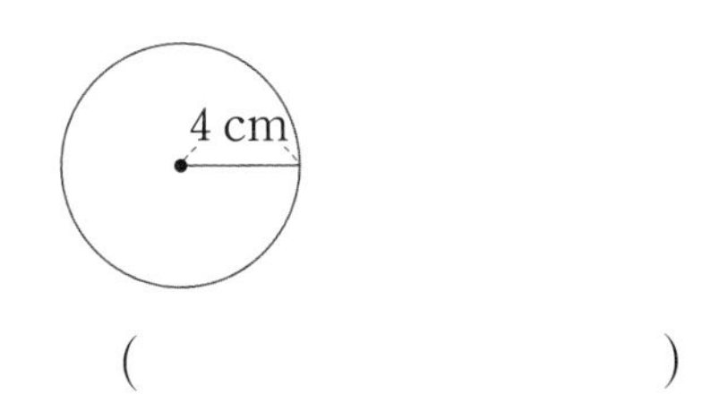

(　　　　　　　　　)

16 원의 넓이는 몇 cm^2인지 구하세요.

(원주율: 3.14)

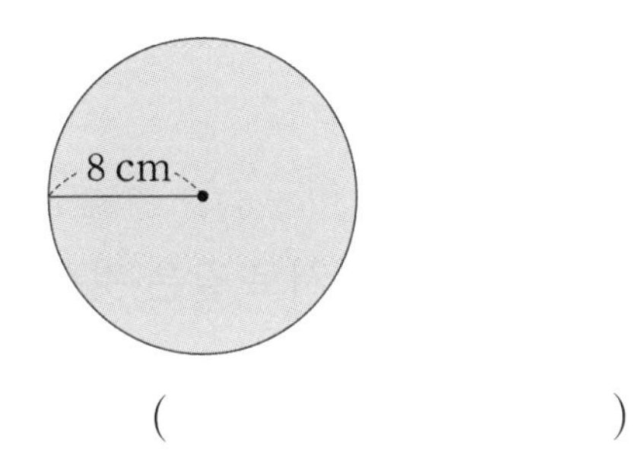

(　　　　　　　　　)

17 원의 넓이는 몇 cm^2인지 구하세요.

(원주율: 3.1)

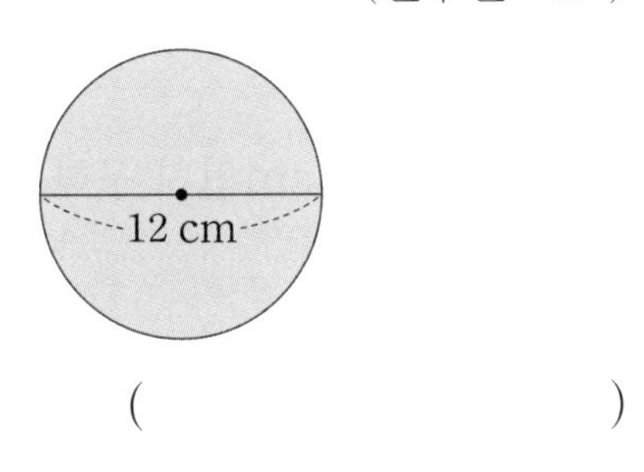

(　　　　　　　　　)

18 원주율에 대한 설명으로 잘못된 것은 어느 것일까요? ………………………………… (　　　)

① 원주율을 반올림하여 소수 둘째 자리까지 나타내면 3.14입니다.

② 원의 지름에 대한 원주의 비율입니다.

③ 원의 지름이 길어져도 원주율은 일정합니다.

④ 원의 크기에 관계없이 원주율은 일정합니다.

⑤ (원주)÷(반지름)으로 구합니다.

19 재영이는 프로펠러의 길이가 10 cm인 장난감 헬리콥터를 가지고 있습니다. 프로펠러 한 개가 돌 때 생기는 원주는 몇 cm일까요?

(원주율: 3.1)

(　　　　　　　　　)

20 한 변의 길이가 14 cm인 정사각형 안에 꼭맞게 들어가는 원의 넓이는 몇 cm^2일까요?

(원주율: 3.14)

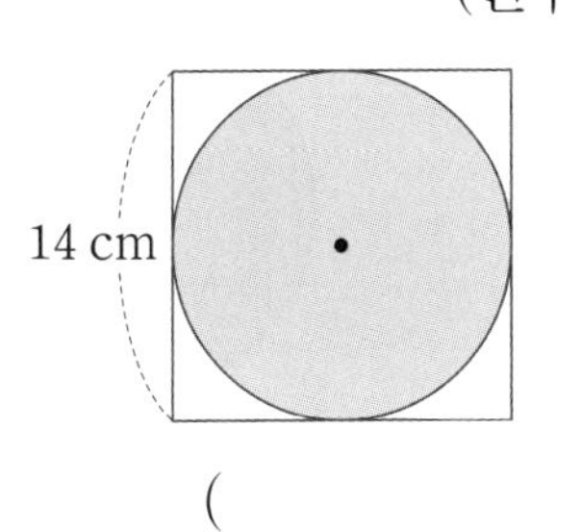

(　　　　　　　　　)

01 □ 안에 알맞은 말을 써넣으세요.

> 원의 지름에 대한 원주의 비율을
> □(이)라고 합니다.

02 원주율을 구하는 식으로 알맞은 것은 어느 것일까요? ………………………………… (　　　)

① (원주)÷(반지름)　② (지름)÷(반지름)
③ (원주)÷(지름)　④ (지름)÷(원주)
⑤ (반지름)÷(원주)

03 원주를 구하려고 합니다. □ 안에 알맞은 수를 써넣으세요. (원주율: 3.1)

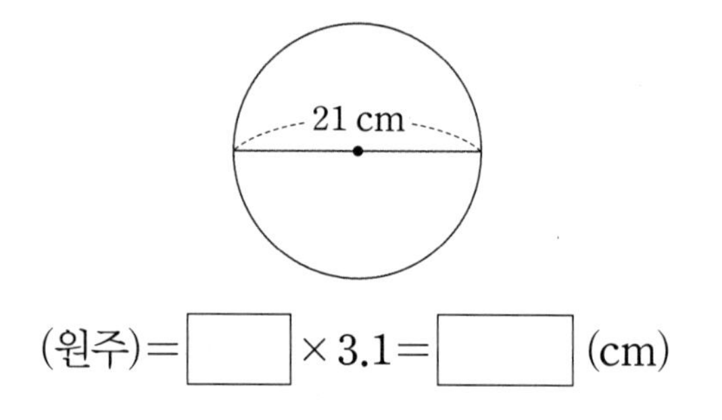

(원주)=□×3.1=□(cm)

04 원의 넓이를 구하려고 합니다. □ 안에 알맞은 수를 써넣으세요. (원주율: 3)

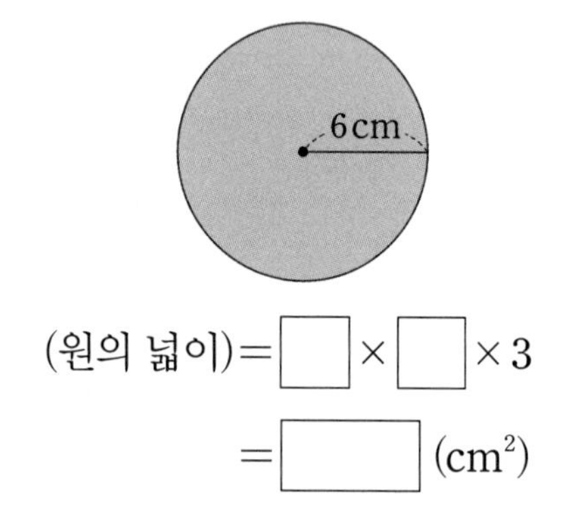

(원의 넓이)=□×□×3
=□(cm^2)

05 원의 반지름을 구하려고 합니다. □ 안에 알맞은 수를 써넣으세요. (원주율: 3.14)

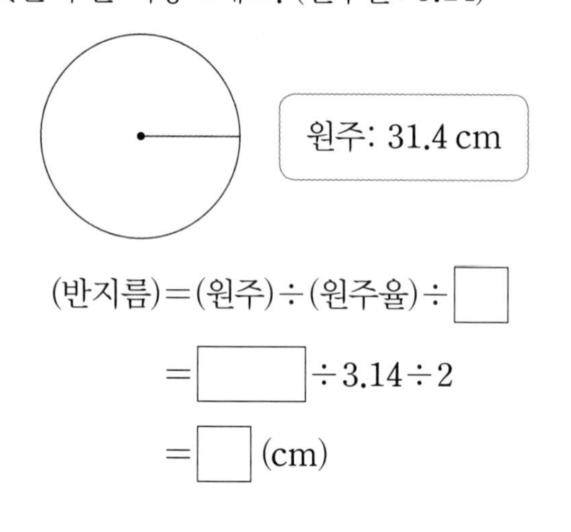

(반지름)=(원주)÷(원주율)÷□
=□÷3.14÷2
=□(cm)

06 두 원에서 서로 같은 것은 어느 것일까요?
………………………………………………… (　　　)

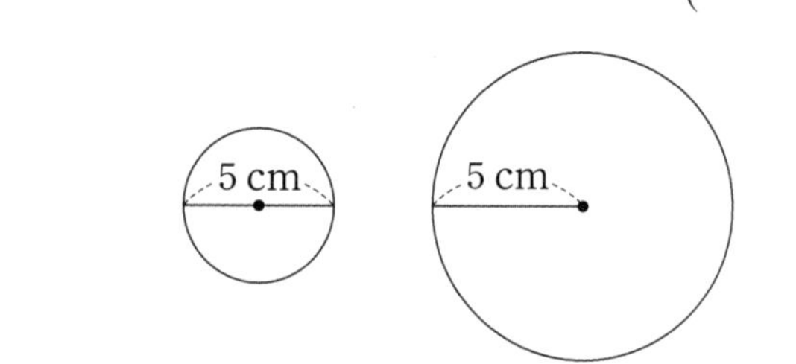

① 반지름　② 지름　③ 넓이
④ 원주율　⑤ 원주

07 원주는 몇 cm인지 구하세요. (원주율: 3.14)

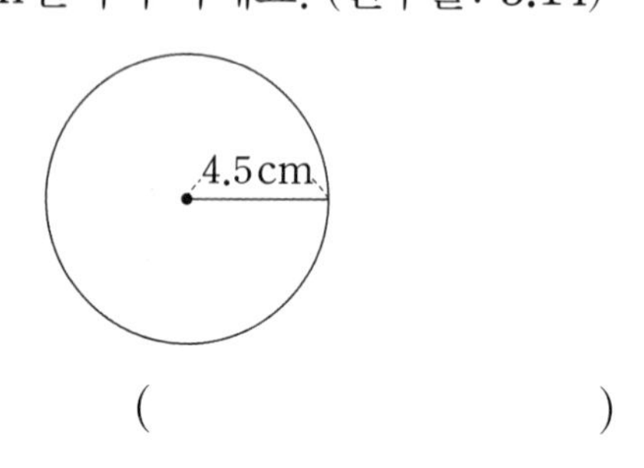

(　　　　　　　)

[08~10] 모눈의 넓이를 이용하여 지름이 10 cm인 원의 넓이를 어림하려고 합니다. 물음에 답하세요.

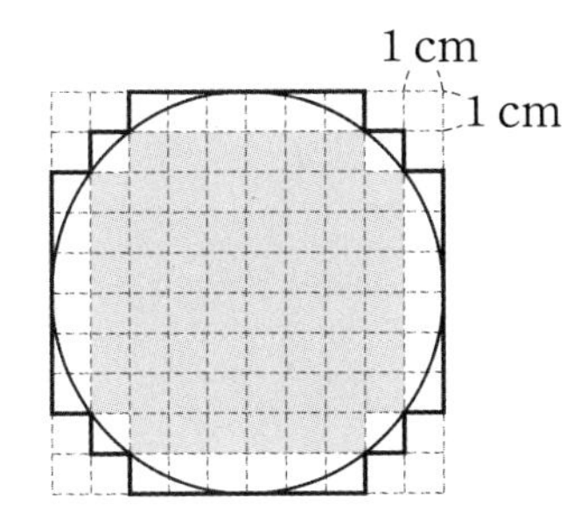

08 원 안의 색칠된 모눈의 넓이는 몇 cm^2일까요?

( )

09 원 밖의 굵은 선 안쪽 모눈의 넓이는 몇 cm^2일까요?

( )

10 원의 넓이를 어림해 보세요.

□ cm^2 < (원의 넓이)

(원의 넓이) < □ cm^2

11 원의 넓이는 몇 cm^2인지 구하세요. (원주율: 3.1)

8 cm

( )

12 반지름이 11 cm인 원의 넓이는 몇 cm^2일까요? (원주율: 3)

( )

13 원 안의 정사각형의 넓이와 원 밖의 정사각형의 넓이를 구하여 원의 넓이를 어림하려고 합니다. □ 안에 알맞은 수를 써넣으세요.

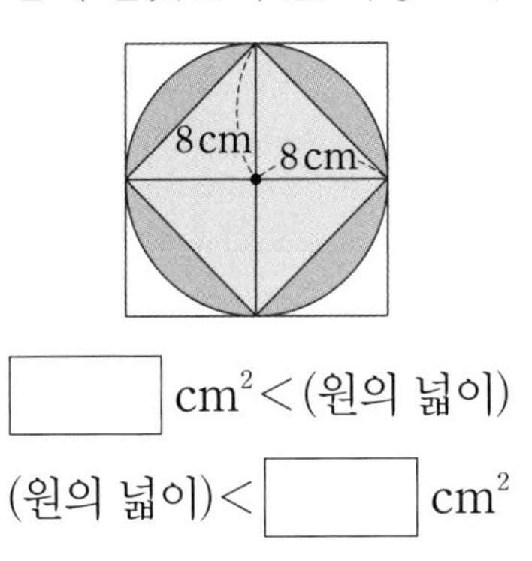

□ cm^2 < (원의 넓이)

(원의 넓이) < □ cm^2

14 원을 한없이 잘라 이어 붙여서 점점 직사각형에 가까워지는 도형으로 바꾸어 보았습니다. □ 안에 알맞은 수를 써넣으세요. (원주율: 3)

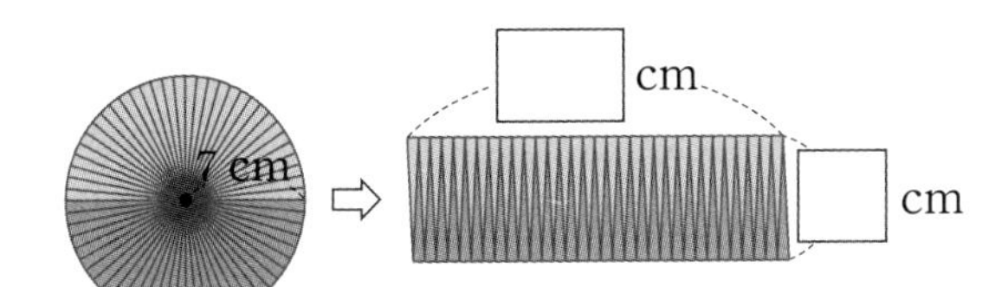

[15~16] 동현이와 윤주가 운동장에서 밧줄을 이용하여 각각 원을 그린 것입니다. 물음에 답하세요.

(원주율: 3.1)

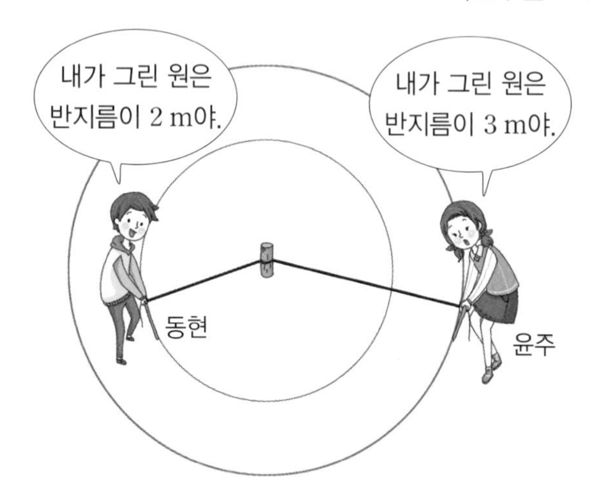

15 동현이와 윤주가 그린 원의 원주는 각각 몇 m일까요?

동현 (　　　　　　　　)
윤주 (　　　　　　　　)

16 동현이와 윤주가 그린 원의 넓이는 각각 몇 m^2일까요?

동현 (　　　　　　　　)
윤주 (　　　　　　　　)

17 원주가 21.98 cm일 때 □ 안에 알맞은 수를 구하세요. (원주율: 3.14)

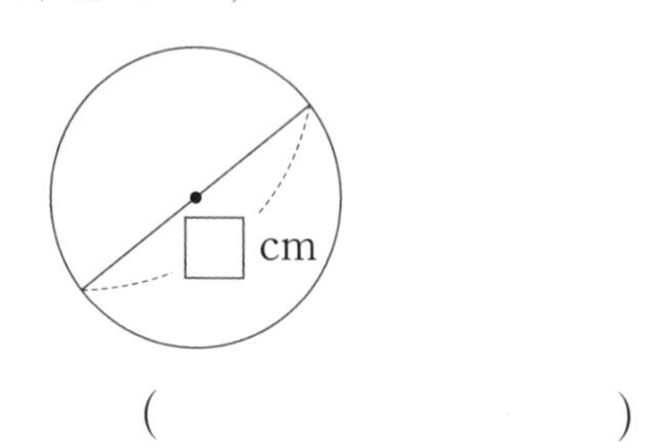

(　　　　　　　　)

18 100원짜리 동전의 둘레는 7.536 cm입니다. 100원짜리 동전의 반지름은 몇 cm일까요?

(원주율: 3.14)

(　　　　　　　　)

[19~20] 색칠한 부분의 넓이는 몇 cm^2인지 구하세요. (원주율: 3)

19

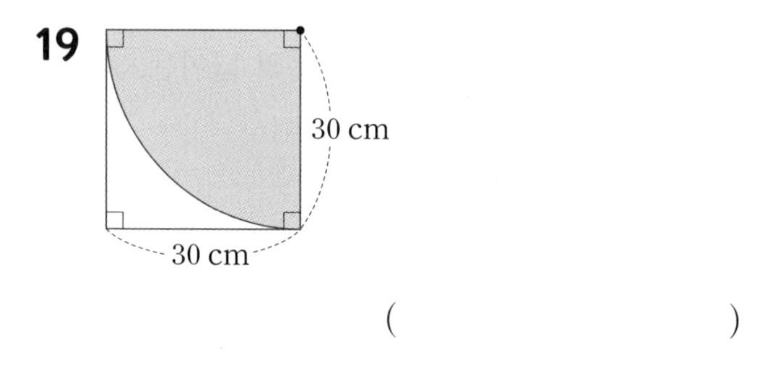

(　　　　　　　　)

20

4 cm
6 cm

(　　　　　　　　)

5단원 단원평가 3회

원의 넓이 점수

스피드 정답표 12쪽, 정답 및 풀이 39쪽

01 원에 지름과 원주를 나타내어 보세요.

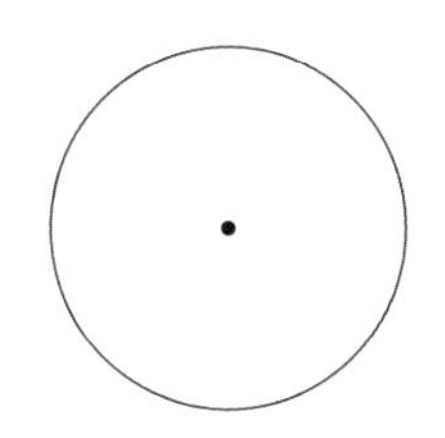

02 원의 원주율을 구하세요.

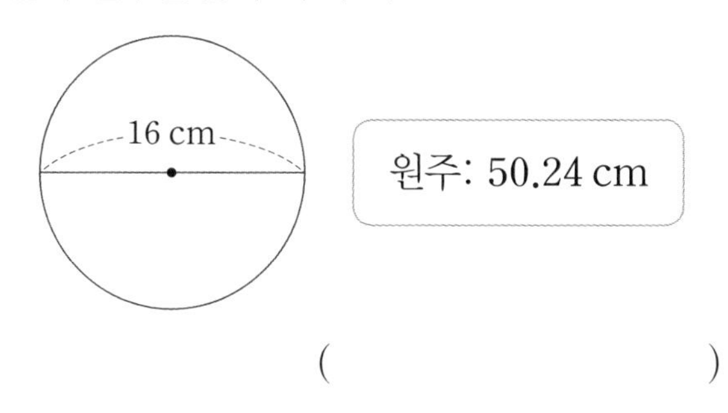

( )

03 원주가 87 cm인 원의 지름을 구하는 식으로 알맞은 것은 어느 것일까요? (원주율: 3) ( )

① 87×3
② $87 \times 3 \times 2$
③ 87×87
④ $87 \div 3$
⑤ $87 \div 3 \div 2$

04 원주를 구하려고 합니다. □ 안에 알맞은 수를 써넣으세요. (원주율: 3.14)

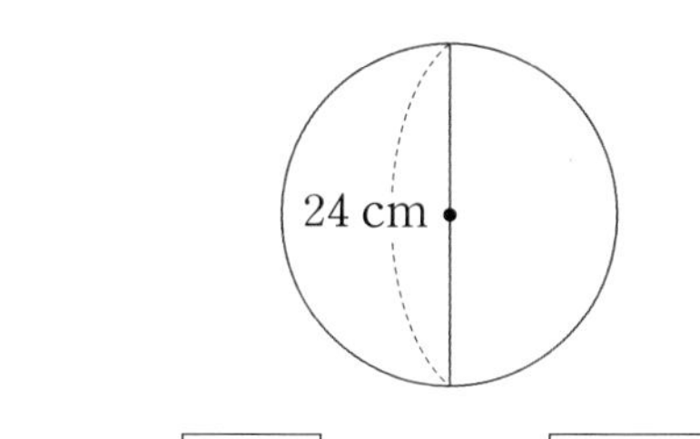

(원주)=□×3.14=□(cm)

05 반지름이 9 cm인 원이 있습니다. 이 원의 넓이는 몇 cm^2일까요? (원주율: 3)

( )

06 원의 넓이는 몇 cm^2인지 구하세요.

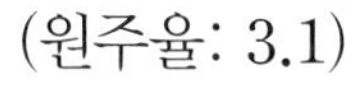

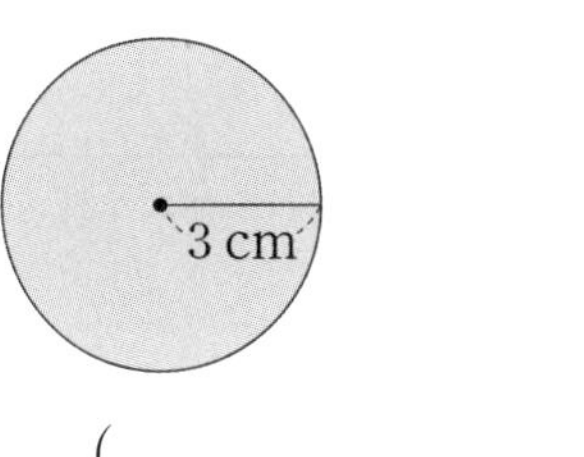

( )

07 지름이 50 cm인 원 모양의 훌라후프의 둘레는 몇 cm일까요? (원주율: 3.14)

( )

[08~09] 한 변의 길이가 1 cm인 정육각형, 지름이 2 cm인 원, 한 변의 길이가 2 cm인 정사각형을 보고 물음에 답하세요.

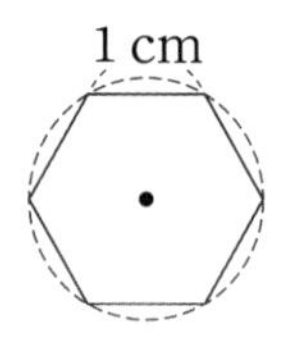

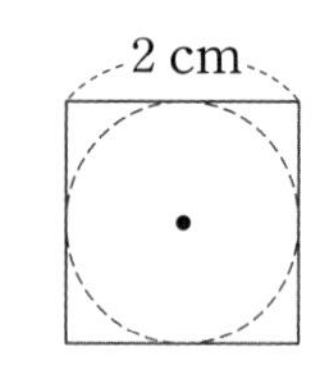

08 정육각형의 둘레, 정사각형의 둘레, 원주를 각각 그림에 표시해 보세요.

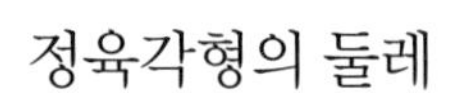

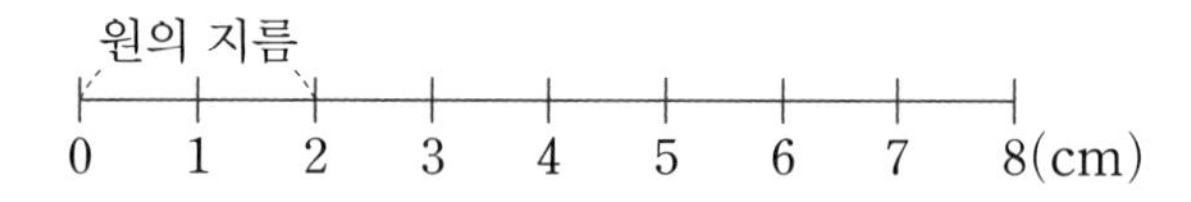

정사각형의 둘레

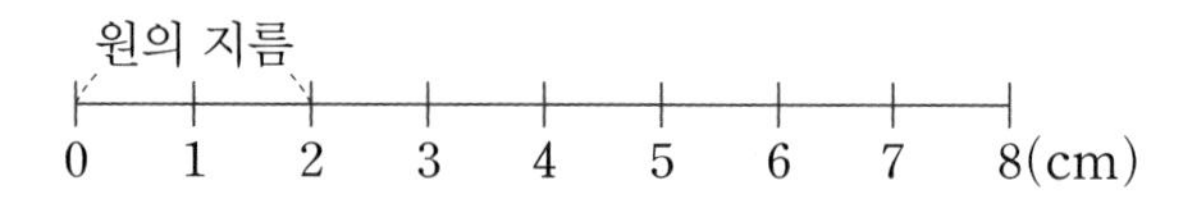

원주

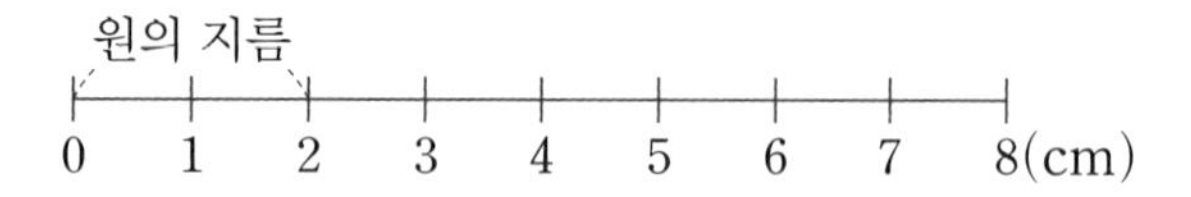

09 □ 안에 알맞은 수를 써넣으세요.

(원의 지름)×□<(원주)

(원주)<(원의 지름)×□

10 원의 넓이는 몇 cm^2인지 구하세요. (원주율: 3)

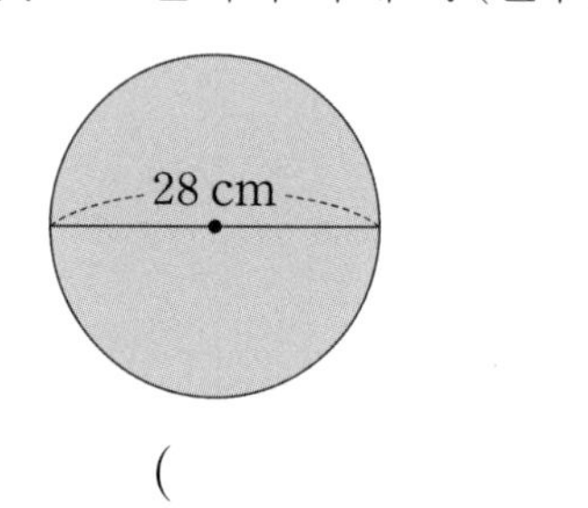

(　　　　　　　　)

11 반지름이 7 cm인 원의 원주는 몇 cm일까요? (원주율: 3.1)

(　　　　　　　　)

12 원 모양의 벽시계가 있습니다. 이 벽시계의 지름은 15 cm이고 둘레는 46.5 cm입니다. 벽시계의 둘레는 지름의 몇 배일까요?

(　　　　　　　　)

13 지영이는 가지고 있는 철사를 겹치지 않게 붙여서 원을 만들었습니다. 지영이가 가지고 있던 철사의 길이는 몇 cm일까요? (원주율: 3)

(　　　　　　　　)

14 다음 실의 길이를 반지름으로 하여 만든 원의 넓이는 몇 cm^2일까요? (원주율: 3.14)

3 cm

(　　　　　　　　)

15 원의 넓이가 192 cm^2일 때, 지름은 몇 cm일까요? (원주율: 3)

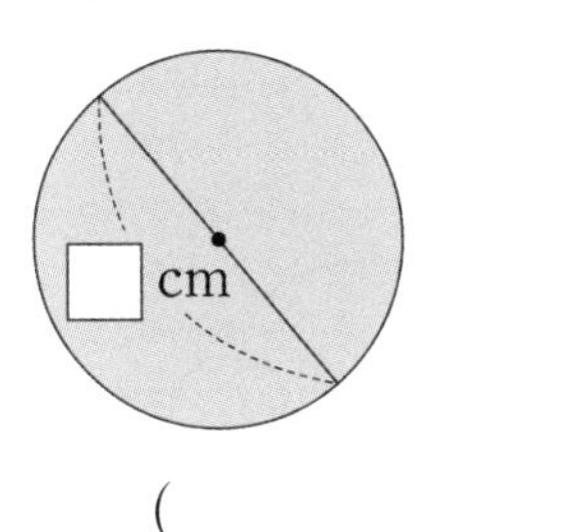

( )

16 반지름이 21 cm인 굴렁쇠를 3바퀴 굴렸습니다. 굴렁쇠가 움직인 거리는 몇 cm일까요? (원주율: 3.1)

( )

17 넓이가 더 넓은 원을 찾아 기호를 써 보세요. (원주율: 3.14)

㉠ 반지름이 15 cm인 원
㉡ 넓이가 1256 cm^2인 원

( )

[18~19] 다음과 같은 모양의 재인이네 학교 운동장을 보고 물음에 답하세요. (원주율: 3.14)

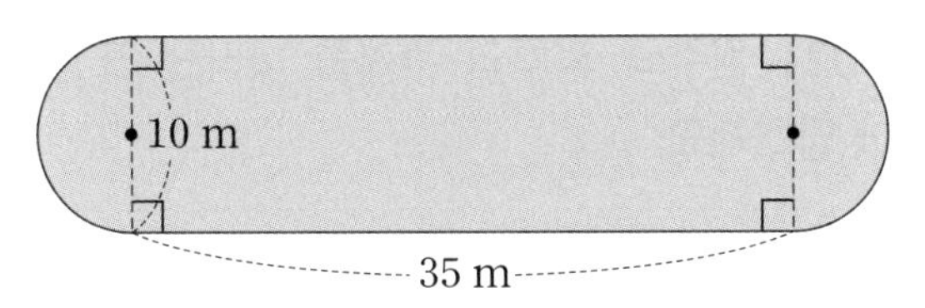

18 재인이가 운동장 둘레를 한 바퀴 돌았습니다. 재인이가 움직인 거리는 몇 m일까요?

( )

19 운동장의 넓이는 몇 m^2일까요?

( )

서술형

20 원주가 37.2 cm인 원이 있습니다. 이 원의 넓이는 몇 cm^2인지 풀이 과정을 쓰고 답을 구하세요. (원주율: 3.1)

풀이

답

스피드 정답표 12쪽, 정답 및 풀이 40쪽

[01~02] 원주와 지름의 관계를 나타낸 표입니다. 물음에 답하세요.

원주	지름	(원주)÷(지름)
12.56 cm	4 cm	
62.8 cm	20 cm	

01 표의 빈칸에 알맞은 수를 써넣으세요.

02 알맞은 말에 ○표 하세요.

원의 크기가 달라도 원주율은 (같습니다 , 다릅니다).

[03~04] 원을 보고 물음에 답하세요. (원주율: 3.14)

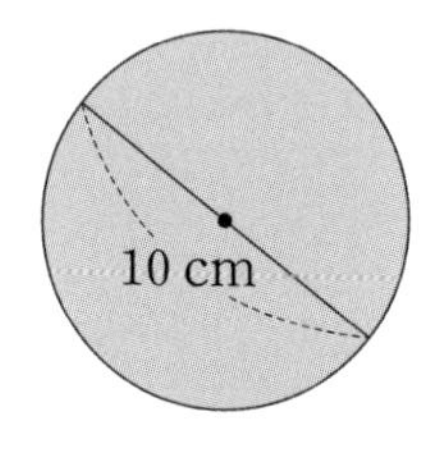

03 원주는 몇 cm인지 구하세요.

( )

04 원의 넓이는 몇 cm^2인지 구하세요.

( )

05 원의 지름은 몇 cm인지 구하세요.

(원주율: 3.14)

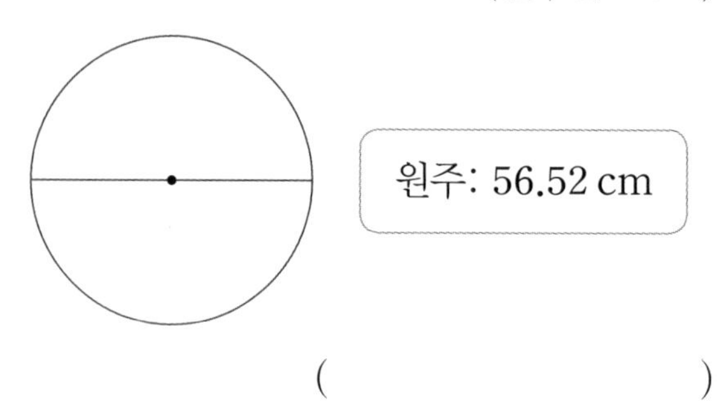

( )

06 원의 넓이는 몇 cm^2인지 구하세요. (원주율: 3)

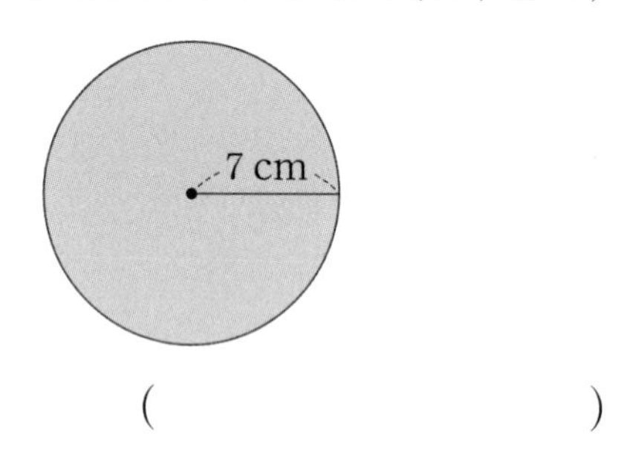

( )

07 반지름이 12 cm인 원의 넓이는 몇 cm^2일까요? (원주율: 3)

( )

[08~09] 원 안의 정사각형의 넓이와 원 밖의 정사각형의 넓이를 구하여 원의 넓이를 어림하려고 합니다. 물음에 답하세요.

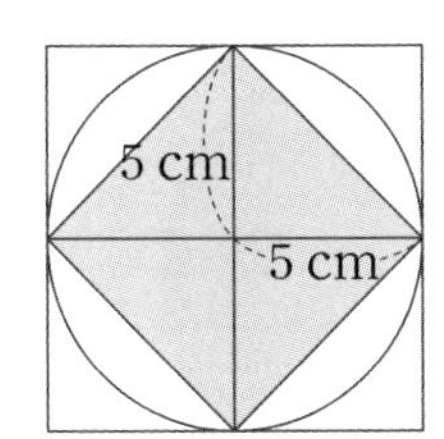

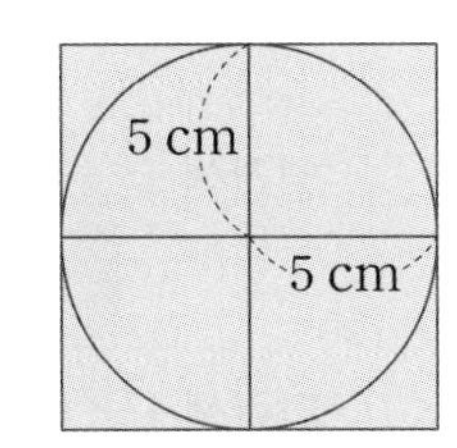

08 원 안의 정사각형의 넓이와 원 밖의 정사각형의 넓이는 몇 cm^2인지 각각 구하세요.

원 안의 정사각형의 넓이

( )

원 밖의 정사각형의 넓이

( )

09 반지름이 5 cm인 원의 넓이를 어림해 보세요.

□ cm^2 < (원의 넓이)

(원의 넓이) < □ cm^2

10 길이가 124 cm인 종이띠를 겹치지 않게 이어 붙여서 원을 만들었습니다. 만들어진 원의 지름은 몇 cm일까요? (원주율: 3.1)

( )

11 컴퍼스를 4 cm만큼 벌려서 원을 그렸습니다. 그린 원의 원주는 몇 cm일까요?

(원주율: 3.14)

( )

12 원을 한없이 잘라 이어 붙여서 점점 직사각형에 가까워지는 도형을 만들었습니다. 만들어진 직사각형에 가까워지는 도형의 가로는 몇 cm일까요? (원주율: 3.14)

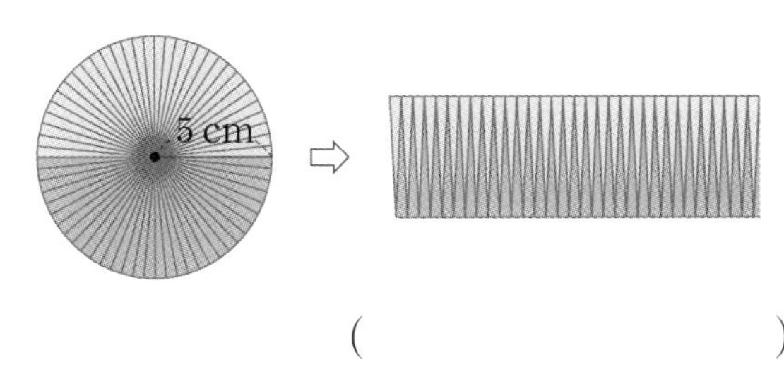

( )

13 다음 설명 중 옳은 것은 어느 것일까요? ( )

① 원의 둘레를 지름이라고 합니다.
② 원주율을 반올림하여 소수 둘째 자리까지 나타내면 3.15입니다.
③ 원에서 지름에 대한 원주의 비율을 원주율이라고 합니다.
④ 원주는 반지름에 원주율을 곱한 것과 같습니다.
⑤ 반지름이 길수록 원주율도 커집니다.

14 넓이가 12.56 cm^2인 원의 반지름은 몇 cm일까요? (원주율: 3.14)

( )

15 그림과 같은 직사각형 모양의 색종이 안에 그릴 수 있는 가장 큰 원의 넓이는 몇 cm^2일까요? (원주율: 3)

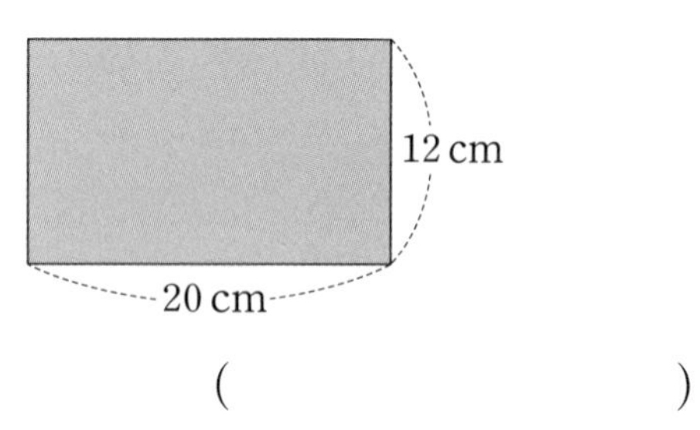

( )

16 도형의 둘레는 몇 cm인지 구하세요. (원주율: 3.14)

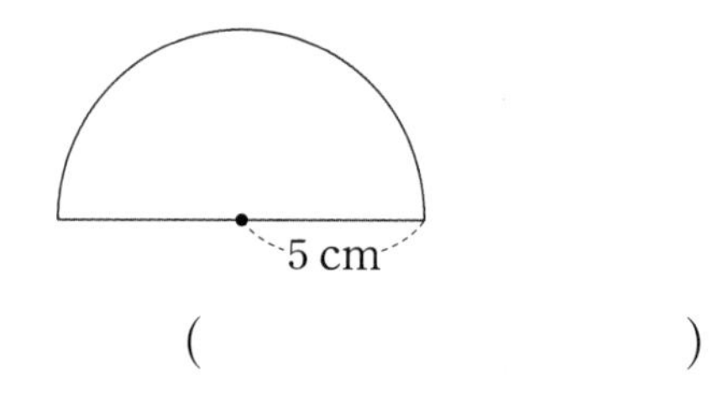

( )

17 원 모양의 공원 둘레를 자전거를 타고 3바퀴 돌았습니다. 공원의 지름이 40 m라면 자전거를 타고 달린 거리는 몇 m일까요? (원주율: 3.14)

( )

[18~19] 태극기의 가운데에 위치한 태극 문양 중 윗부분은 빨간색, 아랫부분은 파란색입니다. 태극 문양을 보고 물음에 답하세요. (원주율: 3.1)

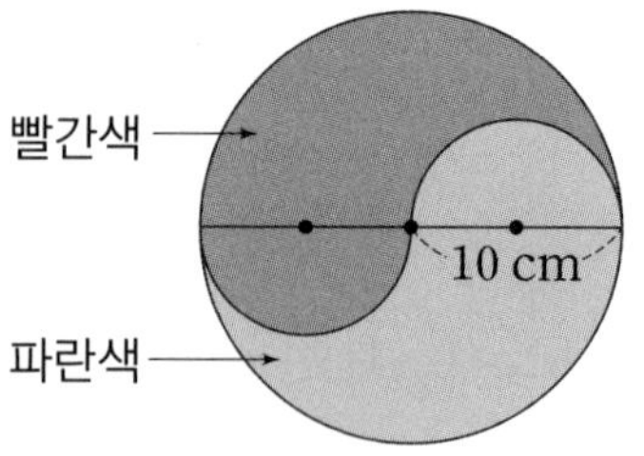

18 태극 문양에서 햇빛을 뜻하는 빨간색 부분의 둘레는 몇 cm일까요?

( )

19 태극 문양에서 희망을 뜻하는 파란색 부분의 넓이는 몇 cm^2일까요?

( )

서술형

20 색칠한 부분의 넓이는 몇 cm^2인지 풀이 과정을 쓰고 답을 구하세요. (원주율: 3)

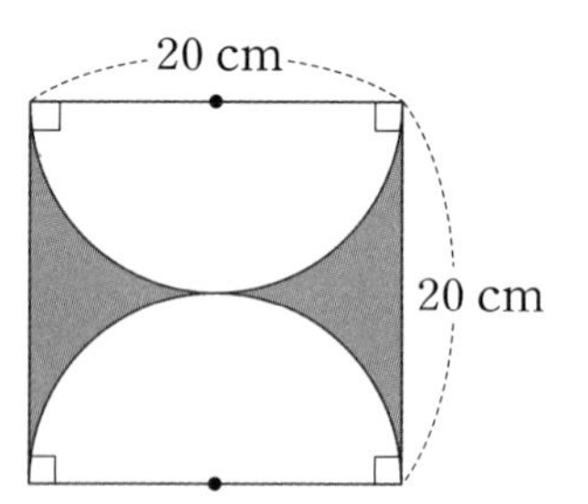

풀이

답 ______

스피드 정답표 12쪽, 정답 및 풀이 41쪽

01 원주는 몇 cm인지 구하세요. (원주율: 3.14)

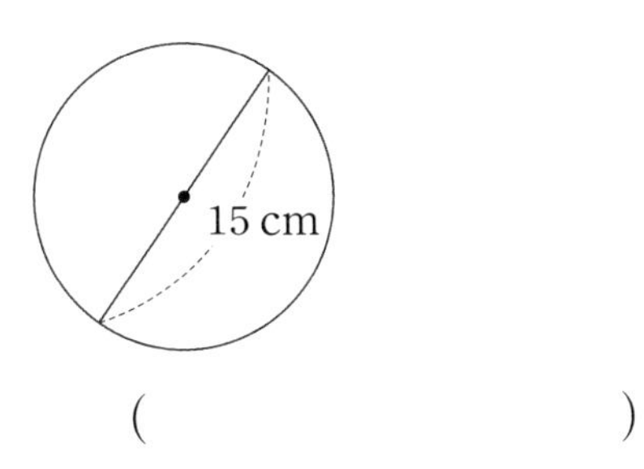

( )

02 원의 넓이는 몇 cm^2인지 구하세요.
(원주율: 3)

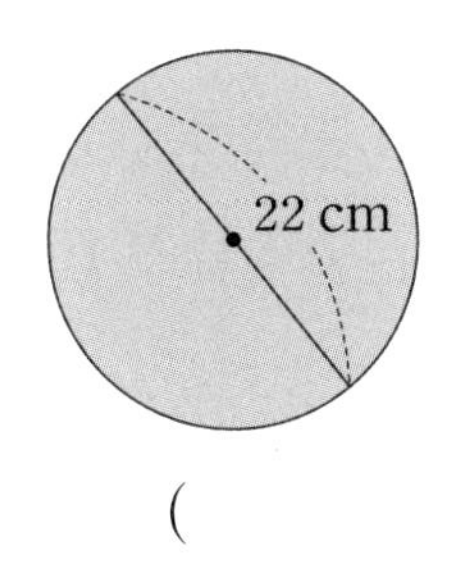

( )

03 지름과 원주의 관계를 이용하여 표를 완성해 보세요. (원주율: 3.14)

원	반지름(cm)	지름(cm)	원주(cm)
가	5		31.4
나		16	
다			75.36

04 원의 반지름은 몇 cm인지 소수로 나타내어 보세요. (원주율: 3.14)

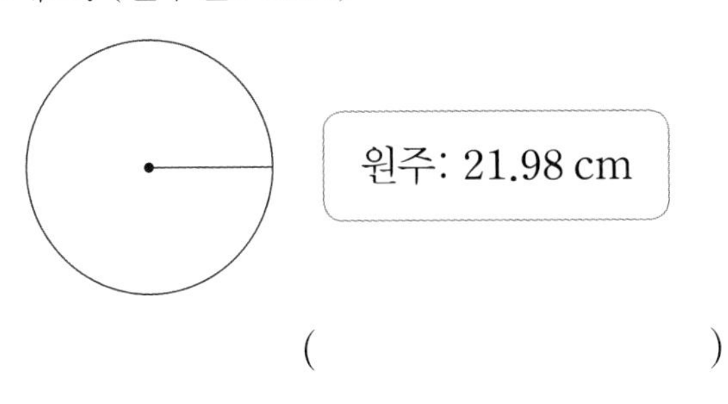

( )

05 반지름이 3 cm인 원을 한없이 잘라 이어 붙여서 점점 직사각형에 가까워지는 도형으로 만들었습니다. 만들어진 직사각형에 가까워지는 도형의 세로는 몇 cm일까요?

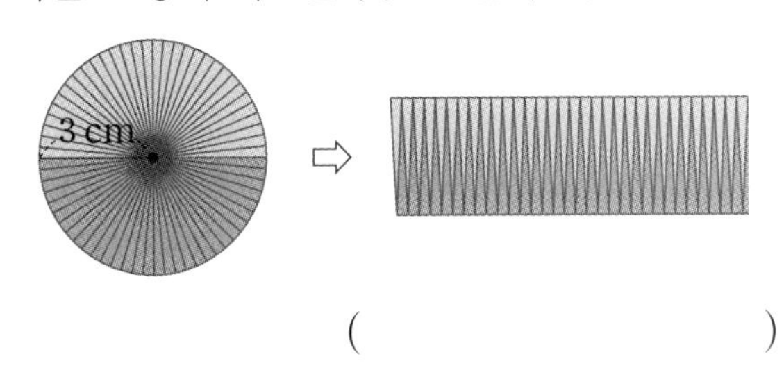

( )

06 설명이 맞으면 ○표, 틀리면 ×표 하세요.

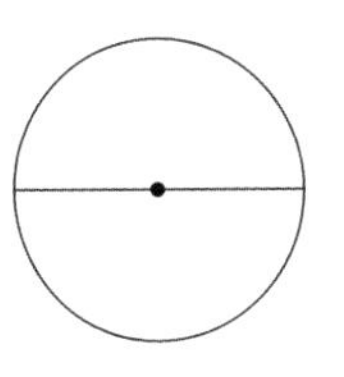

- 원의 지름이 길어져도 원주는 변하지 않습니다. ············ ( )
- 원의 넓이가 커지면 원의 지름도 길어집니다. ············ ( )

07 크기가 다른 두 원의 (원주)÷(지름)을 비교하여 ○ 안에 >, =, <를 알맞게 써넣으세요.

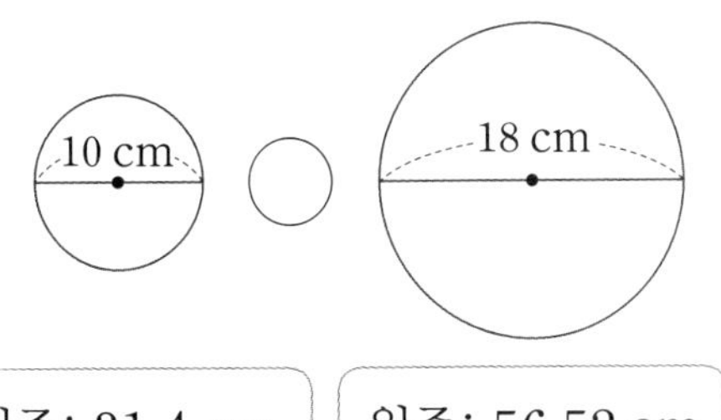

원주: 31.4 cm　　원주: 56.52 cm

08 가의 원주는 나의 원주의 몇 배일까요?

(원주율: 3)

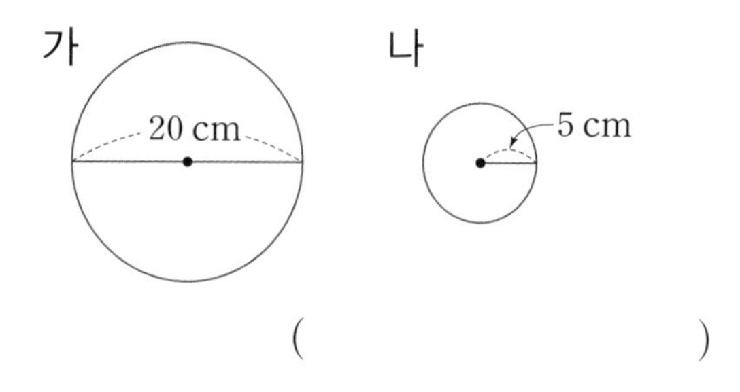

( )

09 지름이 2 cm인 원의 원주와 가장 비슷한 길이를 찾아 기호를 써 보세요.

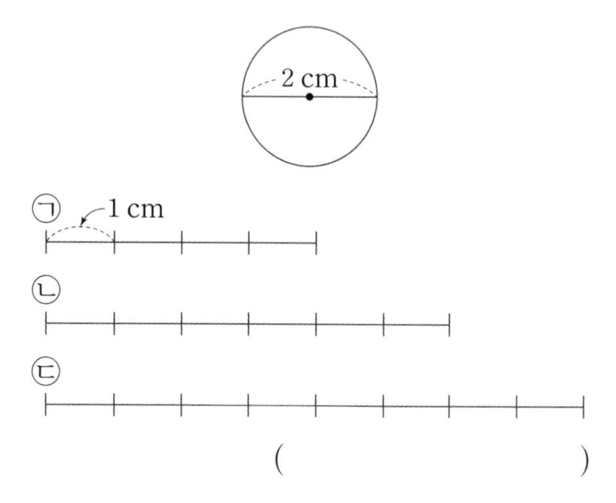

( )

10 다음 실을 남김없이 사용하여 가장 큰 원을 만들었습니다. 만든 원의 반지름은 몇 cm일까요? (원주율: 3)

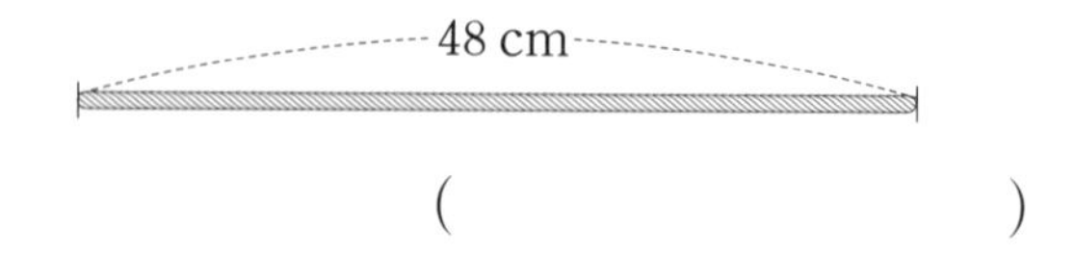

( )

11 넓이가 $50.24\ cm^2$인 원의 지름은 몇 cm일까요? (원주율: 3.14)

( )

12 지름이 24 cm인 원 모양의 자전거 바퀴가 있습니다. 이 바퀴를 5바퀴 굴렸다면 바퀴가 움직인 거리는 몇 cm일까요? (원주율: 3.1)

( )

13 크기가 다른 원 모양의 세 접시 가, 나, 다가 있습니다. 큰 접시부터 차례로 기호를 써 보세요. (원주율: 3.1)

가: 둘레가 55.8 cm인 접시
나: 둘레가 37.2 cm인 접시
다: 반지름이 15 cm인 접시

( )

14 은철이는 우유갑으로 만든 저금통에 동전을 넣을 수 있도록 구멍을 내려고 합니다. 저금통 구멍의 길이는 몇 cm보다 길어야 할까요?

(원주율: 3.14)

500원짜리 동전의 둘레
: 8.321 cm

100원짜리 동전의 둘레
: 7.536 cm

10원짜리 동전의 둘레
: 5.652 cm

( )

15 가장 큰 원을 찾아 기호를 써 보세요. (원주율: 3.14)

㉠ 원주가 53.38 cm인 원
㉡ 지름이 15 cm인 원
㉢ 넓이가 254.34 cm^2인 원

(　　　　　　　)

16 정육각형의 넓이를 이용하여 원의 넓이를 어림하려고 합니다. 삼각형 ㄱㅇㄷ의 넓이가 24 cm^2, 삼각형 ㄹㅇㅂ의 넓이가 18 cm^2일 때 원의 넓이를 어림해 보세요.

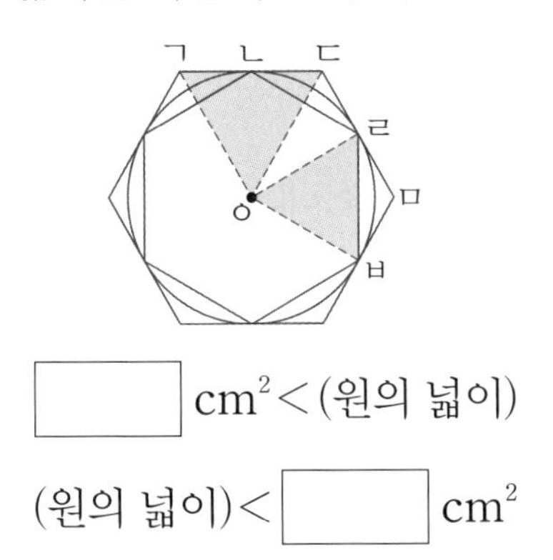

☐ cm^2 < (원의 넓이)

(원의 넓이) < ☐ cm^2

서술형

17 둘레가 32 cm인 정사각형 안에 그릴 수 있는 가장 큰 원의 넓이는 몇 cm^2인지 풀이 과정을 쓰고 답을 구하세요. (원주율: 3.14)

풀이

답

18 그림과 같이 반지름이 35 cm인 원 모양의 드럼통 3개를 끈으로 묶으려고 합니다. 필요한 끈의 길이는 적어도 몇 cm일까요? (원주율: 3)

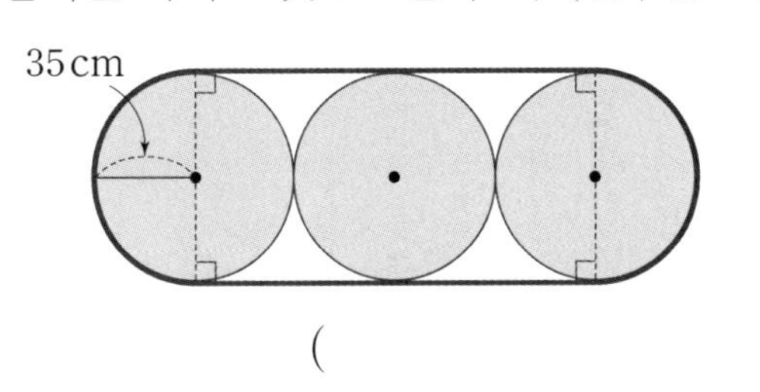

(　　　　　　　)

19 색칠한 부분의 넓이는 몇 cm^2인지 구하세요. (원주율: 3.14)

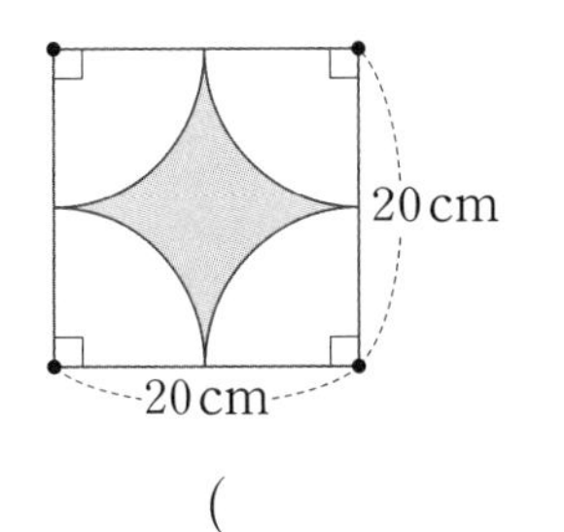

(　　　　　　　)

서술형

20 다음과 같이 가장 큰 원의 지름은 30 cm이고 반지름이 5 cm씩 작아지도록 원을 그렸습니다. 색칠한 부분의 넓이는 몇 cm^2인지 풀이 과정을 쓰고 답을 구하세요. (원주율: 3.1)

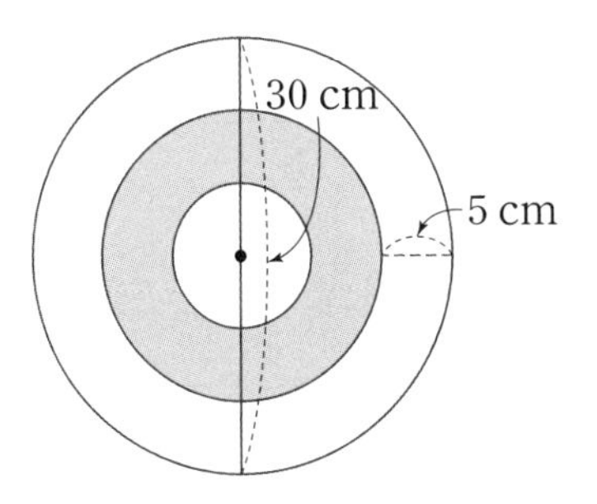

풀이

답

5 원의 넓이

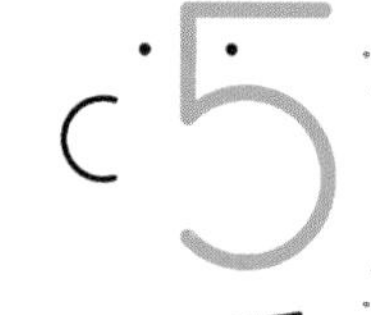

원의 넓이

점수

스피드 정답표 13쪽, 정답 및 풀이 42쪽

01 오른쪽 원의 원주와 넓이를 각각 구하세요. (원주율: 3.14)

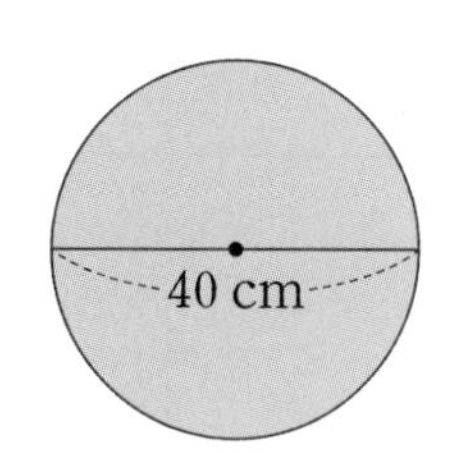

❶ 원주는 몇 cm일까요?

(원주)=□×3.14=□(cm)

(　　　　　　　　)

❷ 원의 넓이는 몇 cm^2일까요?

(원의 넓이)=□×□×3.14=□(cm^2)

(　　　　　　　　)

02 종이띠를 겹치지 않게 붙여서 다음과 같은 2개의 원을 만들려고 합니다. 두 원을 만들기 위해 필요한 종이띠의 길이는 적어도 몇 cm인지 구하세요. (원주율: 3)

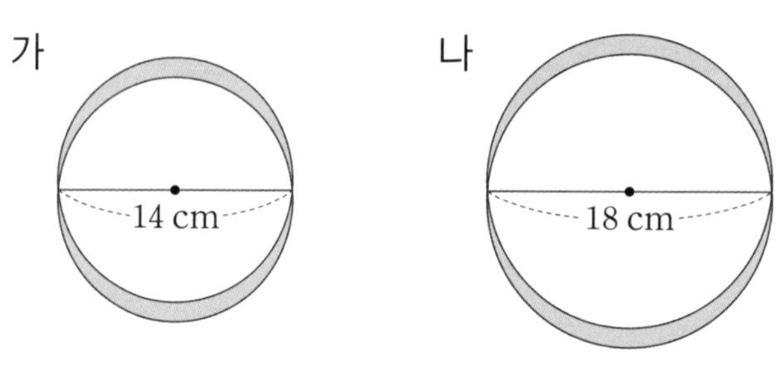

❶ 사용하는 종이띠의 길이는 원의 무엇과 같을까요?

(　　　　　　　　)

❷ 가의 원주는 몇 cm일까요?

(　　　　　　　　)

❸ 나의 원주는 몇 cm일까요?

(　　　　　　　　)

❹ 두 원을 만들기 위해 필요한 종이띠의 길이는 적어도 몇 cm일까요?

(　　　　　　　　)

03 더 큰 원을 찾아 기호를 써 보세요. (원주율: 3.1)

> ㉠ 원주가 68.2 cm인 원
> ㉡ 넓이가 1240 cm^2인 원

❶ 원주가 68.2 cm인 원의 반지름은 몇 cm일까요?

(지름)=☐÷☐=☐(cm) ⇨ (반지름)=☐cm

(　　　　　　　)

❷ 넓이가 1240 cm^2인 원의 반지름은 몇 cm일까요?

(반지름)×(반지름)=☐÷☐=☐ ⇨ (반지름)=☐cm

(　　　　　　　)

❸ 더 큰 원을 찾아 기호를 써 보세요.

(　　　　　　　)

04 해상이는 색종이 두 장을 오려서 다음과 같이 만들었습니다. 모양을 만들 때 사용한 색종이의 넓이는 몇 cm^2인지 구하세요. (원주율: 3)

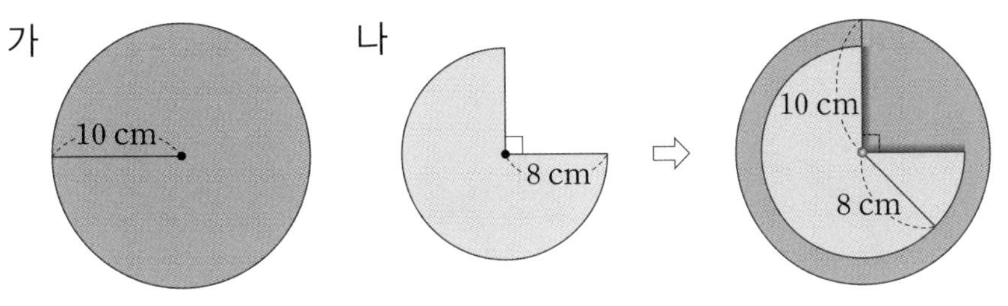

❶ 가 모양을 만드는 데 사용한 색종이의 넓이는 몇 cm^2일까요?

(반지름이 10 cm인 원의 넓이)=10×☐×☐=☐(cm^2)

(　　　　　　　)

❷ 나 모양을 만드는 데 사용한 색종이의 넓이는 몇 cm^2일까요?

(반지름이 8 cm인 원의 넓이의 $\frac{3}{4}$)=8×☐×☐×$\frac{3}{4}$=☐(cm^2)

(　　　　　　　)

❸ 모양을 만들 때 사용한 색종이의 넓이는 몇 cm^2일까요?

(　　　　　　　)

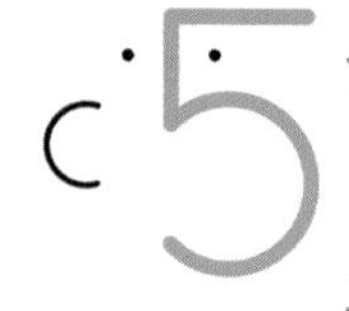

풀이 과정을 직접 쓰는

단원 서술형평가

원의 넓이

점수

스피드 정답표 13쪽, 정답 및 풀이 42쪽

01 오른쪽 원의 원주와 넓이를 각각 구하려고 합니다. 풀이 과정을 쓰고 답을 구하세요. (원주율: 3.1)

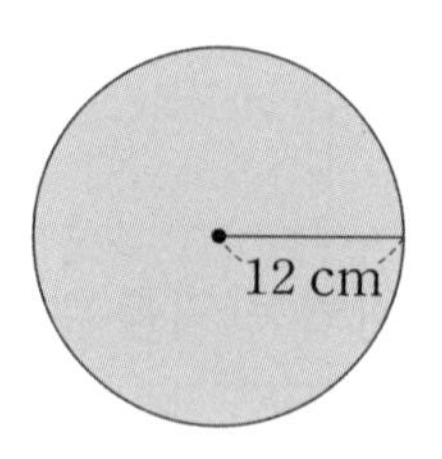

어떻게 풀까요?

- (원주)=(지름)×(원주율)
- (원의 넓이)
  =(반지름)×(반지름)×(원주율)

풀이

답 원주: ____________

원의 넓이: ____________

02 종이띠를 겹치지 않게 붙여서 원을 만든 것입니다. 가와 나에 사용된 종이띠의 길이의 차는 몇 cm인지 풀이 과정을 쓰고 답을 구하세요.

(원주율: 3.1)

가

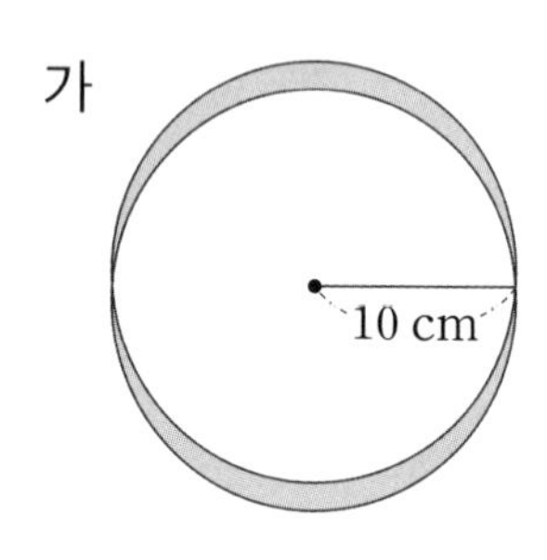

나

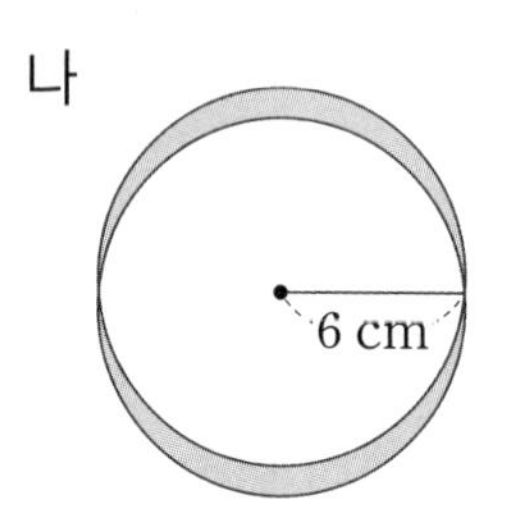

어떻게 풀까요?

- 종이띠로 만든 원의 원주는 사용된 종이띠의 길이와 같습니다.
  (원주)=(사용된 종이띠의 길이)

풀이

답 ____________

03
준용이와 현수는 운동장에 원을 그렸습니다. 두 사람의 대화를 읽고 더 큰 원을 그린 사람은 누구인지 풀이 과정을 쓰고 답을 구하세요.

(원주율: 3.1)

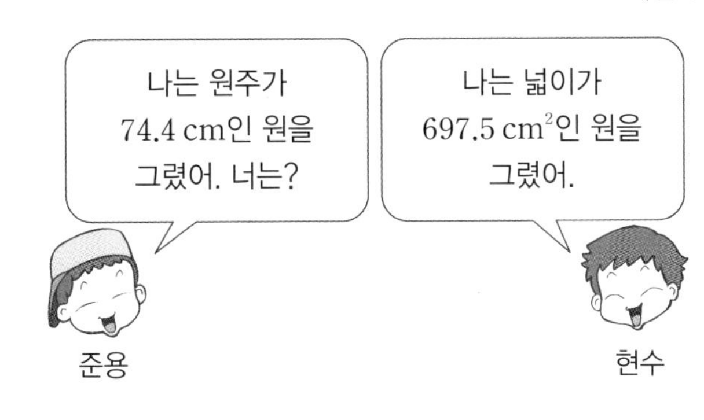

풀이

답 ____________

어떻게 풀까요?

- 반지름이 길수록 더 큰 원이므로 반지름 또는 지름을 구하여 길이를 비교합니다.
  (지름)=(원주)÷(원주율)
  (반지름)×(반지름)
  =(원의 넓이)÷(원주율)

04
두꺼운 종이 두 장을 오려서 다음과 같이 만들었습니다. 모양을 만들 때 사용한 종이의 넓이는 몇 cm^2인지 풀이 과정을 쓰고 답을 구하세요. (원주율: 3)

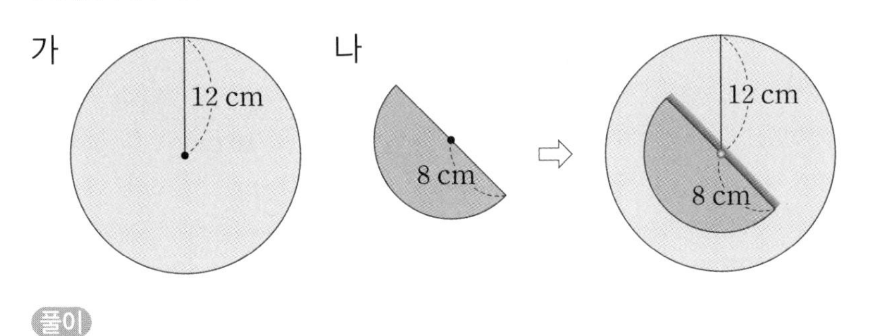

풀이

답 ____________

어떻게 풀까요?

- 나 모양 종이의 넓이는 반지름이 8 cm인 원의 넓이의 $\frac{1}{2}$과 같습니다.

밀크티 성취도평가
오답 베스트 5

원의 넓이

스피드 정답표 13쪽, 정답 및 풀이 43쪽

오답률 29%

01 다음 원의 넓이는 몇 cm^2일까요? (원주율: 3.1)

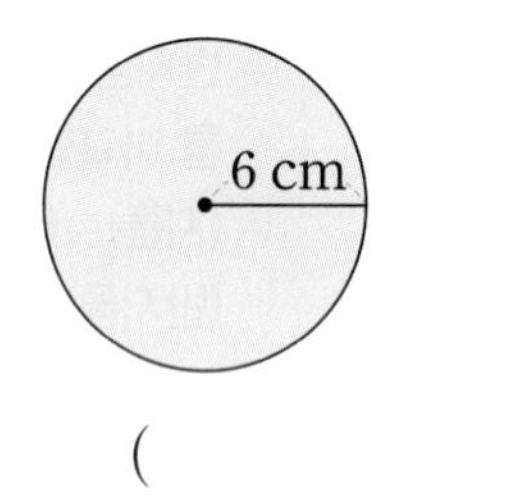

( )

오답률 34%

02 지름이 20 cm인 원의 원주와 넓이를 각각 구하세요. (원주율: 3.14)

원주 ( )

넓이 ( )

오답률 35%

03 반원의 넓이는 몇 cm^2일까요? (원주율: 3) ( )

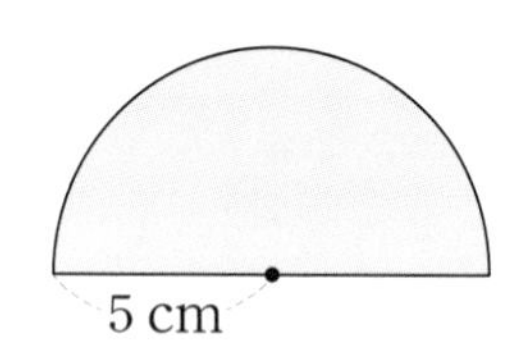

① $12.5\,cm^2$ ② $25\,cm^2$

③ $37.5\,cm^2$ ④ $42.5\,cm^2$

⑤ $75\,cm^2$

오답률 38%

04 두 굴렁쇠의 (원주)÷(지름)을 비교하여 ◯ 안에 >, =, <를 알맞게 써넣으세요.

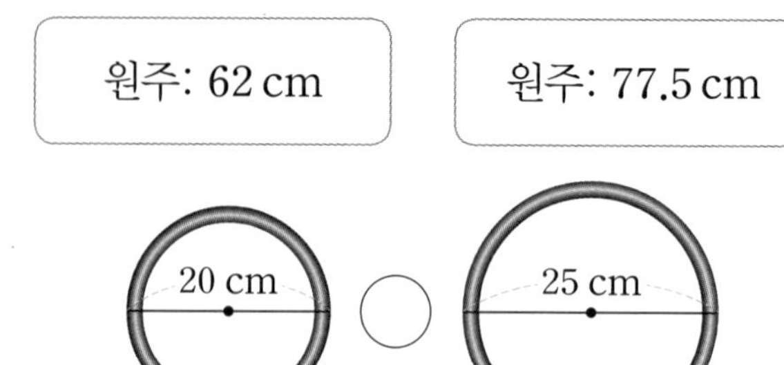

오답률 64%

05 색칠한 부분의 넓이는 몇 cm^2일까요? (원주율: 3.1)

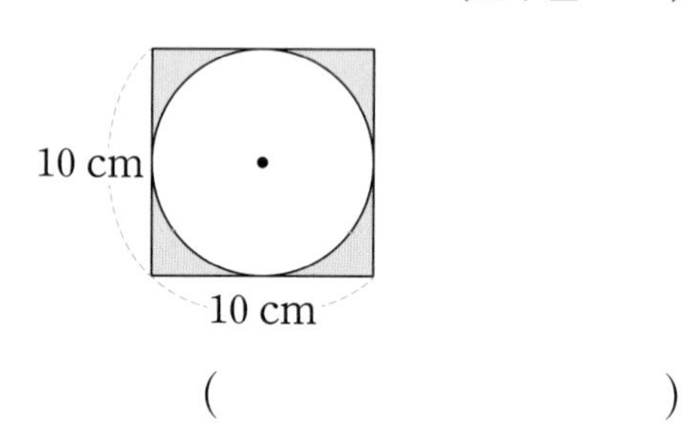

( )

CONTENTS

6

원기둥, 원뿔, 구

6단원 개념정리

원기둥, 원뿔, 구

개념 ① 원기둥 알아보기

- 원기둥: 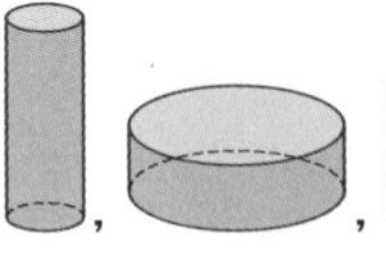 등과 같은 입체도형

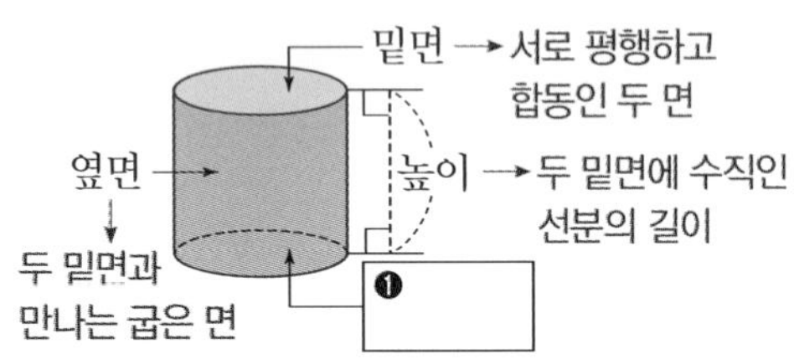

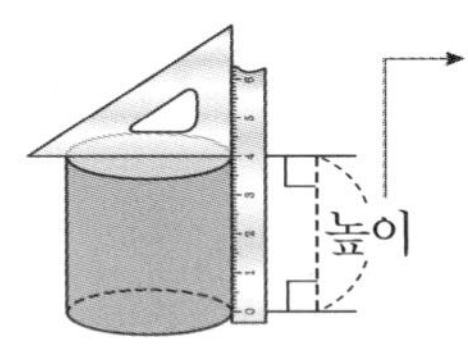

- 직사각형 모양의 종이를 한 변을 기준으로 한 바퀴 돌리면 원기둥이 됩니다.

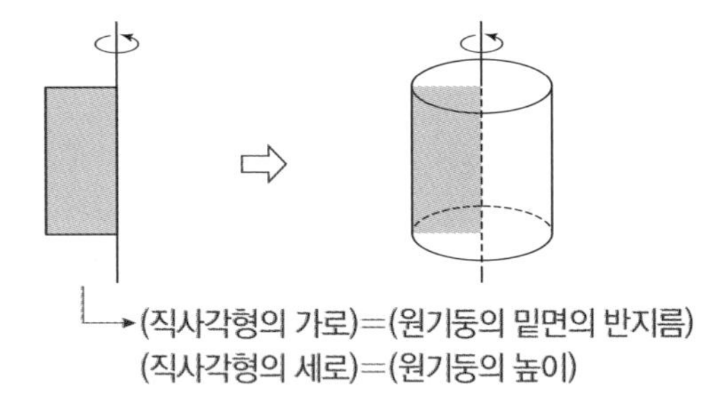

개념 ② 원기둥의 전개도 알아보기

- 원기둥의 전개도: 원기둥을 잘라서 펼쳐 놓은 그림

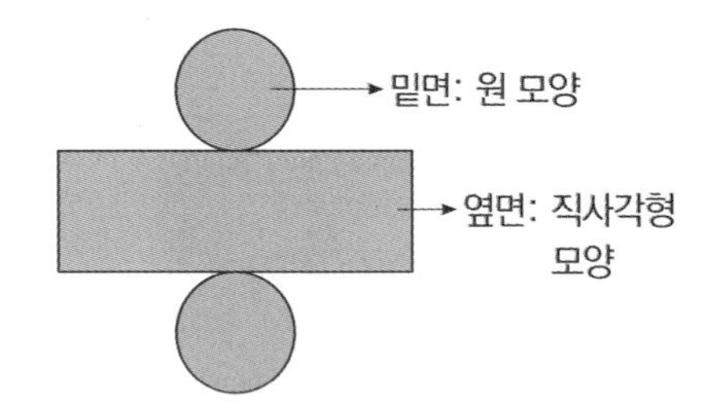

- 원기둥의 전개도에서 각 부분의 길이 (원주율: 3)

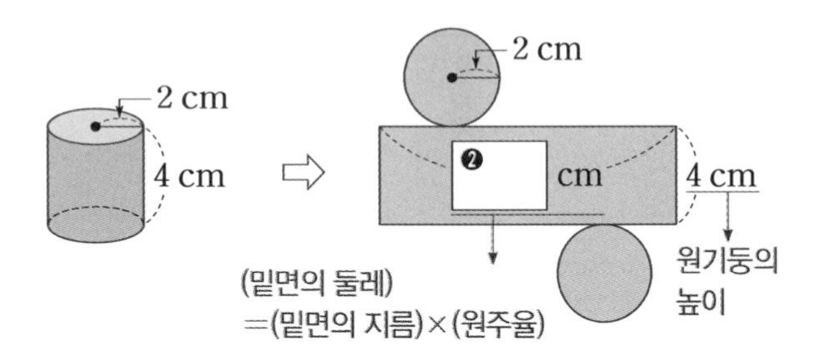

개념 ③ 원뿔 알아보기

- 원뿔: 등과 같은 입체도형

- 원뿔의 높이, 모선의 길이, 밑면의 지름 재기

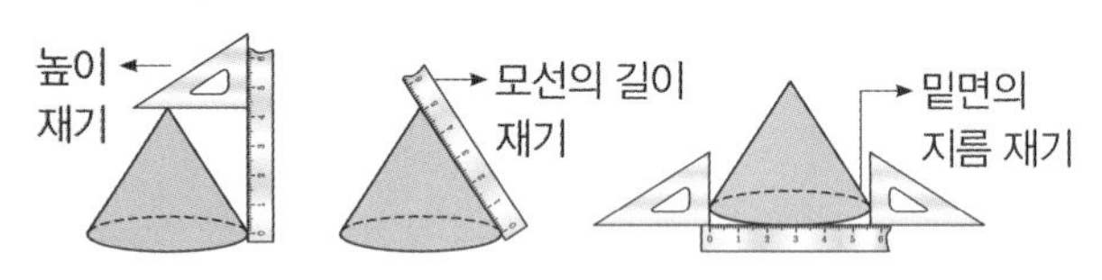

- 직각삼각형 모양의 종이를 한 변을 기준으로 한 바퀴 돌리면 원뿔이 됩니다.

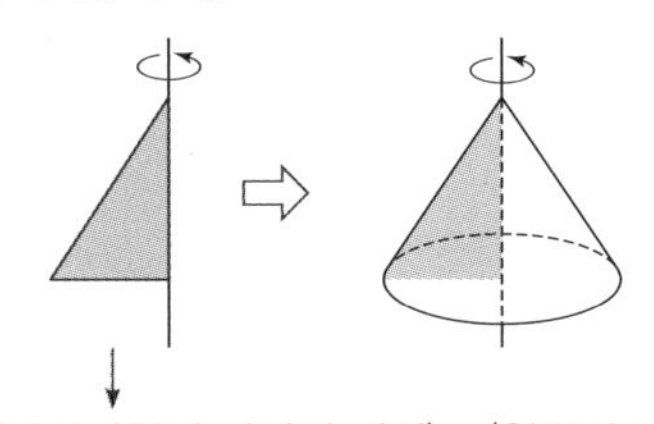

개념 ④ 구 알아보기

- 구: 등과 같은 입체도형

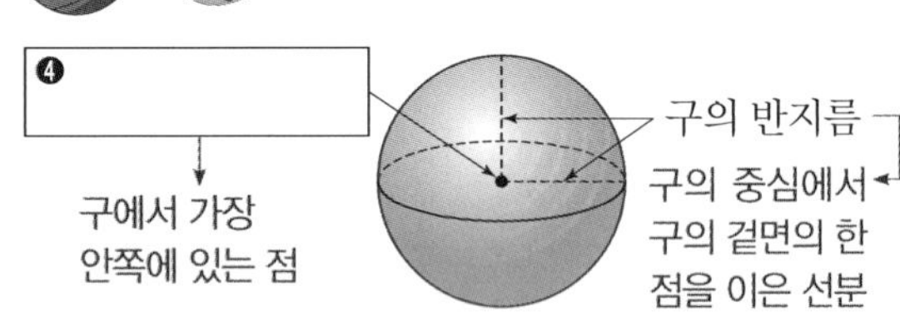

- 반원 모양의 종이를 지름을 기준으로 한 바퀴 돌리면 구가 됩니다.

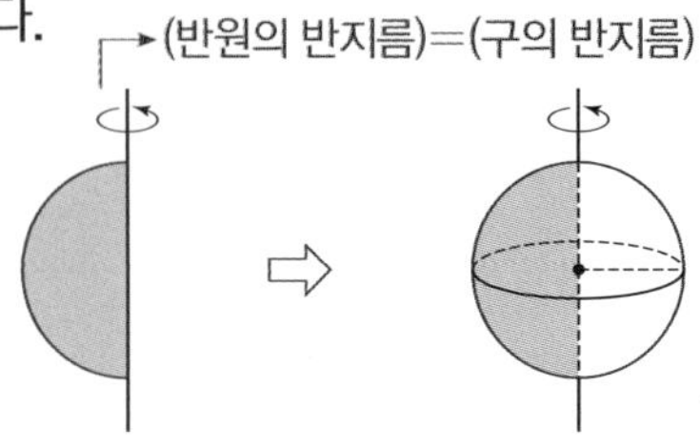

| 정답 | ❶ 밑면 ❷ 12 ❸ 모선 ❹ 구의 중심

01 원기둥을 모두 찾아 기호를 써 보세요.

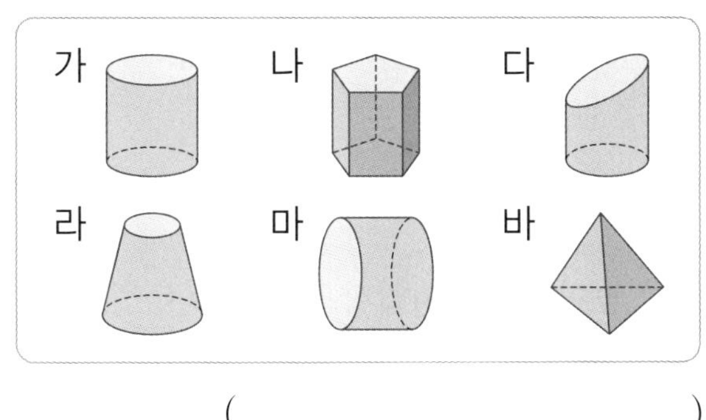

( )

[02~03] □ 안에 알맞은 말을 써넣으세요.

02

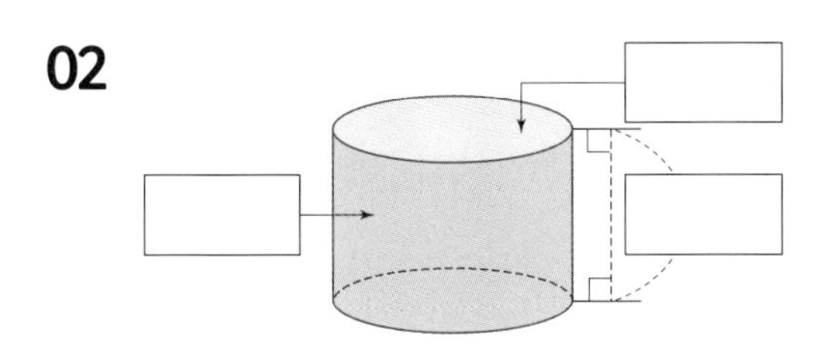

03

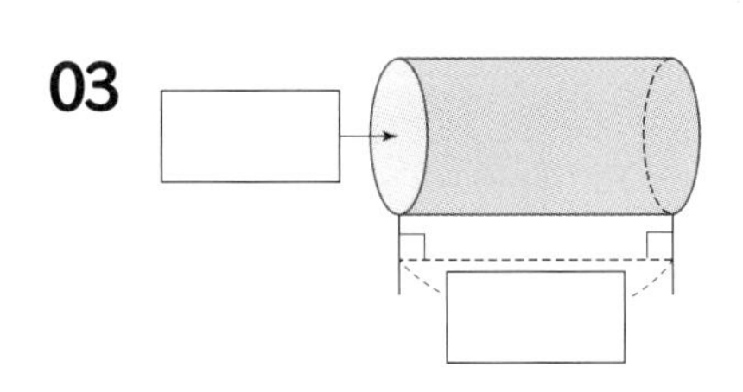

[04~05] 직사각형 모양의 종이를 한 변을 기준으로 한 바퀴 돌려 만든 입체도형입니다. 물음에 답하세요.

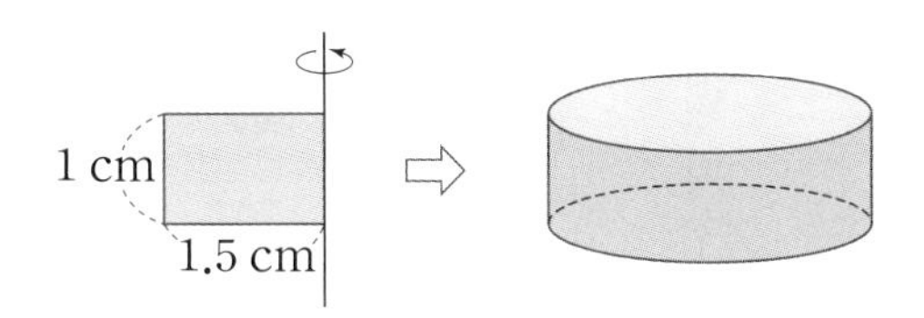

04 만들어진 입체도형의 이름을 써 보세요.

( )

05 입체도형의 높이는 몇 cm일까요?

( )

[06~07] 원기둥의 전개도에 ○표 하세요.

06

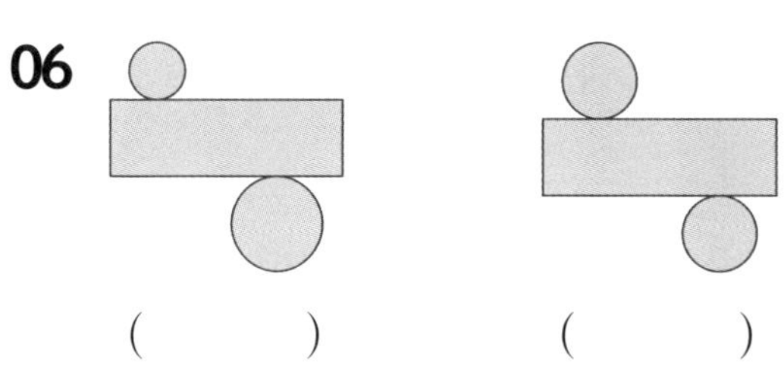

( ) ( )

07

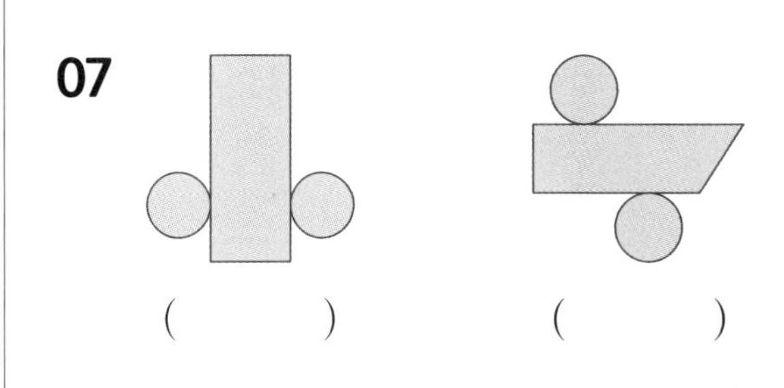

( ) ( )

[08~10] 원기둥과 원기둥의 전개도를 보고 □ 안에 알맞은 수를 써넣으세요. (원주율: 3)

08

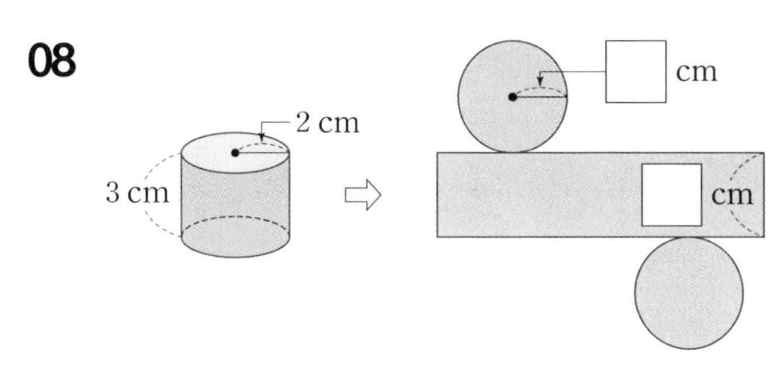

09

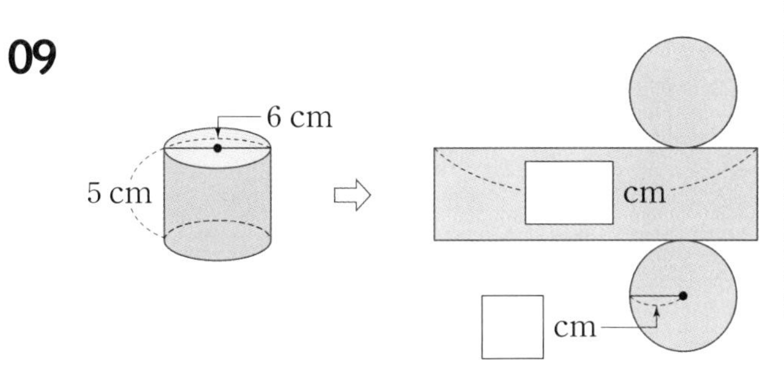

10

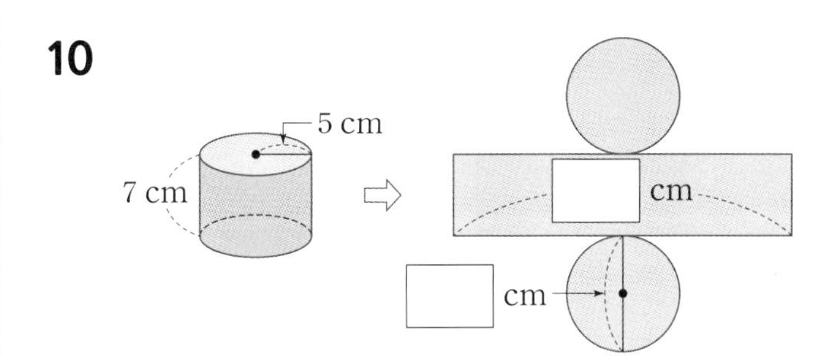

▶ 원뿔 알아보기 ~ 구 알아보기

스피드 정답표 14쪽, 정답 및 풀이 43쪽

[01~02] 도형을 보고 물음에 답하세요.

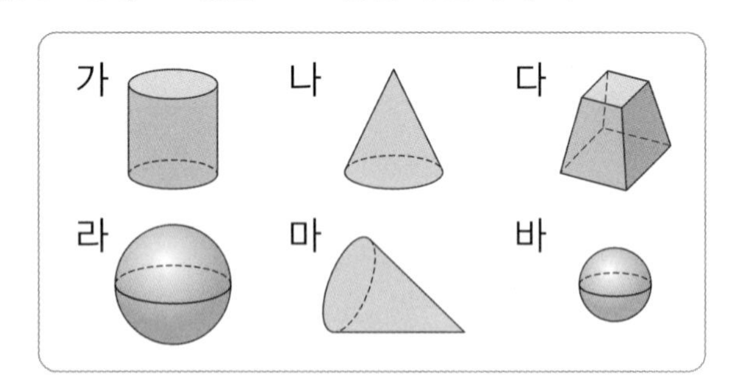

01 원뿔을 모두 찾아 기호를 써 보세요.

( )

02 구를 모두 찾아 기호를 써 보세요.

( )

[03~04] □ 안에 알맞은 말을 써넣으세요.

03

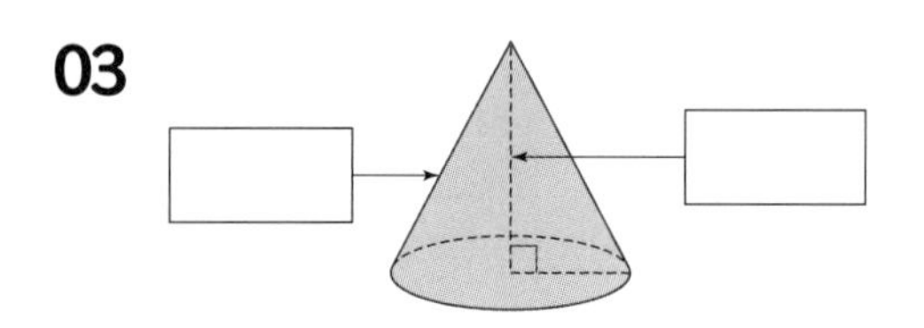

04

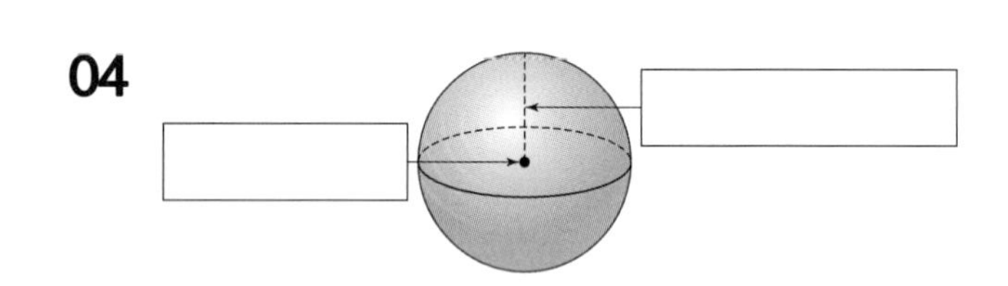

05 반원 모양의 종이를 지름을 기준으로 한 바퀴 돌려 만든 입체도형의 이름을 써 보세요.

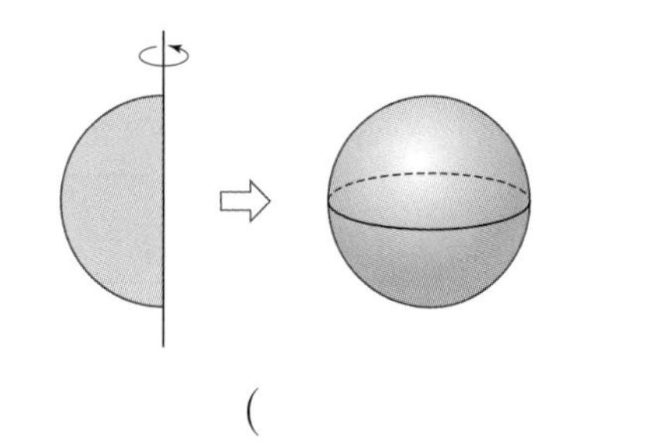

( )

[06~08] 원뿔을 보고 물음에 답하세요.

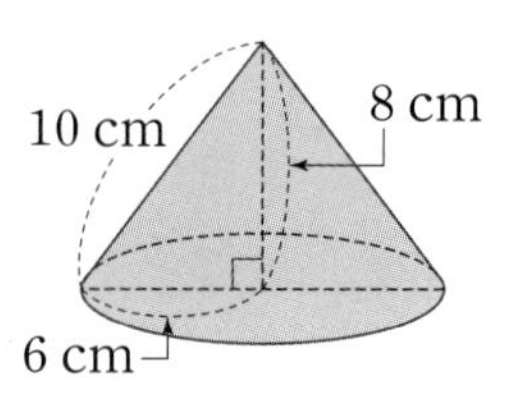

06 높이는 몇 cm일까요?

( )

07 모선의 길이는 몇 cm일까요?

( )

08 밑면의 지름은 몇 cm일까요?

( )

[09~10] 직각삼각형 모양의 종이를 한 변을 기준으로 한 바퀴 돌려 만든 입체도형입니다. 물음에 답하세요.

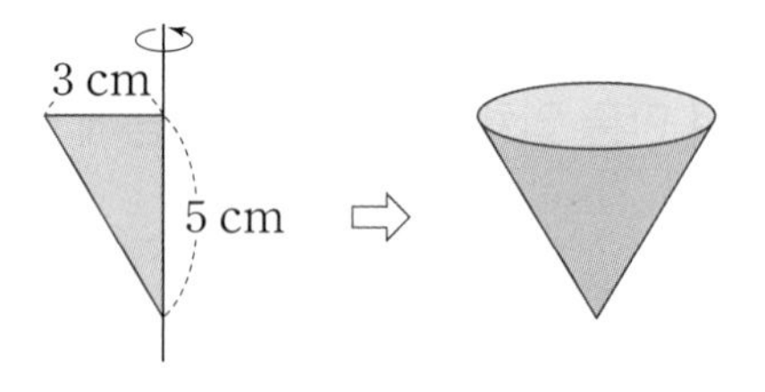

09 만든 입체도형의 이름을 써 보세요.

( )

10 만든 입체도형의 높이는 몇 cm일까요?

( )

단원평가 1회

원기둥, 원뿔, 구

점수

스피드 정답표 14쪽, 정답 및 풀이 44쪽

01 □ 안에 알맞은 말을 써넣으세요.

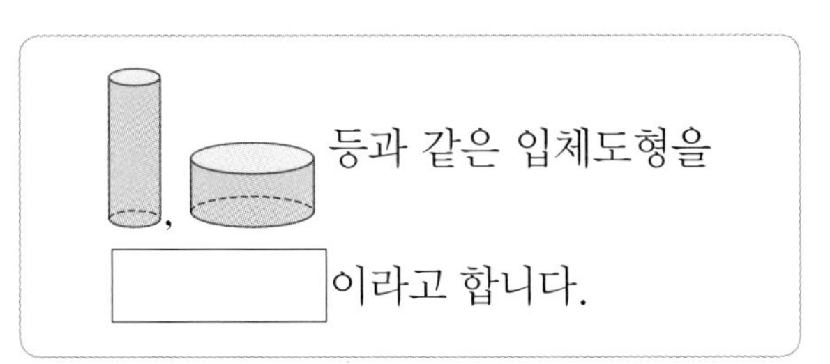

02 그림과 같이 원기둥을 잘라서 펼쳐 놓은 그림을 무엇이라고 할까요?

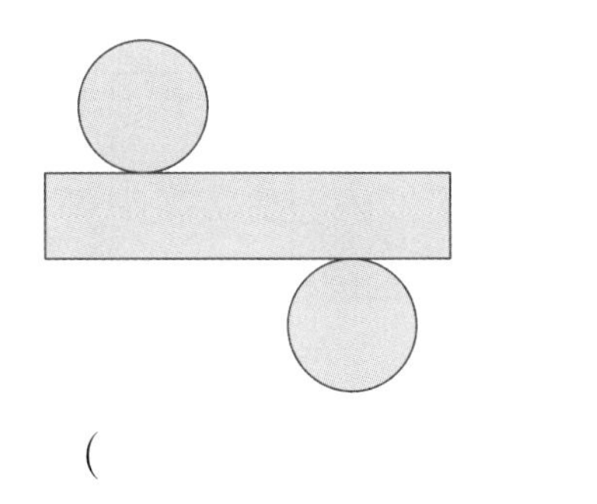

(　　　　　　　　)

03 보기에서 □ 안에 알맞은 말을 찾아 써넣으세요.

보기
밑면　옆면　원뿔의 꼭짓점

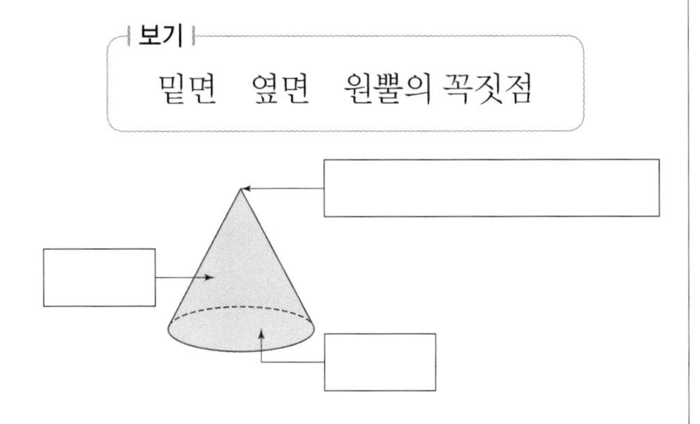

04 원기둥에서 각 부분의 이름을 □ 안에 써넣으세요.

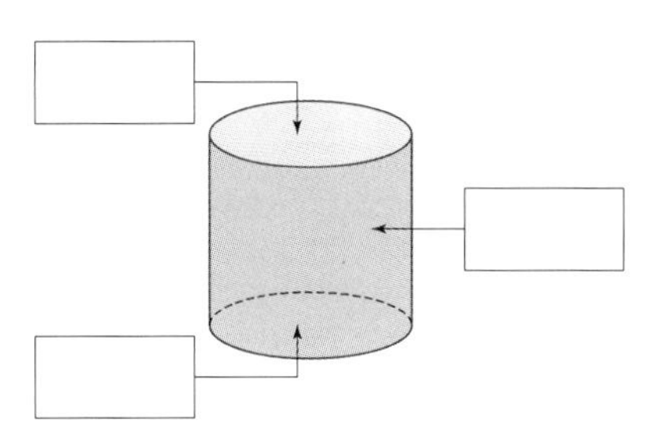

[05~07] 도형을 보고 물음에 답하세요.

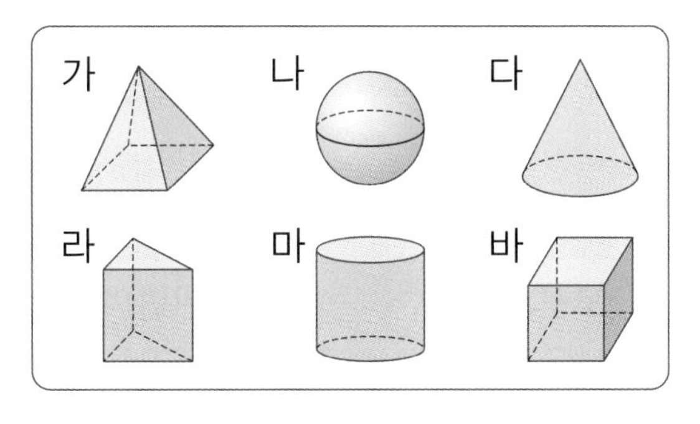

05 원기둥을 찾아 기호를 써 보세요.

(　　　　　　　　)

06 원뿔을 찾아 기호를 써 보세요.

(　　　　　　　　)

07 구를 찾아 기호를 써 보세요.

(　　　　　　　　)

08 원기둥을 만들 수 있는 전개도를 찾아 기호를 써 보세요.

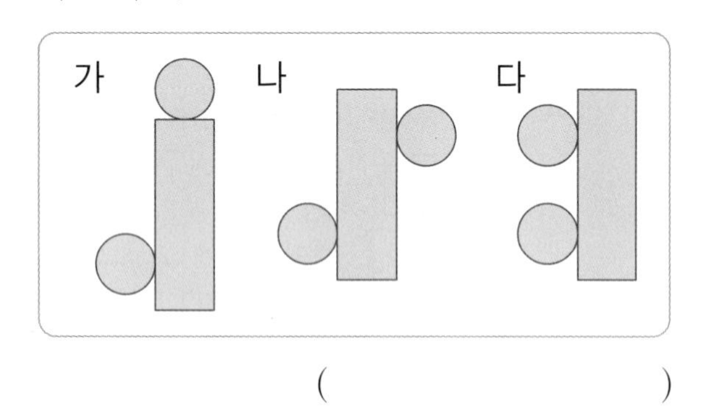

( )

09 원뿔의 무엇을 재는 그림인지 알맞은 말에 ○표 하세요.

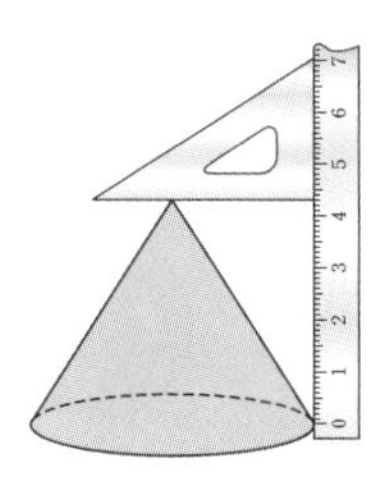

모선의 길이　　높이　　밑면의 지름

10 구에서 가장 안쪽에 있는 점을 무엇이라고 할까요?

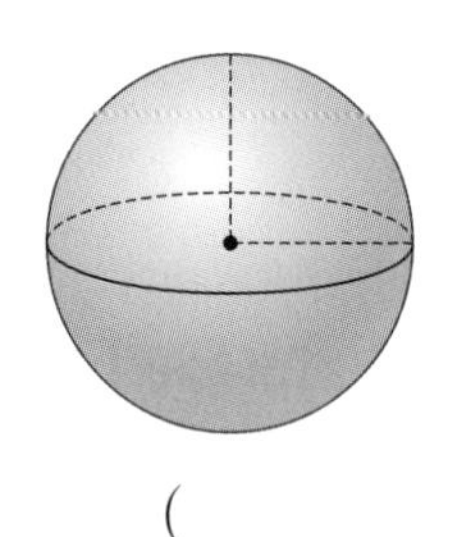

( )

11 직사각형 모양의 종이를 오른쪽과 같이 한 변을 기준으로 한 바퀴 돌렸을 때 만들어지는 입체도형의 이름을 써 보세요.

( )

12 반원 모양의 종이를 지름을 기준으로 한 바퀴 돌렸을 때 만들어지는 입체도형을 찾아 기호를 써 보세요.

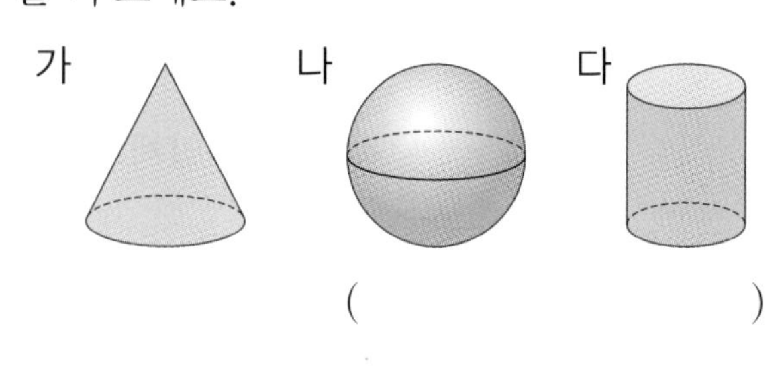

( )

[13~14] 입체도형을 위와 앞에서 본 모양을 보기 에서 골라 그려 보세요.

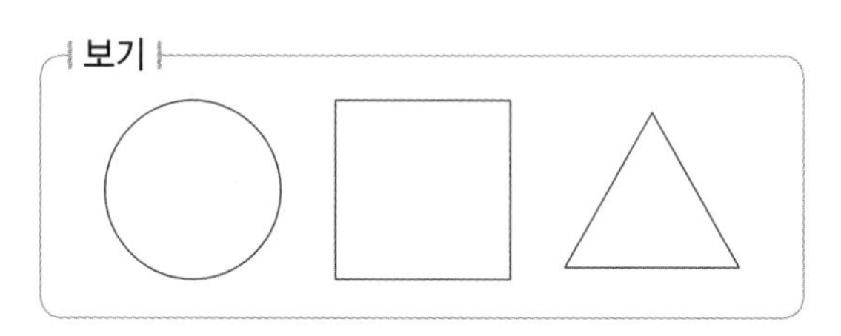

13

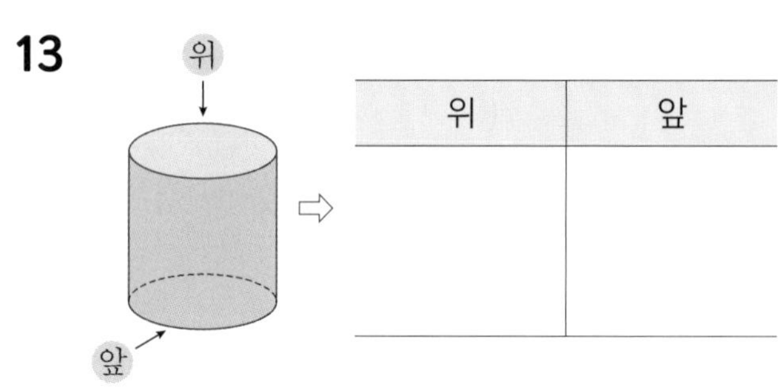

14

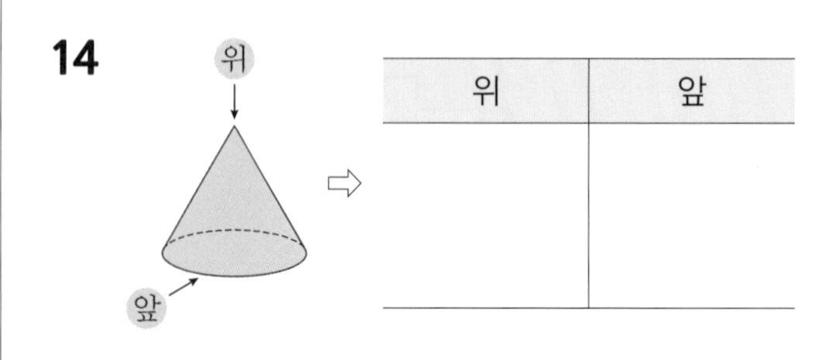

15 알맞은 말에 ○표 하세요.

> 구는 어떤 방향에서 보아도 보이는 모양이 모두 (사각형 , 원 , 삼각형)입니다.

16 원뿔에서 모선의 길이와 모선의 수를 바르게 짝 지은 것은 어느 것일까요? ······· (　　　)

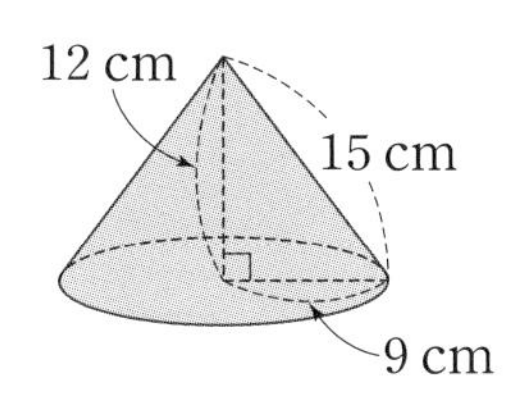

① 9 cm, 10개　　② 12 cm, 15개
③ 9 cm, 20개
④ 15 cm, 셀 수 없이 많습니다.
⑤ 12 cm, 셀 수 없이 많습니다.

17 원기둥의 높이는 몇 cm일까요?

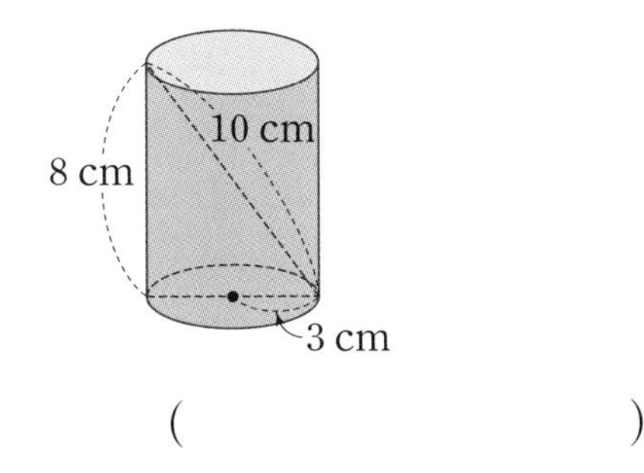

(　　　　　　)

18 두유갑과 음료수 캔을 보고 같은 점을 바르게 말한 사람의 이름을 써 보세요.

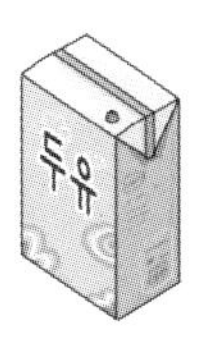

> 은경: 둘 다 기둥 모양이야.
> 지수: 두유갑과 음료수 캔 모두 옆면이 평평한 면이야.

(　　　　　　)

19 원기둥을 펼쳐서 만든 전개도입니다. 전개도에서 옆면의 가로는 몇 cm일까요?

(원주율: 3.14)

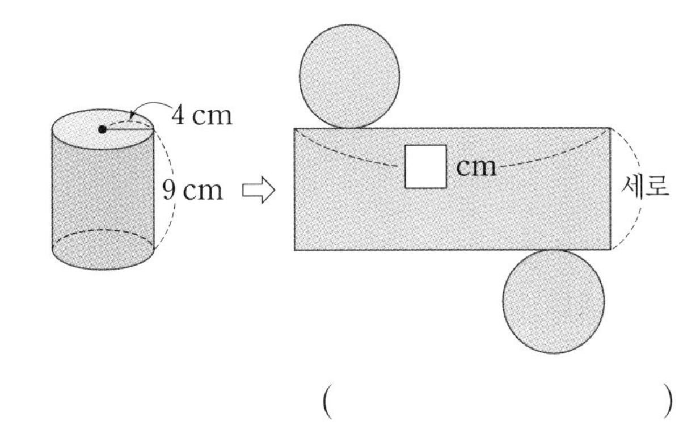

(　　　　　　)

20 지름이 20 cm인 반원 모양의 종이를 나무젓가락에 붙여 한 바퀴 돌리면 구가 됩니다. 이 구의 반지름은 몇 cm일까요?

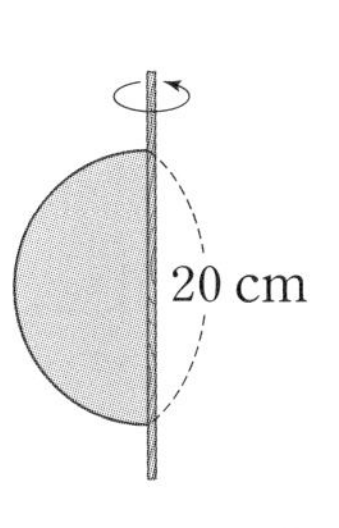

(　　　　　　)

6 원기둥, 원뿔, 구

01 모양이 같은 입체도형끼리 선으로 이어 보세요.

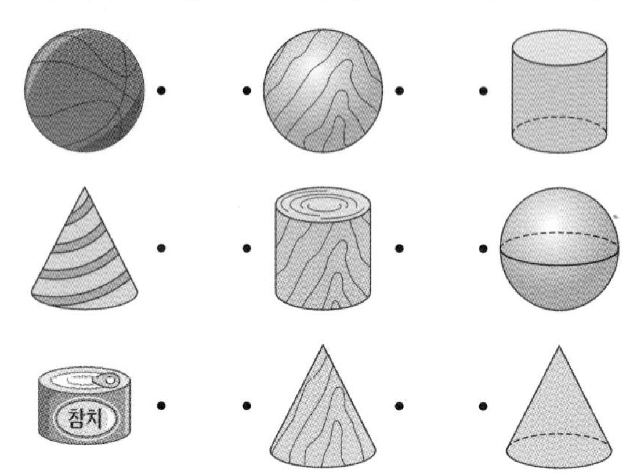

02 원기둥의 전개도에서 옆면의 세로의 길이는 원기둥의 무엇과 같을까요?

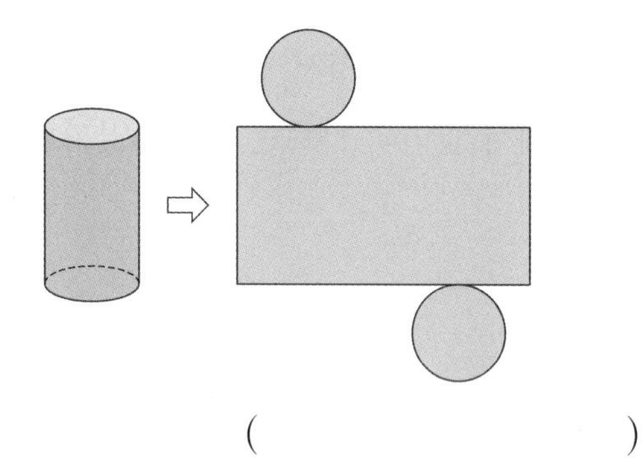

( )

03 원기둥은 어느 것일까요? ············ ( )

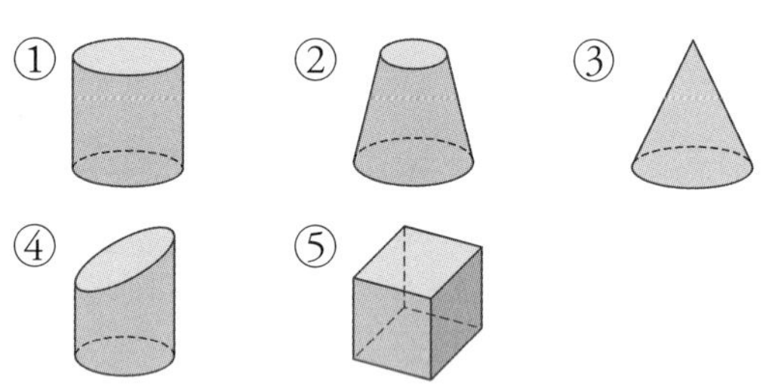

04 원기둥의 각 부분의 이름을 잘못 나타낸 것은 어느 것일까요? ···························· ( )

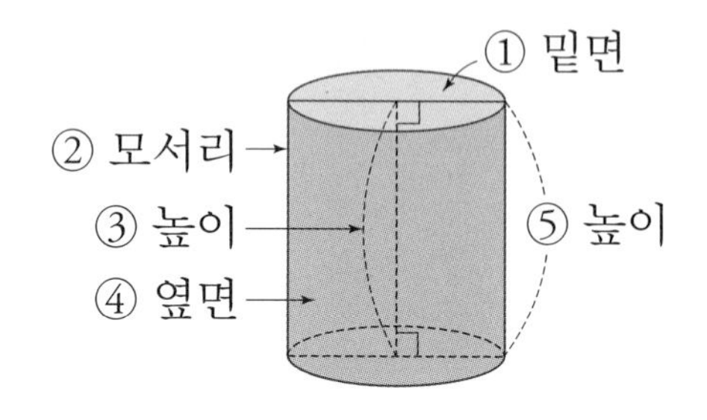

05 원뿔은 어느 것일까요? ················ ( )

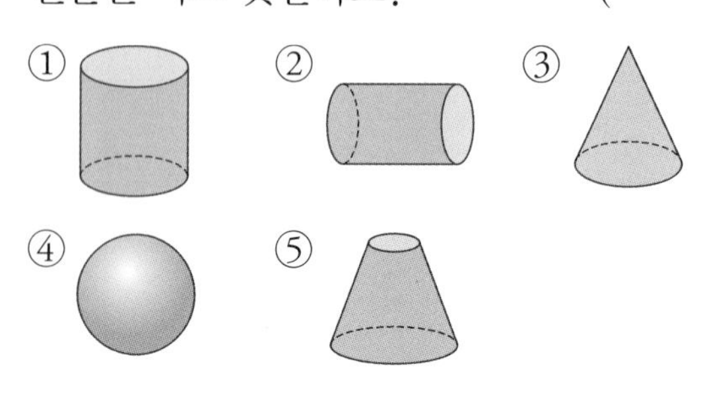

06 원기둥의 전개도에서 밑면의 둘레와 길이가 같은 선분을 찾아 빨간색으로 표시해 보세요.

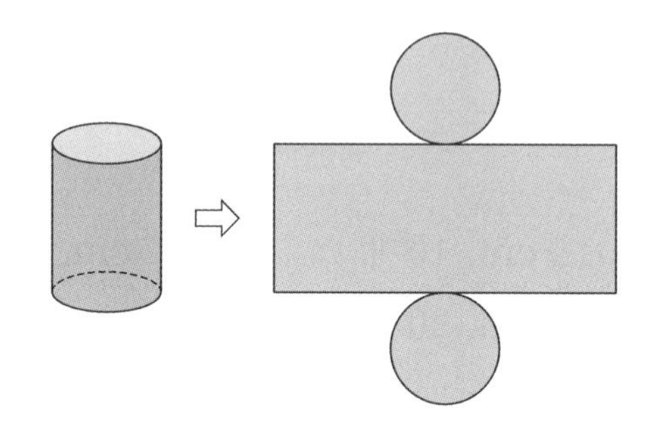

07 원뿔에서 각 부분의 이름을 □ 안에 써넣으세요.

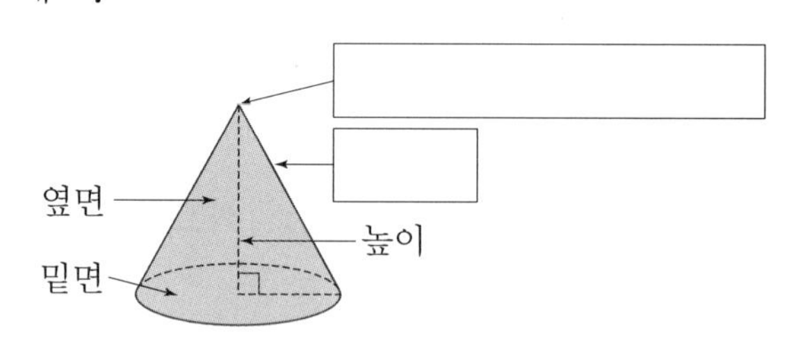

08 오른쪽과 같이 반원 모양의 종이를 지름을 기준으로 한 바퀴 돌려 만들 수 있는 입체도형의 이름을 써 보세요.

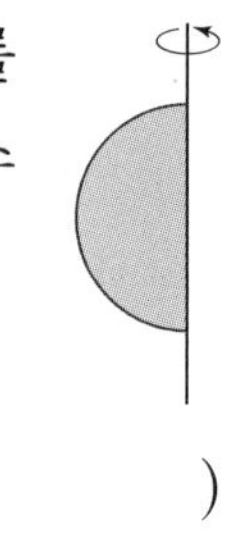

( )

09 오른쪽과 같이 직사각형 모양의 종이를 한 변을 기준으로 한 바퀴 돌려 만들 수 있는 입체도형은 어느 것일까요? ( )

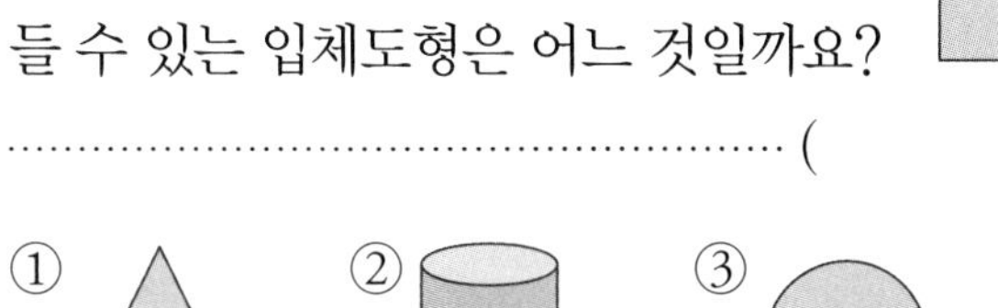

① ② 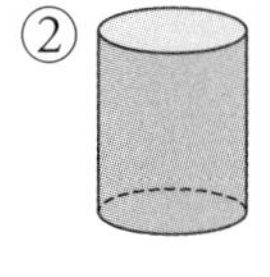 ③ 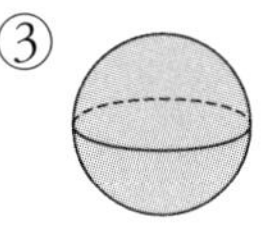

④ 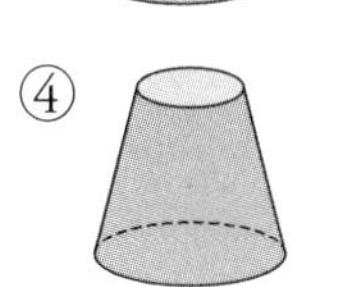 ⑤ 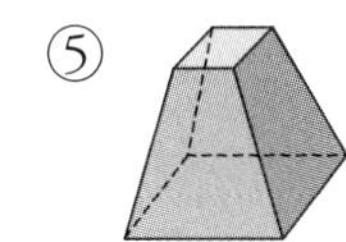

10 구의 반지름을 나타내는 것을 찾아 기호를 써 보세요.

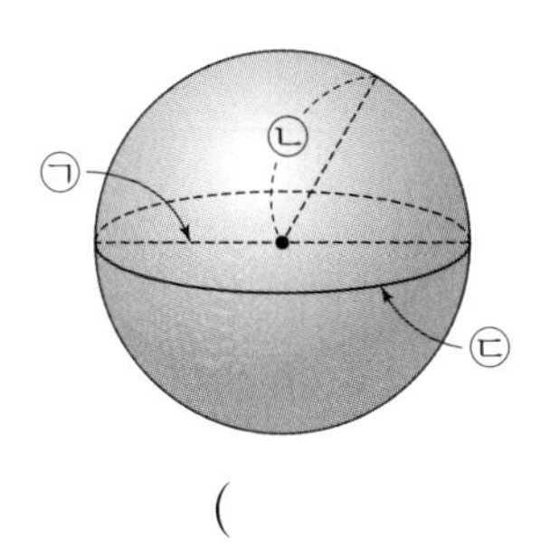

( )

11 원기둥의 전개도는 어느 것일까요? ( )

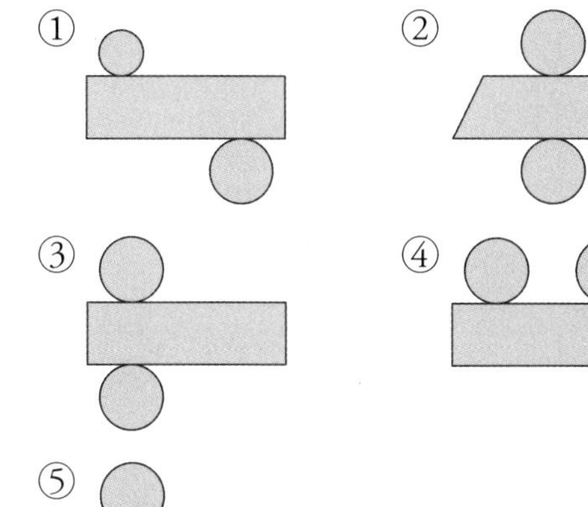

12 원뿔의 모선의 길이를 바르게 잰 것을 찾아 기호를 써 보세요.

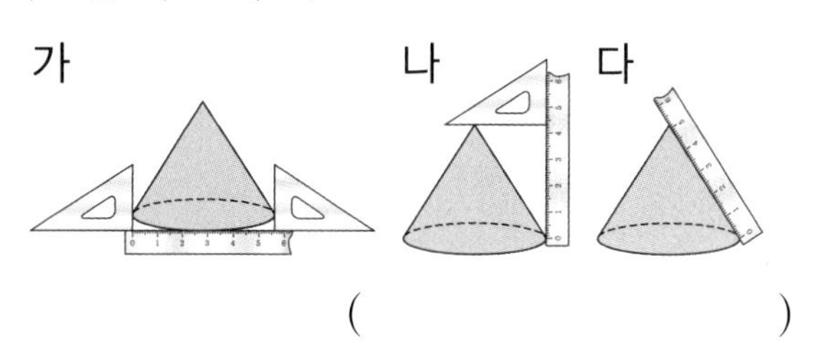

( )

13 오른쪽 도형을 보고 바르게 말한 것을 찾아 기호를 써 보세요.

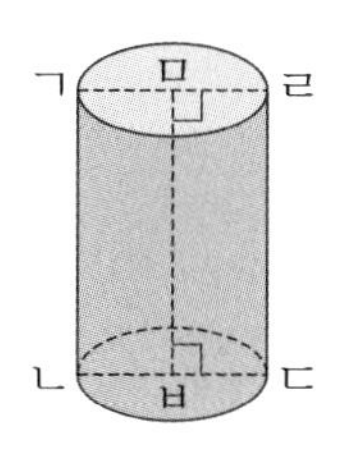

㉠ 밑면은 1개입니다.
㉡ 위에서 본 모양은 사각형입니다.
㉢ 선분 ㄱㄴ의 길이는 원기둥의 높이와 같습니다.

( )

14 입체도형을 옆에서 본 모양을 각각 그려 보세요.

입체도형	옆에서 본 모양
← 옆	
← 옆	

6

원기둥, 원뿔, 구

15 원뿔에서 모선의 길이, 높이, 밑면의 지름을 각각 구하세요.

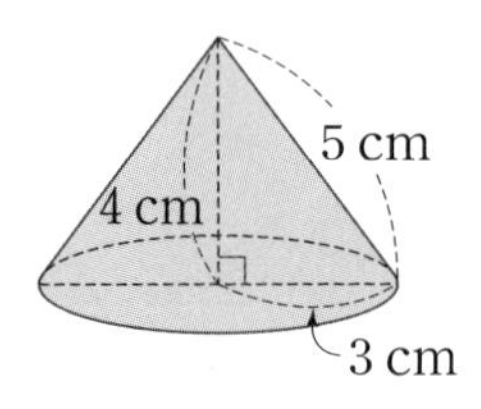

모선의 길이 (　　　　　　　　)

높이 (　　　　　　　　)

밑면의 지름 (　　　　　　　　)

[16~17] 원기둥의 전개도를 보고 물음에 답하세요.

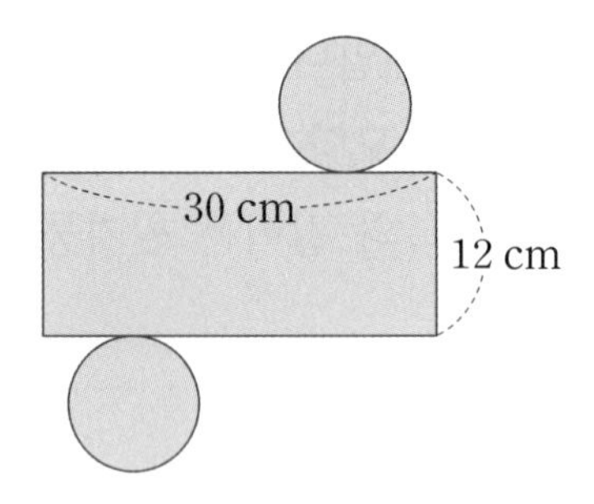

16 □ 안에 알맞은 말을 써넣으세요.

(옆면의 가로)

=(밑면의 □)×(원주율)

17 위의 전개도로 만든 원기둥의 밑면의 반지름은 몇 cm일까요? (원주율: 3)

(　　　　　　　　)

18 직사각형 모양의 종이를 한 변을 기준으로 한 바퀴 돌려 만든 입체도형의 높이는 몇 cm일까요?

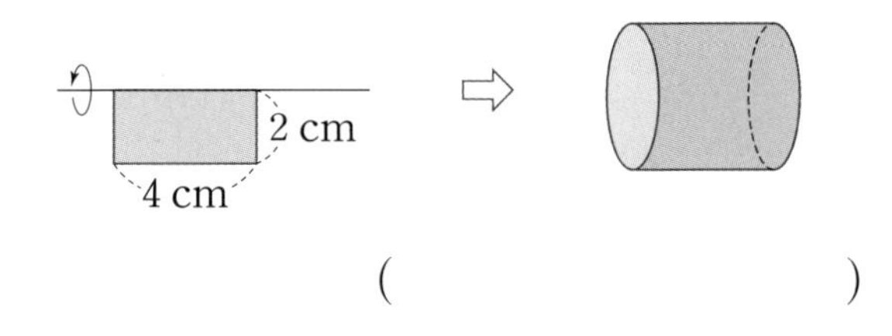

(　　　　　　　　)

19 어떤 입체도형을 위, 앞, 옆에서 본 모양이 다음과 같습니다. 이 입체도형의 이름을 써 보세요.

위	앞	옆

(　　　　　　　　)

20 다음 원기둥을 앞에서 본 모양의 가로는 몇 cm일까요?

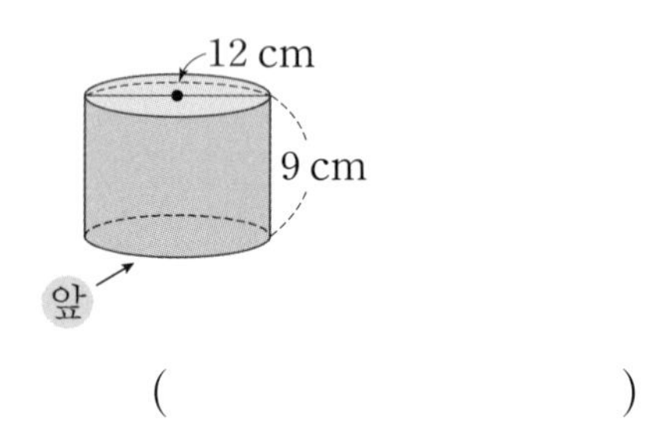

(　　　　　　　　)

스피드 정답표 14쪽, 정답 및 풀이 45쪽

01 입체도형의 이름을 써 보세요.

(　　　　　　　　)

02 원기둥을 모두 찾아 기호를 써 보세요.

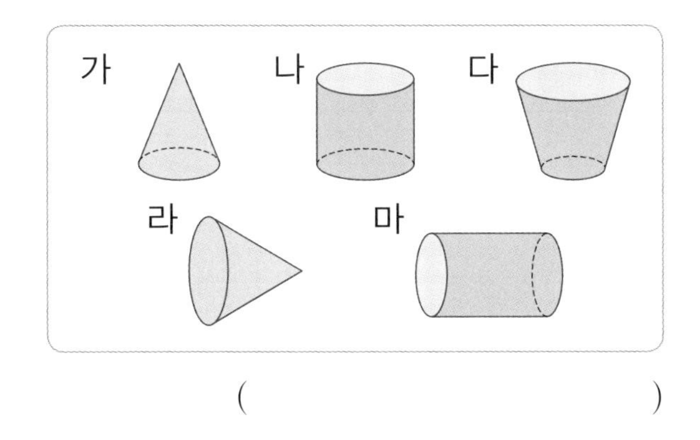

(　　　　　　　　)

03 원기둥에서 각 부분의 이름을 □ 안에 써넣으세요.

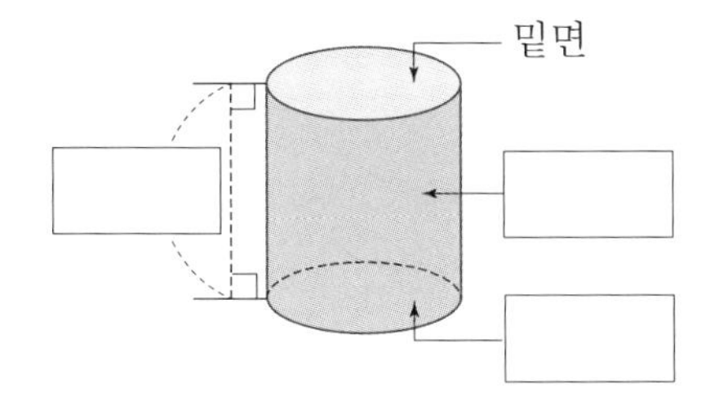

04 원뿔에서 모선의 길이는 몇 cm일까요?

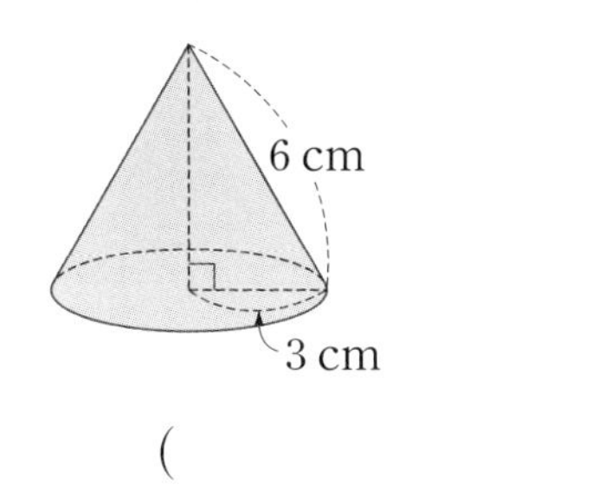

(　　　　　　　　)

05 원기둥의 높이는 몇 cm일까요?

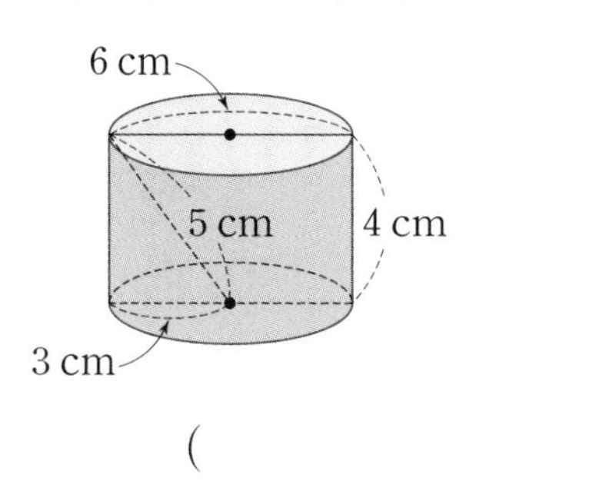

(　　　　　　　　)

06 그림과 같이 직각삼각형 모양의 종이를 나무 젓가락에 붙여서 한 바퀴 돌렸을 때 만들어지는 입체도형의 이름을 써 보세요.

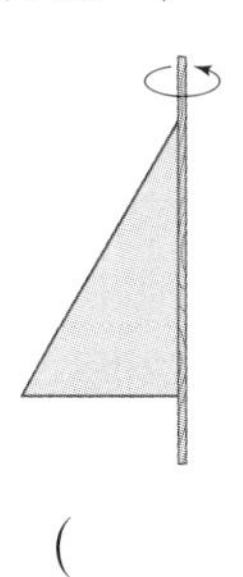

(　　　　　　　　)

07 원기둥의 전개도가 아닌 것을 찾아 기호를 써 보세요.

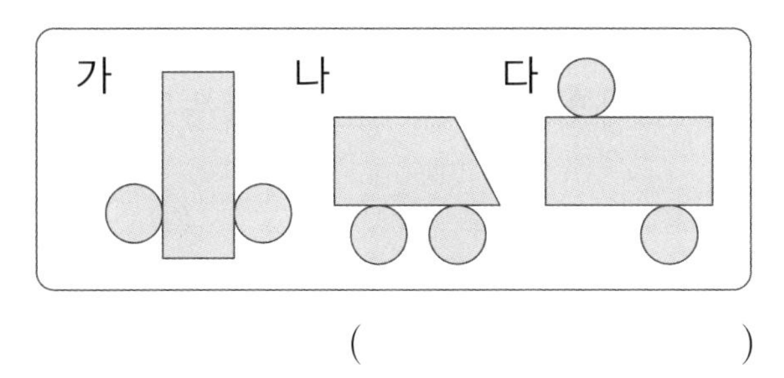

(　　　　　　　　)

6 원기둥, 원뿔, 구

[08~09] 원기둥과 원기둥의 전개도를 보고 물음에 답하세요.

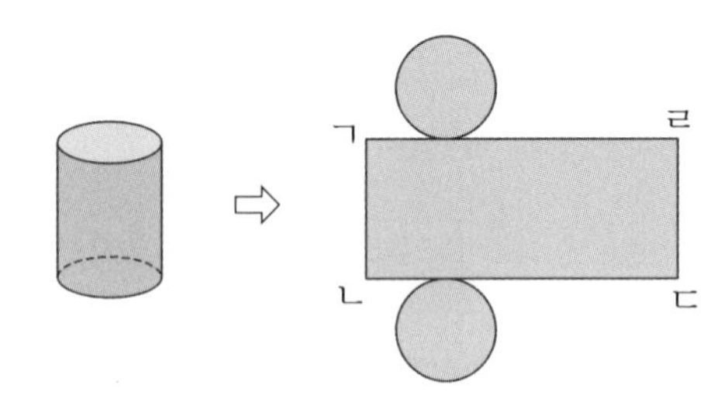

08 원기둥의 전개도에서 밑면의 둘레와 길이가 같은 선분을 모두 찾아 써 보세요.

( )

09 선분 ㄱㄴ의 길이는 원기둥의 무엇과 같을까요?

( )

10 원뿔의 밑면의 지름은 몇 cm일까요?

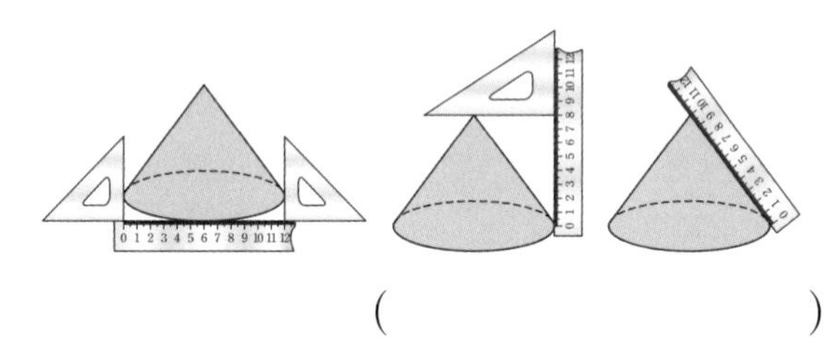

( )

11 반원 모양의 종이를 지름을 기준으로 한 바퀴 돌려 만든 입체도형의 반지름은 몇 cm일까요?

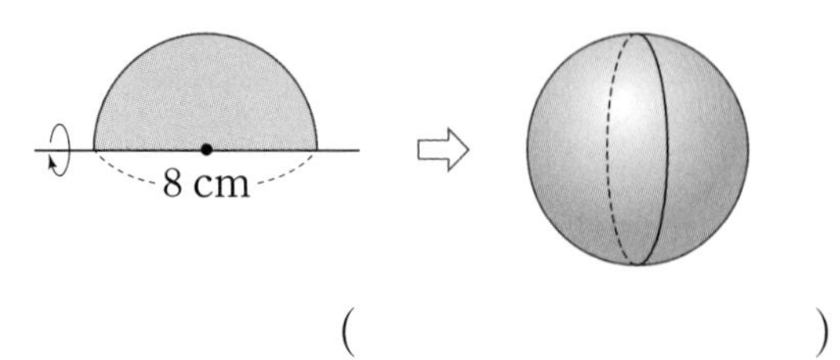

( )

12 입체도형을 보고 알맞은 말을 써넣으세요.

입체도형	위에서 본 모양	앞에서 본 모양
위 앞	원	
위 앞		삼각형

13 원기둥에 대하여 <u>잘못</u> 설명한 것은 어느 것일까요? ( )

① 밑면은 2개입니다.
② 옆면은 굽은 면입니다.
③ 꼭짓점이 1개 있습니다.
④ 평평한 면이 있습니다.
⑤ 밑면이 서로 평행하고 합동입니다.

14 위에서 본 모양이 <u>다른</u> 하나를 찾아 기호를 써 보세요.

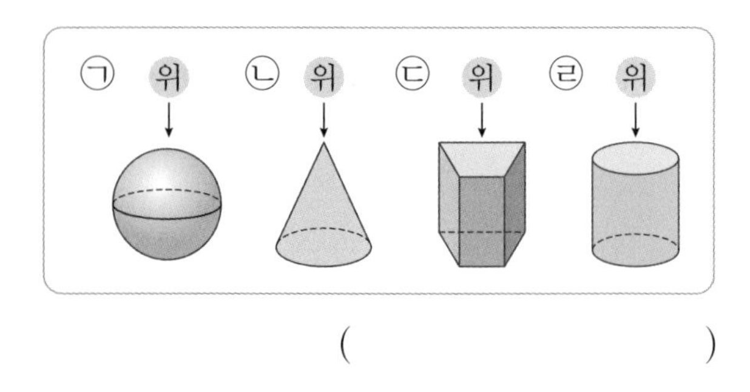

( )

15 원기둥과 원뿔의 같은 점을 찾아 기호를 써 보세요.

㉠ 밑면이 원 모양입니다.
㉡ 기둥 모양입니다.
㉢ 뿔 모양입니다.

( )

16 원기둥의 전개도에서 선분 ㄱㄹ은 몇 cm일까요? (원주율: 3.1)

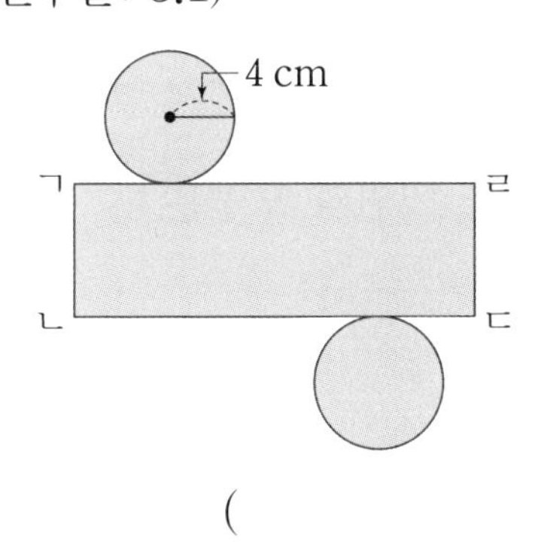

( )

서술형

17 원뿔의 높이와 모선의 길이를 재는 방법에 대하여 잘못 말한 사람은 누구인지 쓰고 바르게 고쳐 보세요.

가 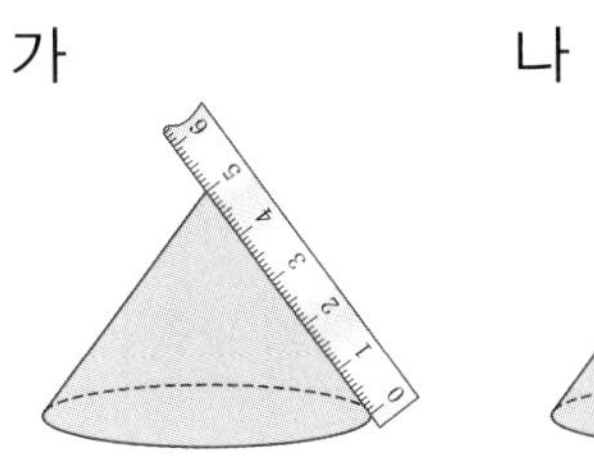 나 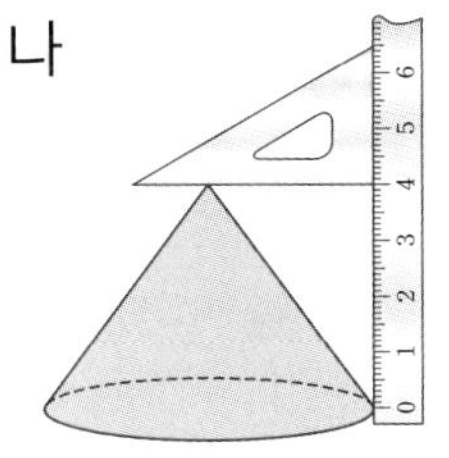

은경: 나는 원뿔의 높이를 재는 방법이야.
수지: 모선의 길이는 꼭짓점에서 밑면에 수직인 선분의 길이이니까 4 cm라고 할 수 있어.

바르게 고치기

18 오른쪽 원기둥을 앞에서 본 모양은 한 변의 길이가 12 cm인 정사각형입니다. 원기둥의 높이는 몇 cm일까요?

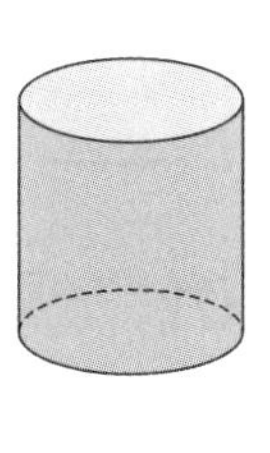

( )

[19~20] 오른쪽과 같이 직사각형 모양의 종이를 나무젓가락에 붙여서 한 바퀴 돌려 입체도형을 만들었습니다. 물음에 답하세요.

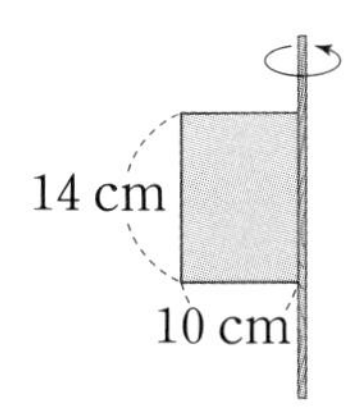

19 만든 입체도형의 높이와 밑면의 반지름은 각각 몇 cm일까요?

높이 ( )
밑면의 반지름 ( )

20 만든 입체도형의 전개도입니다. □ 안에 알맞은 수를 써넣으세요. (원주율: 3.1)

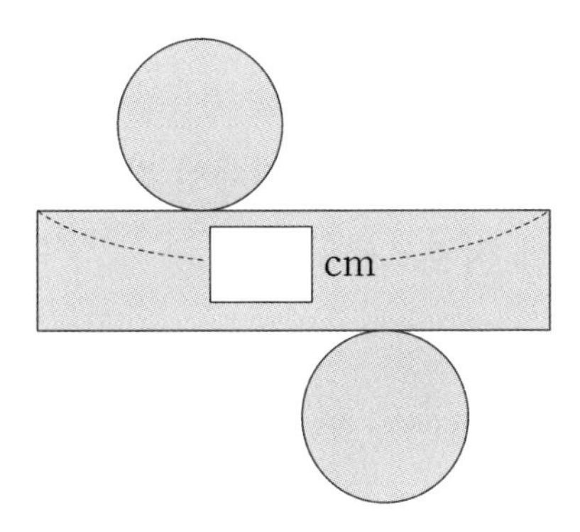

6 원기둥, 원뿔, 구

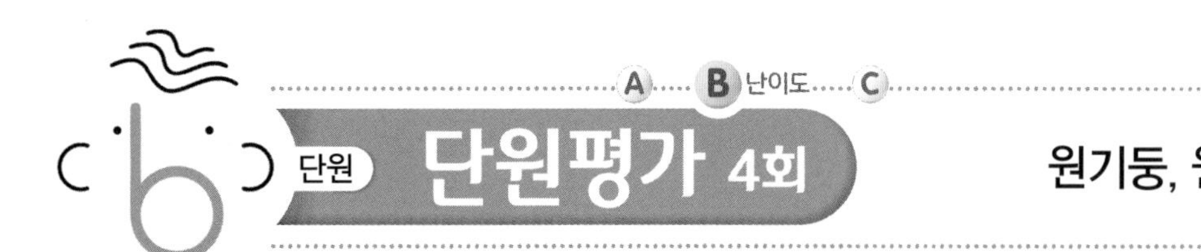

원기둥, 원뿔, 구

점수

스피드 정답표 14쪽, 정답 및 풀이 46쪽

01 원뿔에 △표, 구에 ○표 하세요.

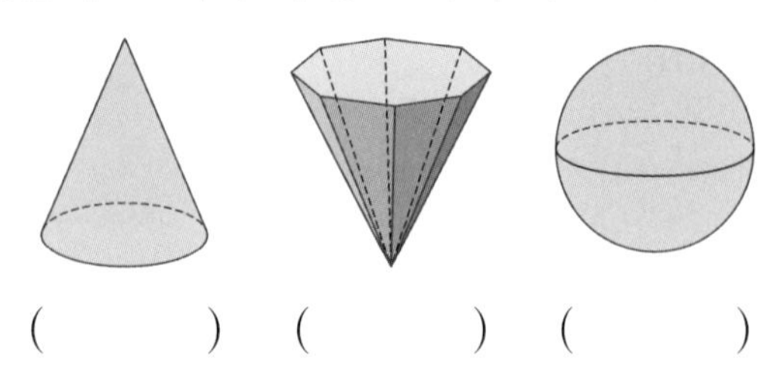

( ) ( ) ( )

02 □ 안에 알맞은 말을 써넣으세요.

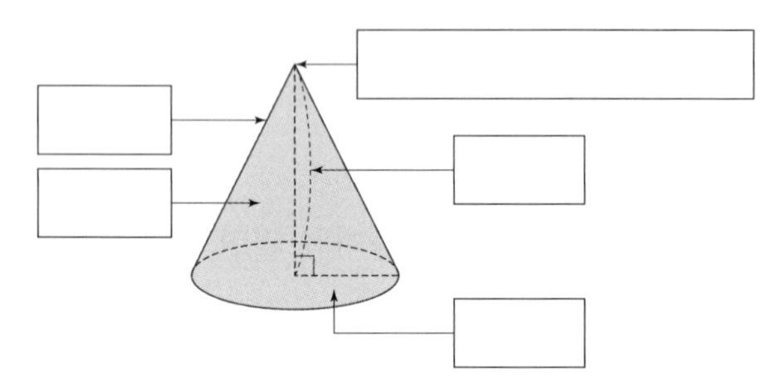

03 원기둥의 밑면에 색칠해 보세요.

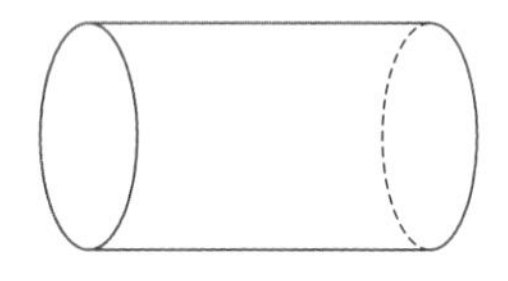

04 반원 모양의 종이를 지름을 기준으로 한 바퀴 돌려 만든 입체도형에서 각 부분의 이름을 □ 안에 써넣으세요.

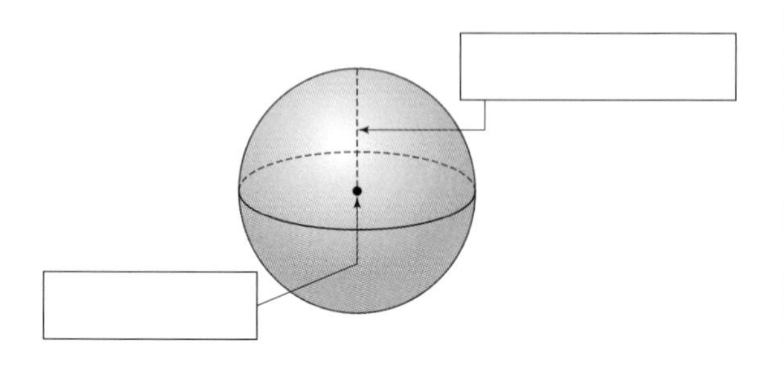

[05~06] 원기둥과 원기둥의 전개도를 보고 물음에 답하세요.

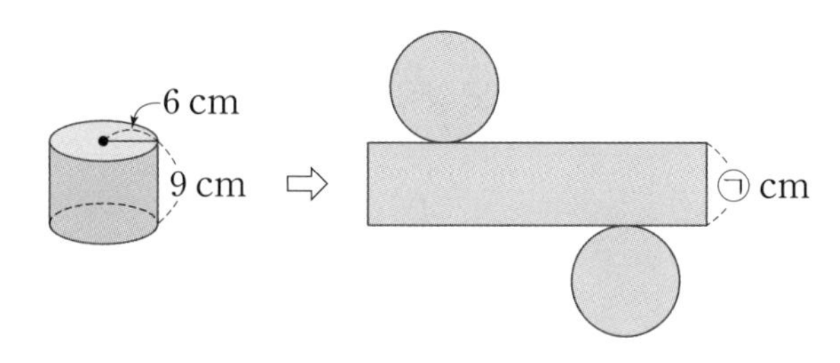

05 □ 안에 알맞은 말을 써넣으세요.

> 원기둥의 전개도에서 밑면의 모양은 □이고, 옆면의 모양은 □입니다.

06 ㉠에 알맞은 수를 구하세요.

( )

[07~08] 입체도형을 위와 옆에서 본 모양을 그려 보세요.

07

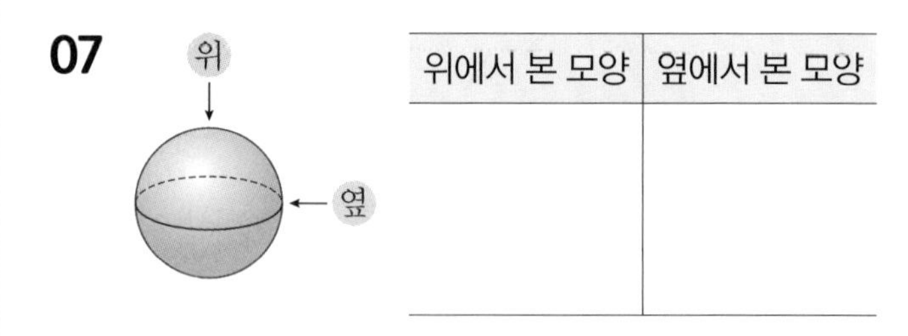

위에서 본 모양	옆에서 본 모양

08

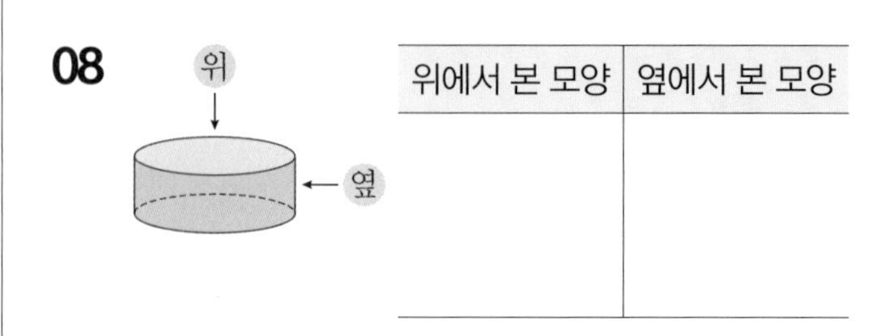

위에서 본 모양	옆에서 본 모양

09 오른쪽 도형을 보고 바르게 말한 것을 찾아 기호를 써 보세요.

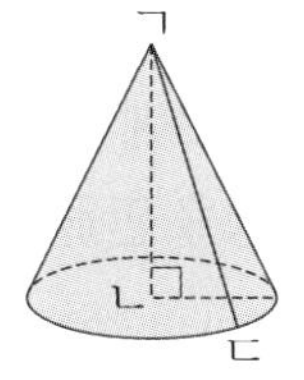

㉠ 밑면의 모양은 원입니다.
㉡ 모선은 선분 ㄱㄴ입니다.
㉢ 높이는 선분 ㄱㄷ입니다.
㉣ 점 ㄴ을 원뿔의 꼭짓점이라고 합니다.

( )

10 원기둥의 전개도를 모두 찾아 기호를 써 보세요.

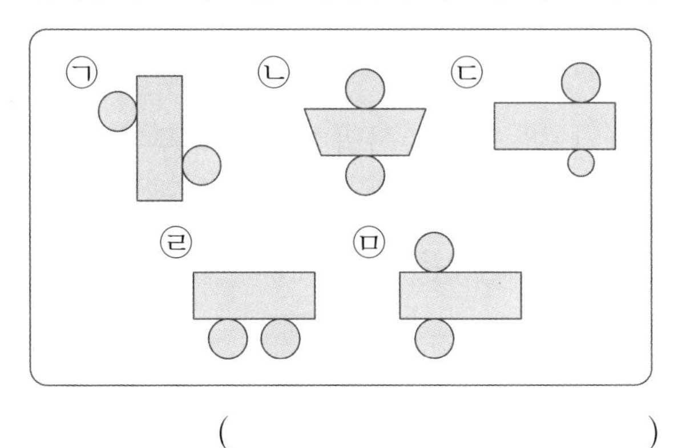

( )

11 원기둥, 원뿔, 구 중에서 어떤 방향에서 보아도 모양이 같은 입체도형을 써 보세요.

( )

12 개수가 더 많은 것의 기호를 써 보세요.

㉠ 원기둥의 밑면의 개수
㉡ 원뿔의 꼭짓점의 개수

( )

13 입체도형을 보고 알맞은 수나 말을 써넣으세요.

입체도형	밑면의 수(개)	밑면의 모양

서술형

14 다음은 원기둥의 전개도가 아닙니다. 그 이유를 써 보세요.

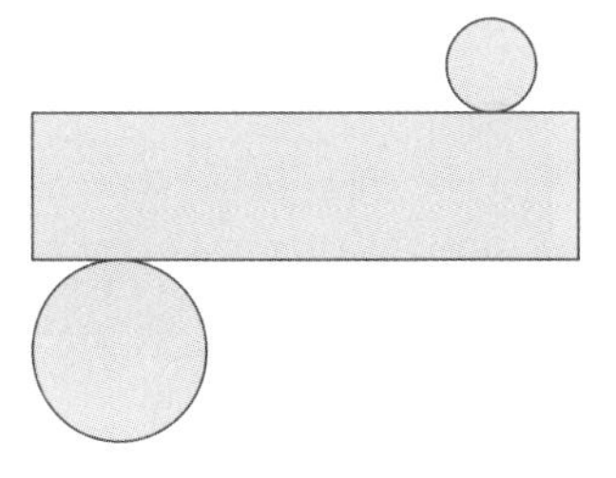

이유

6 원기둥, 원뿔, 구

15 원기둥과 원기둥의 전개도를 보고 □ 안에 알맞은 수를 써넣으세요. (원주율: 3.14)

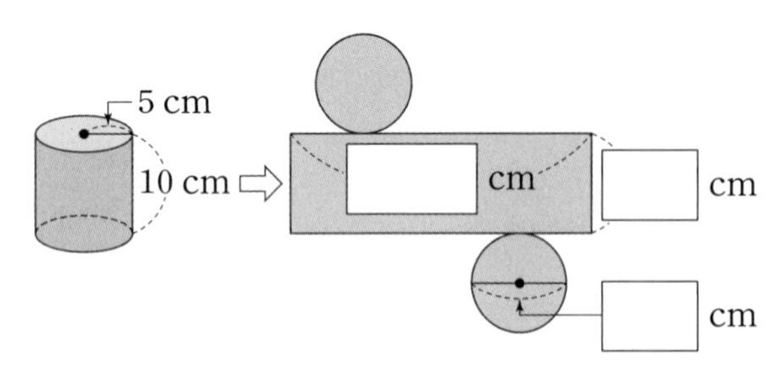

16 지우는 오른쪽과 같은 팽이를 만들기 위해 다음과 같은 원기둥과 원뿔 모양의 나무토막을 붙였습니다. 지우가 만든 팽이의 높이는 몇 cm일까요?

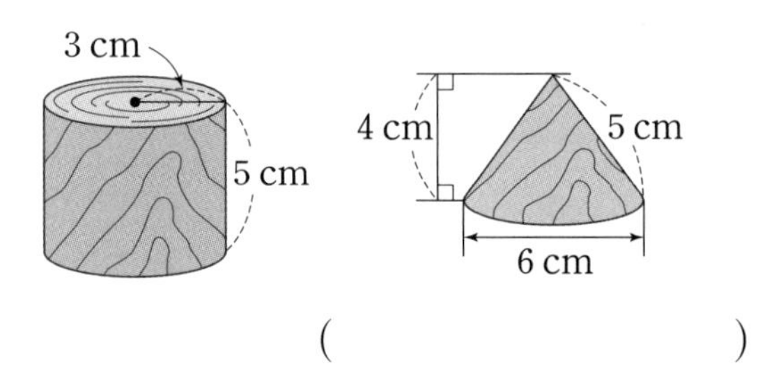

(   )

17 원기둥의 전개도에서 옆면의 가로가 27 cm, 세로가 10 cm입니다. 원기둥의 밑면의 반지름은 몇 cm인지 소수로 나타내어 보세요. (원주율: 3)

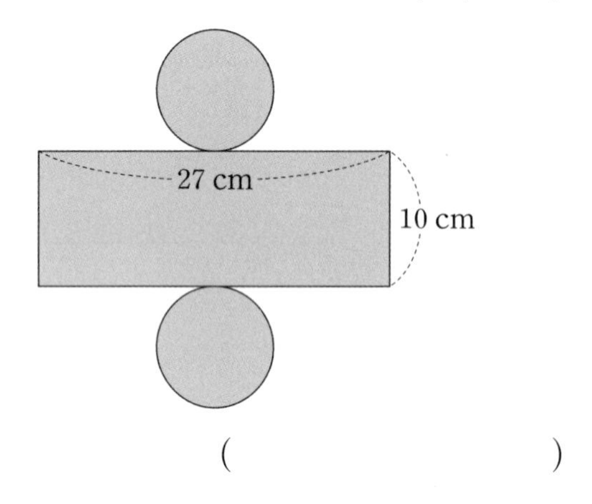

(   )

[18~20] 그림과 같이 직사각형 모양 종이의 가로와 세로에 각각 나무젓가락을 붙여서 한 바퀴 돌려 입체도형을 만들었습니다. 물음에 답하세요. (원주율: 3)

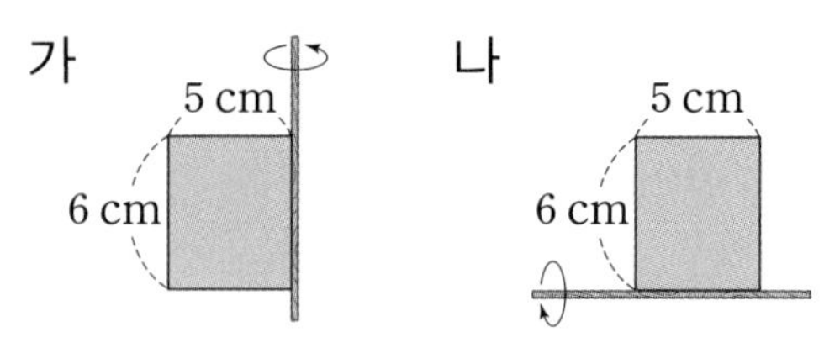

18 가와 같이 종이의 세로에 나무젓가락을 붙여 한 바퀴 돌려서 만든 입체도형 ㉮입니다. □ 안에 알맞은 수를 써넣으세요.

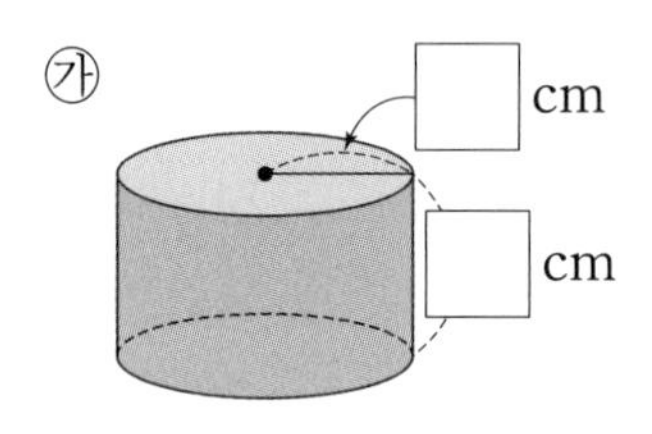

19 나와 같이 종이의 가로에 나무젓가락을 붙여 한 바퀴 돌려서 만든 입체도형 ㉯입니다. □ 안에 알맞은 수를 써넣으세요.

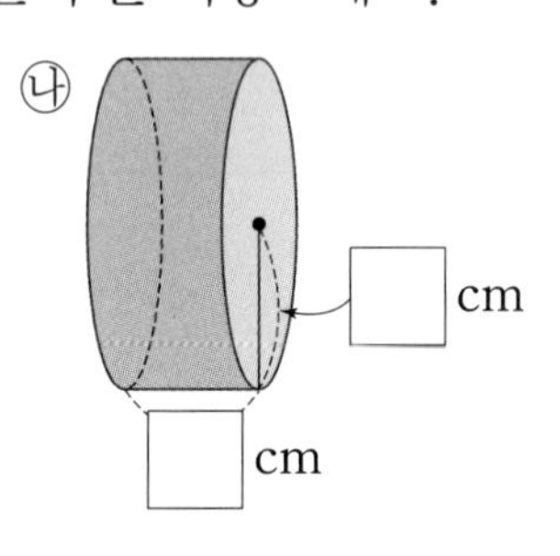

20 ㉮와 ㉯ 중에서 어느 입체도형의 높이가 몇 cm 더 높을까요?

(   ), (   )

원기둥, 원뿔, 구

점수

스피드 정답표 15쪽, 정답 및 풀이 46쪽

01 그림과 같이 원기둥을 펼쳐 놓은 그림을 무엇이라고 할까요?

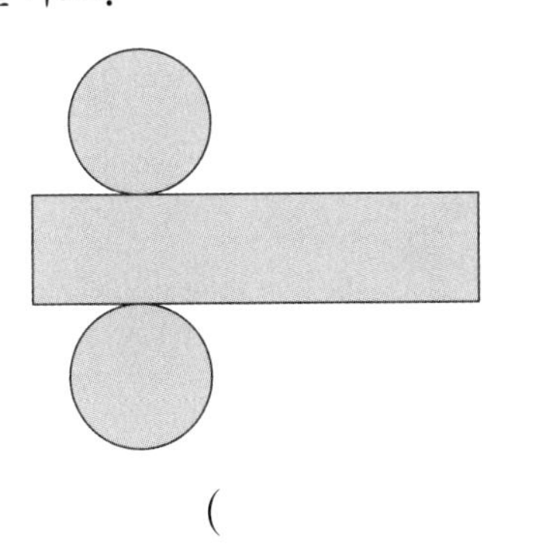

(　　　　　　　　　　)

02 원기둥이 아닌 것을 모두 찾아 기호를 써 보세요.

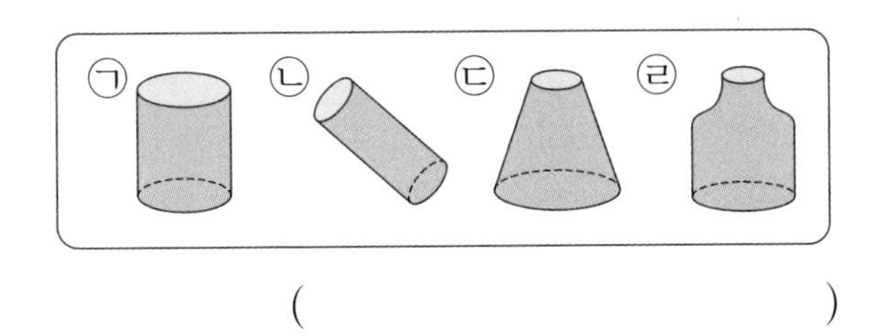

(　　　　　　　　　　)

03 원뿔에서 관계있는 것끼리 선으로 이어 보세요.

꼭짓점과 밑면인 원의 둘레의 한 점을 이은 선분	•	•	원뿔의 꼭짓점
뾰족한 부분의 점	•	•	높이
꼭짓점에서 밑면에 수직인 선분의 길이	•	•	모선

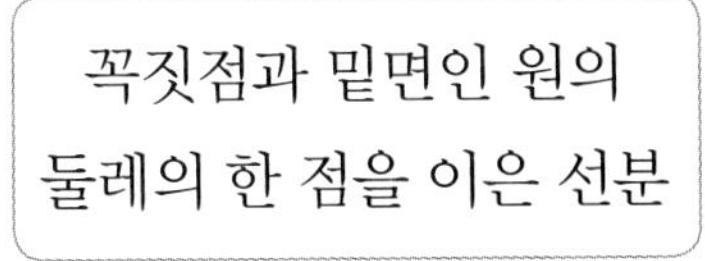

04 원기둥의 높이를 나타내어 보세요.

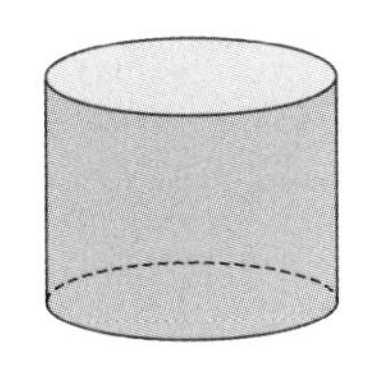

05 구에서 ㉠과 ㉡에 알맞은 이름을 써 보세요.

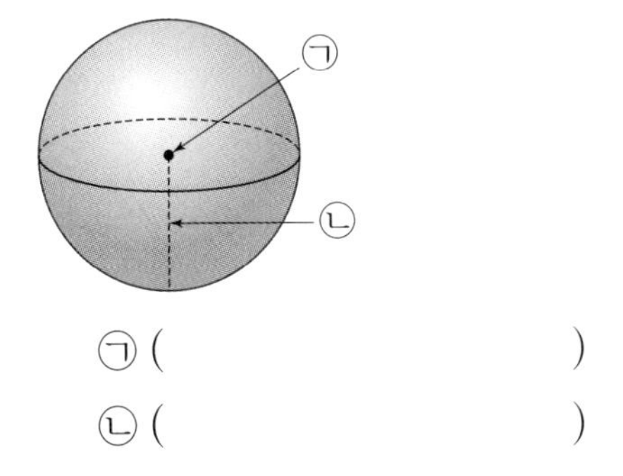

㉠ (　　　　　　　　　　)

㉡ (　　　　　　　　　　)

06 원뿔에서 모선을 나타내는 선분을 모두 찾아 써 보세요.

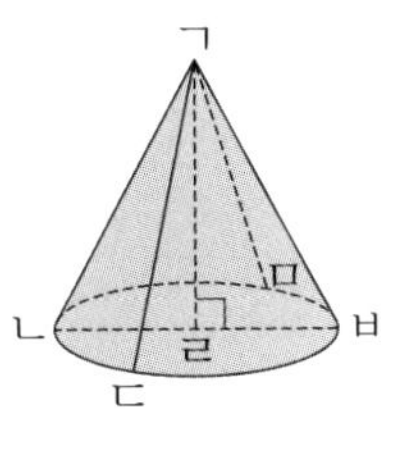

(　　　　　　　　　　)

07 오른쪽과 같이 직각삼각형 모양의 종이를 한 변을 기준으로 한 바퀴 돌려 만든 입체도형의 이름을 써 보세요.

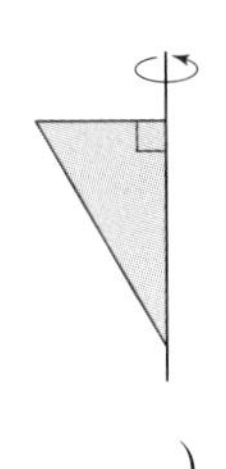

(　　　　　　　　　　)

6 원기둥, 원뿔, 구

08 원뿔의 어느 부분을 재는 것인지 선으로 이어 보고 □ 안에 알맞은 수를 써넣으세요.

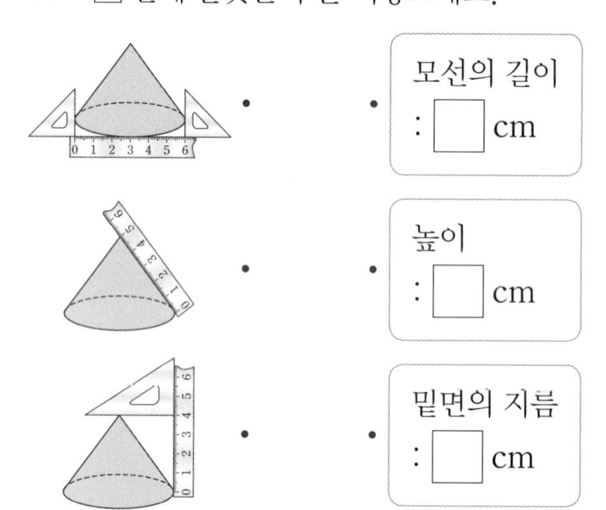

09 오른쪽과 같이 반원 모양의 종이를 지름을 기준으로 한 바퀴 돌려 만든 입체도형의 지름은 몇 cm일까요?

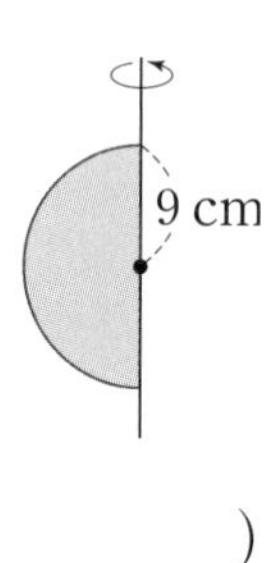

(　　　　　　　　)

10 □ 안에 알맞은 수를 써넣으세요. (원주율: 3)

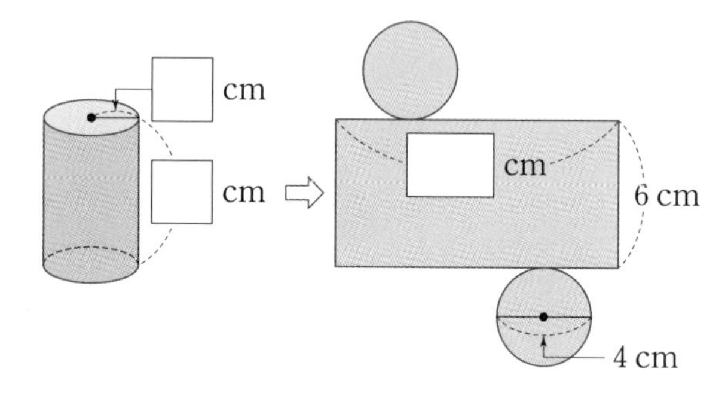

11 어떤 방향에서 보아도 모양이 같은 입체도형을 찾아 기호를 써 보세요.

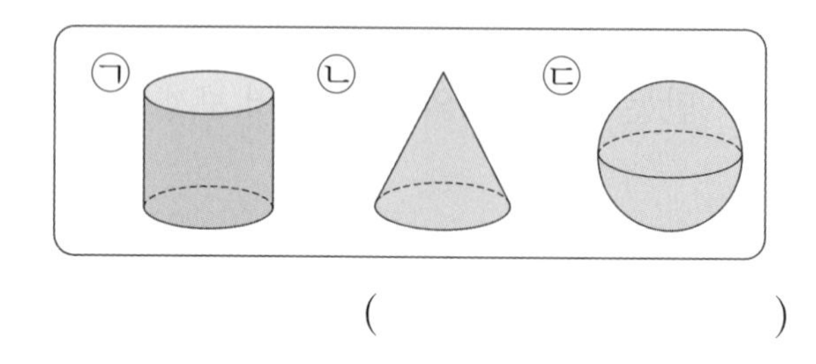

(　　　　　　　　)

12 구에 대하여 <u>잘못</u> 설명한 것은 어느 것일까요? ······························ (　　　　)

① 뾰족한 부분이 없습니다.
② 중심이 1개 있습니다.
③ 구의 반지름은 셀 수 없이 많습니다.
④ 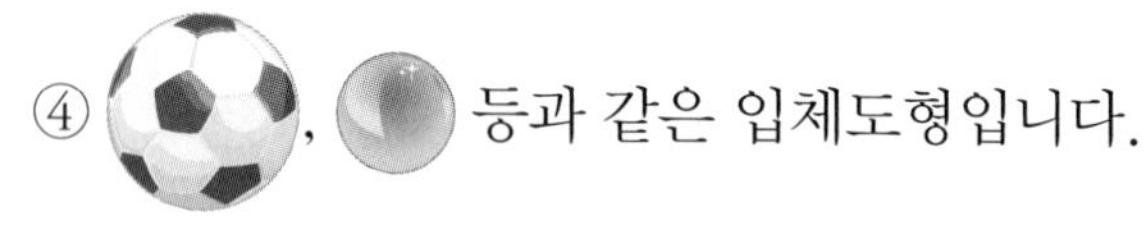 등과 같은 입체도형입니다.
⑤ 어떤 방향에서 보아도 모양이 모두 사각형입니다.

13 원기둥과 각기둥의 같은 점 또는 다른 점을 바르게 설명한 친구의 이름을 써 보세요.

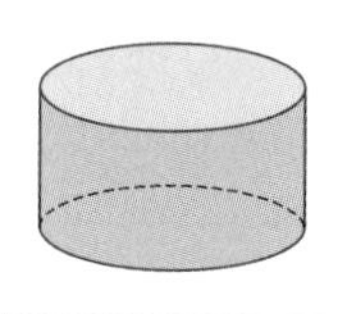

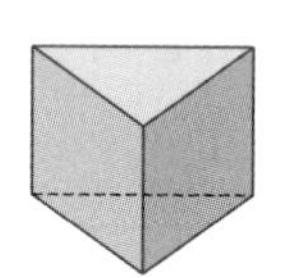

남훈: 원기둥과 각기둥은 옆에서 본 모양이 모두 삼각형이야.
지혜: 원기둥은 굽은 면이 있지만 각기둥은 굽은 면이 없어.
해준: 원기둥과 각기둥은 밑면이 모두 다각형이야.

(　　　　　　　　)

서술형

14 오른쪽 입체도형이 원기둥이 <u>아닌</u> 이유를 써 보세요.

이유

15 그림과 같이 직사각형 모양의 종이를 한 변을 기준으로 한 바퀴 돌려 만든 입체도형의 높이와 밑면의 지름은 각각 몇 cm인지 구하세요.

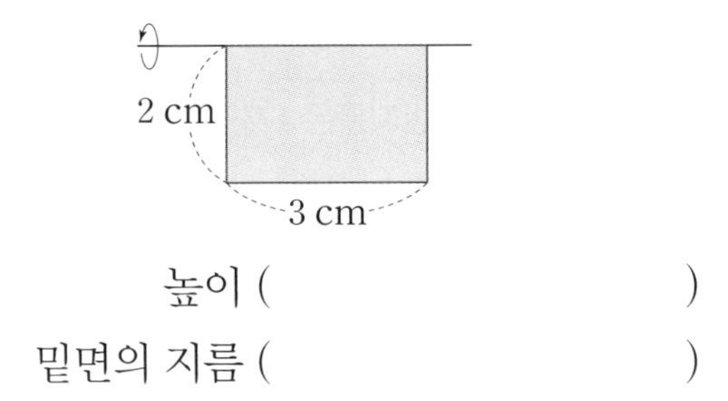

높이 (　　　　　　　　)

밑면의 지름 (　　　　　　　　)

16 원기둥의 전개도에서 옆면의 가로가 49.6 cm, 세로가 16 cm일 때 원기둥의 밑면의 반지름은 몇 cm일까요? (원주율: 3.1)

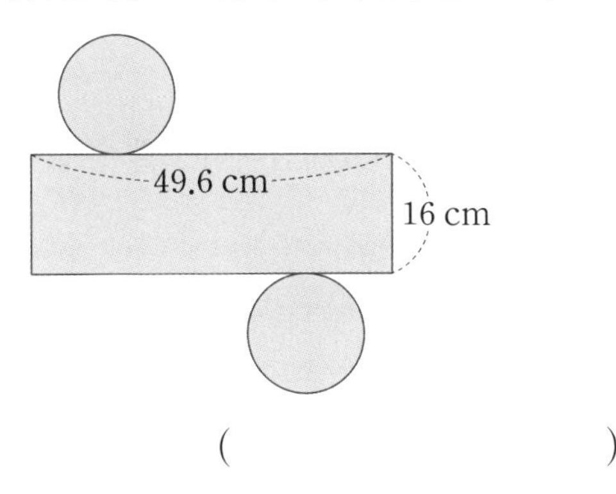

(　　　　　　　　)

17 원기둥과 원뿔 중 어느 도형의 높이가 몇 cm 더 높은지 구하세요.

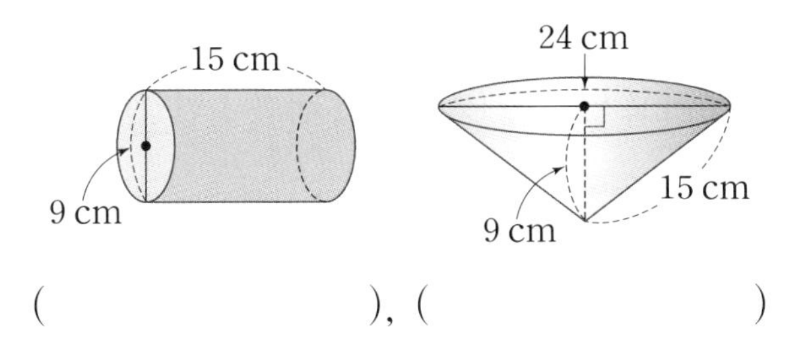

(　　　　　　), (　　　　　　)

18 오른쪽 원기둥의 전개도를 그려 보세요. (원주율: 3)

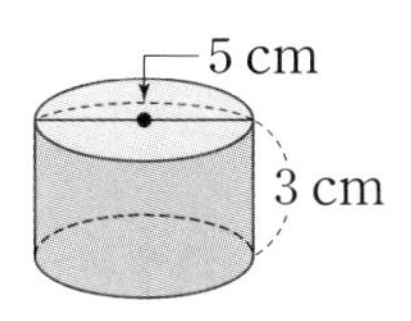

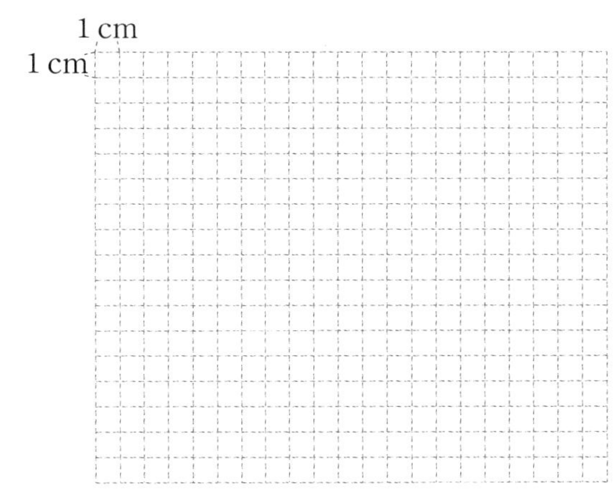

19 다음 조건을 만족하는 원기둥의 높이는 몇 cm일까요? (원주율: 3)

조건
- 전개도에서 옆면의 둘레는 48 cm입니다.
- 원기둥의 높이와 밑면의 지름은 같습니다.

(　　　　　　　　)

서술형

20 오른쪽 그림은 모선의 길이가 5 cm인 원뿔 2개를 붙여서 만든 입체도형입니다. 이 입체도형을 앞에서 보았을 때 생기는 모양의 둘레는 몇 cm인지 풀이 과정을 쓰고 답을 구하세요.

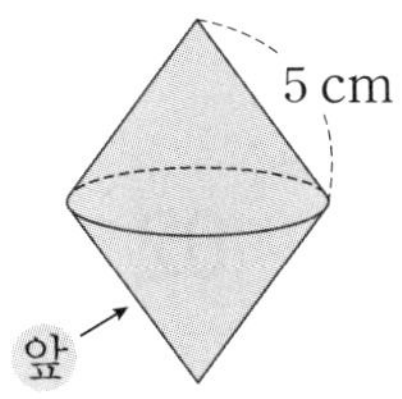

풀이

답

원기둥, 원뿔, 구

점수

스피드 정답표 15쪽, 정답 및 풀이 47쪽

01 구에 대한 설명으로 잘못 말한 사람은 누구인지 써 보세요.

반원 모양의 종이를 지름을 기준으로 한 바퀴 돌려서 만들 수 있어.

구의 반지름은 1개만 있어.

❶ 반원 모양의 종이를 지름을 기준으로 한 바퀴 돌려서 만든 입체도형을 그려 보고 입체도형의 이름을 써 보세요.

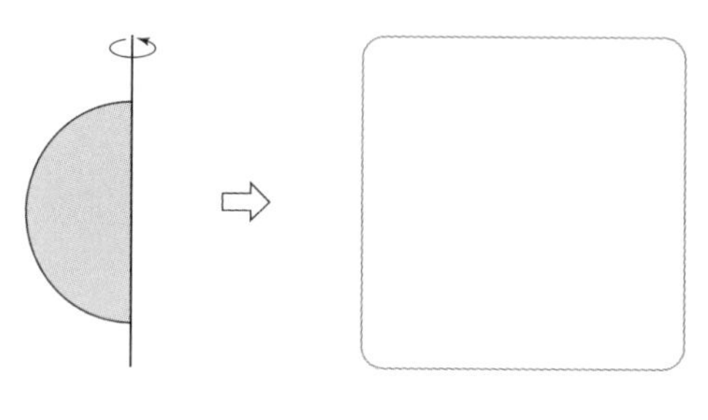

(　　　　　　　　)

❷ 구의 반지름에 대한 설명입니다. 알맞은 말에 ○표 하세요.

구의 반지름은 반원의 반지름과 (같으므로 , 다르므로) (1개입니다 , 셀 수 없이 많습니다).

❸ 구에 대하여 잘못 설명한 사람은 누구일까요?

(　　　　　　　　)

02 원기둥과 원뿔을 비교하여 같은 점과 다른 점을 알아보세요.

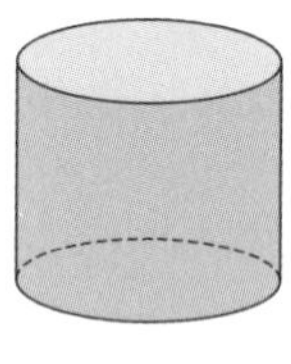 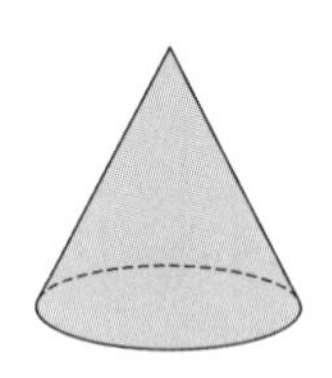

❶ 원기둥과 원뿔의 같은 점입니다. □ 안에 알맞은 말을 써넣고 알맞은 말에 ○표 하세요.

원기둥과 원뿔의 밑면의 모양은 □이고 옆면은 (평평한 , 굽은) 면입니다.

❷ 원기둥과 원뿔의 다른 점입니다. 알맞은 말에 ○표 하고 □ 안에 알맞은 수를 써넣으세요.

- 꼭짓점이 (원뿔 , 원기둥)에는 있지만 (원뿔 , 원기둥)에는 없습니다.
- 밑면의 수가 원기둥은 □개, 원뿔은 □개입니다.

03 다음 그림이 원기둥의 전개도가 아닌 이유를 써 보세요.

❶ 원기둥의 전개도에 대한 설명입니다. 보기 에서 알맞은 말을 찾아 □ 안에 써넣으세요.

보기

직사각형, 원, 나란히, 마주 보게

• 원기둥의 전개도에서 밑면의 모양은 □, 옆면의 모양은 □입니다.
• 합동인 두 밑면은 옆면을 중심으로 서로 □ 그립니다.

❷ 위의 그림이 원기둥의 전개도가 아닌 이유를 완성해 보세요.

두 밑면이 ______________________ 원기둥의 전개도가 아닙니다.

04 원뿔 모양 블록을 보고 쓴 것입니다. 블록의 밑면의 지름과 모선의 길이를 구하세요.

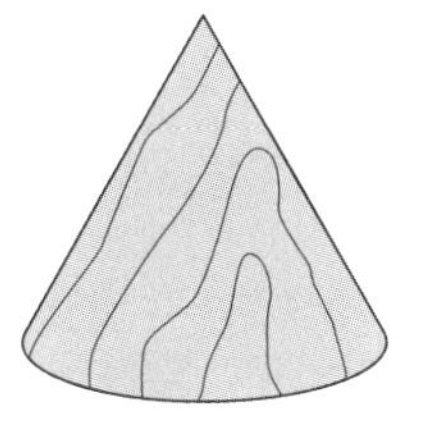

• 위에서 본 모양은 반지름이 7 cm인 원입니다.
• 앞에서 본 모양은 정삼각형입니다.

❶ 블록을 위에서 본 모양은 원뿔의 무엇과 같은지 알맞은 말에 ○표 하세요.

블록을 위에서 본 모양은 원이므로 원뿔의 (밑면 , 옆면)과 같습니다.

❷ 블록의 밑면의 지름은 몇 cm일까요?

( )

❸ 앞에서 본 모양인 정삼각형의 한 변의 길이는 몇 cm일까요?

( )

❹ 블록의 모선의 길이는 몇 cm일까요?

( )

스피드 정답표 15쪽, 정답 및 풀이 48쪽

01 원기둥에 대한 설명으로 잘못 말한 학생을 찾아 이름을 쓰고 이유를 써 보세요.

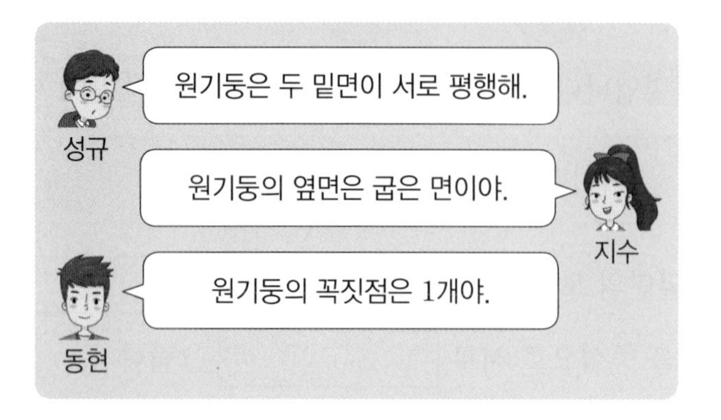

잘못 말한 사람 ____________

이유

____

____

____

어떻게 풀까요?

• 원기둥의 구성 요소

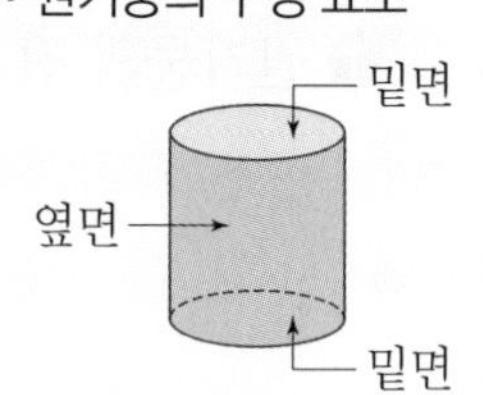

02 은경이는 블록을 다음과 같이 분류하였습니다. 빈칸에 분류한 입체도형의 이름을 써 넣고 두 입체도형의 다른 점을 써 보세요.

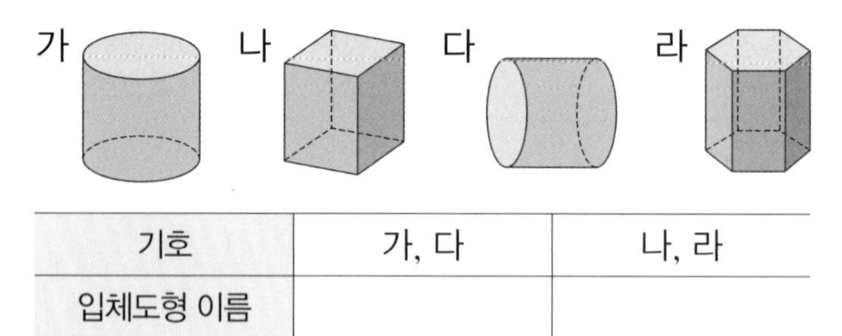

기호	가, 다	나, 라
입체도형 이름		

다른 점

____

____

____

어떻게 풀까요?

• 기둥모양 입체도형의 밑면의 모양을 살펴봅니다.
밑면의 모양이 다각형이면 각기둥이고, 밑면의 모양이 원이면 원기둥입니다.

03 원지와 동규는 원기둥의 전개도를 잘못 그렸습니다. 잘못 그린 이유를 각각 써 보세요.

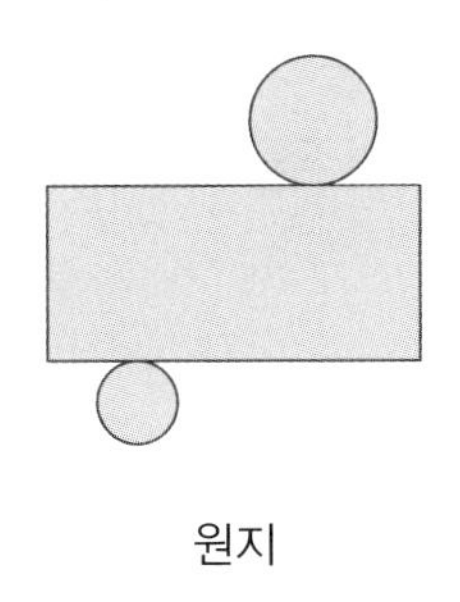
원지

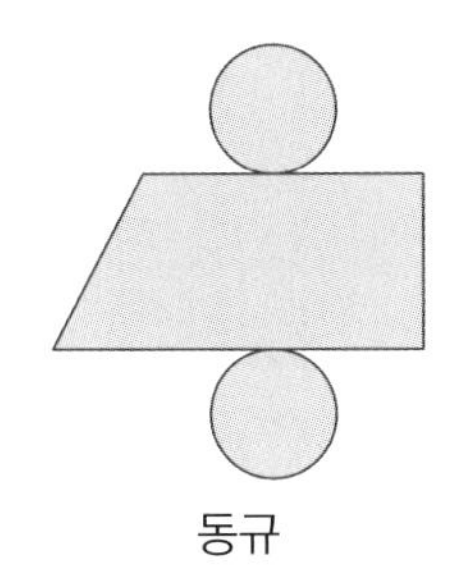
동규

이유

> 어떻게 풀까요?
>
> • 원기둥의 전개도에서 밑면의 모양은 원, 옆면의 모양은 직사각형입니다.
> 두 밑면은 합동이고 옆면을 중심으로 서로 마주 보게 그립니다.

04 오른쪽 원기둥 모양의 블록을 보고 쓴 것입니다. 블록의 밑면의 지름과 높이는 각각 몇 cm인지 풀이 과정을 쓰고 답을 구하세요.

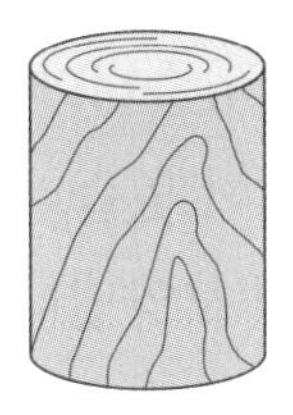

- 위에서 본 모양은 반지름이 8 cm인 원입니다.
- 앞에서 본 모양은 세로가 가로보다 3 cm 더 긴 직사각형입니다.

풀이

답 밑면의 지름: ____________

높이: ____________

> 어떻게 풀까요?
>
> • 원기둥을 위에서 본 모양
>
> 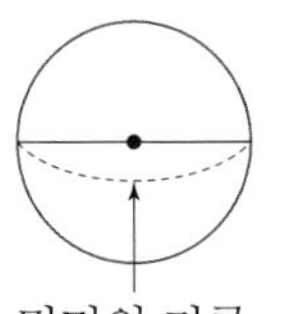
>
>
> • 원기둥을 앞에서 본 모양
>
> 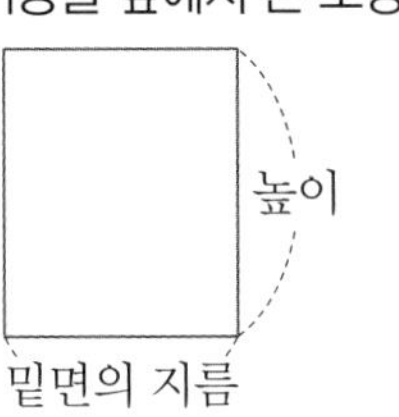
>

6 원기둥, 원뿔, 구

스피드 정답표 15쪽, 정답 및 풀이 48쪽

오답률 5%

01 원기둥의 높이는 몇 cm일까요?

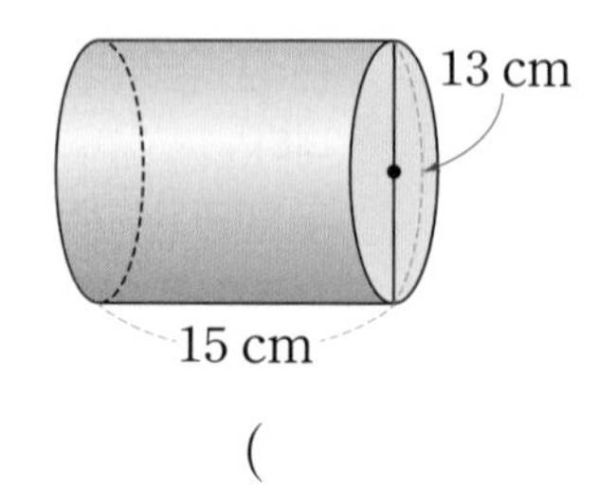

( )

오답률 13%

02 원기둥, 원뿔, 구에 대한 설명으로 옳지 않은 것은 어느 것일까요? ·································( )

① 굽은 면이 있습니다.
② 위에서 본 모양이 원으로 같습니다.
③ 원기둥과 원뿔에는 꼭짓점이 있습니다.
④ 원기둥과 원뿔에는 평평한 면이 있습니다.
⑤ 구는 어느 방향에서 보아도 원 모양입니다.

오답률 22%

03 원뿔에서 모선의 길이, 높이는 각각 몇 cm인지 구하세요.

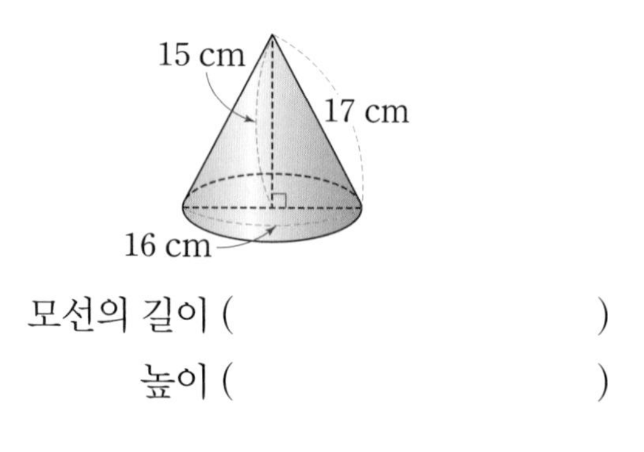

모선의 길이 ( )
높이 ( )

오답률 31%

04 원기둥과 원기둥의 전개도입니다. ㉠의 길이는 몇 cm일까요? (원주율: 3.1)

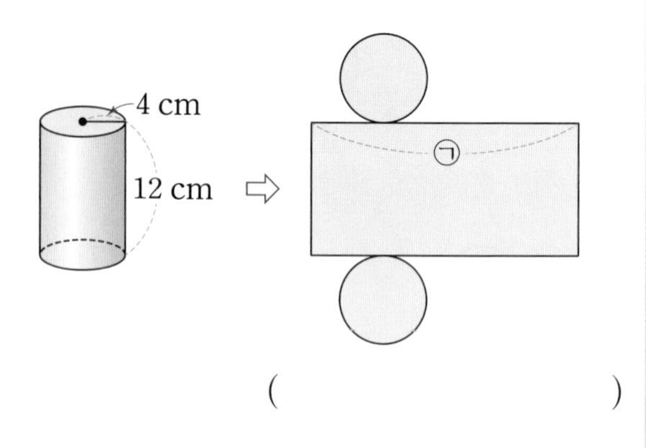

( )

오답률 37%

05 원기둥의 전개도에서 옆면의 넓이는 몇 cm^2일까요? (원주율: 3.14) ···························( )

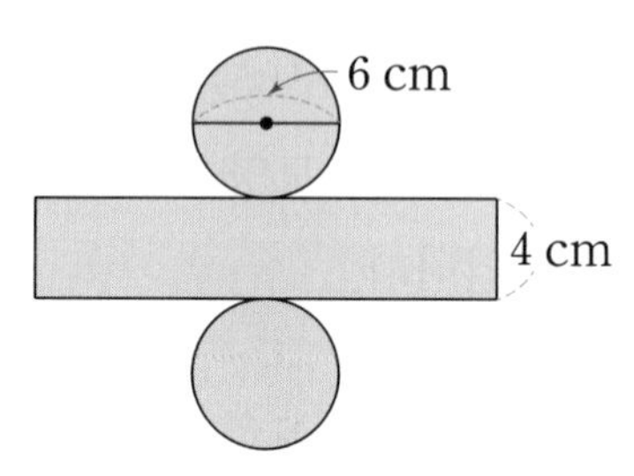

① $18.84\ cm^2$
② $24\ cm^2$
③ $32.8\ cm^2$
④ $47.2\ cm^2$
⑤ $75.36\ cm^2$

배움으로 행복한 내일을 꿈꾸는

천재교육 커뮤니티 안내

교재 안내부터 구매까지 한 번에!

천재교육 홈페이지

자사가 발행하는 참고서, 교과서에 대한 소개는 물론
도서 구매도 할 수 있습니다. 회원에게 지급되는 별을 모아
다양한 상품 응모에도 도전해 보세요!

다양한 교육 꿀팁에 깜짝 이벤트는 덤!

천재교육 인스타그램

천재교육의 새롭고 중요한 소식을 가장 먼저 접하고 싶다면?
천재교육 인스타그램 팔로우가 필수!
깜짝 이벤트도 수시로 진행되니 놓치지 마세요!

수업이 편리해지는

천재교육 ACA 사이트

오직 선생님만을 위한, 천재교육 모든 교재에 대한 정보가 담긴
아카 사이트에서는 다양한 수업자료 및 부가 자료는 물론
시험 출제에 필요한 문제도 다운로드하실 수 있습니다.

https://aca.chunjae.co.kr

천재교육을 사랑하는 샘들의 모임

천사샘

학원 강사, 공부방 선생님이시라면 누구나 가입할 수 있는 천사샘!
교재 개발 및 평가를 통해 교재 검토진으로 참여할 수 있는 기회는 물론
다양한 교사용 교재 증정 이벤트가 선생님을 기다립니다.

아이와 함께 성장하는 학부모들의 모임공간

튠맘 학습연구소

튠맘 학습연구소는 초·중등 학부모를 대상으로 다양한 이벤트와 함께
교재 리뷰 및 학습 정보를 제공하는 네이버 카페입니다.
초등학생, 중학생 자녀를 둔 학부모님이라면 튠맘 학습연구소로 오세요!

단원평가

학교 수행평가 완벽 대비

6·2

밀크T 성취도평가 오답 베스트5 수록

천재교육

수학
단원평가

스피드 정답표

1 분수의 나눗셈

3쪽 쪽지시험 1회 (풀이는 16쪽에)

01 4, 2
02 4, 3, $1\frac{1}{3}\left(=\frac{4}{3}\right)$
03 9, 3, 3
04 3, 5
05 3, $1\frac{2}{3}\left(=\frac{5}{3}\right)$
06 5
07 $1\frac{4}{7}\left(=\frac{11}{7}\right)$
08 $1\frac{2}{3}\left(=\frac{5}{3}\right)$
09 $=$
10 $<$

4쪽 쪽지시험 2회 (풀이는 16쪽에)

01 6
02 8
03 4, 4, $\frac{9}{4}$, $2\frac{1}{4}$
04 12, 12, 3
05 3, 3, 2
06 예 $\frac{7}{15}\div\frac{7}{30}=\frac{14}{30}\div\frac{7}{30}=14\div7=2$
07 예 $\frac{33}{40}\div\frac{5}{8}=\frac{33}{40}\div\frac{25}{40}=33\div25=\frac{33}{25}=1\frac{8}{25}$
08 예 $\frac{11}{12}\div\frac{5}{6}=\frac{11}{12}\div\frac{10}{12}=11\div10=\frac{11}{10}=1\frac{1}{10}$
09 2
10 3

5쪽 쪽지시험 3회 (풀이는 16쪽에)

01 2, 20
02 6, 14
03 $6\div\frac{3}{5}=(6\div3)\times5=10$
04 $14\div\frac{7}{10}=(14\div7)\times10=20$
05 $27\div\frac{9}{11}=(27\div9)\times11=33$
06 $\frac{3}{2}$
07 $\frac{9}{5}$
08 $1\frac{3}{5}\left(=\frac{8}{5}\right)$
09 $\frac{3}{4}$
10 $\frac{1}{2}$

6쪽 쪽지시험 4회 (풀이는 16쪽에)

01 방법 1 3, 2, 3, $1\frac{1}{2}$ 방법 2 $\frac{5}{2}$, 3, $1\frac{1}{2}$
02 방법 1 28, 28, 28, 4, $1\frac{1}{3}$ 방법 2 $\frac{4}{7}$, 4, $1\frac{1}{3}$
03 $4\frac{1}{5}\div\frac{7}{8}=\frac{21}{5}\div\frac{7}{8}=\frac{\overset{3}{\cancel{21}}}{5}\times\frac{8}{\underset{1}{\cancel{7}}}=\frac{24}{5}=4\frac{4}{5}$
04 $2\frac{6}{7}\div\frac{5}{21}=\frac{20}{7}\div\frac{5}{21}=\frac{\overset{4}{\cancel{20}}}{\underset{1}{\cancel{7}}}\times\frac{\overset{3}{\cancel{21}}}{\underset{1}{\cancel{5}}}=12$
05 $2\frac{1}{12}\left(=\frac{25}{12}\right)$
06 $\frac{24}{55}$
07 $\frac{3}{20}$
08 $5\frac{7}{9}\left(=\frac{52}{9}\right)$
09 $4\frac{2}{3}\left(=\frac{14}{3}\right)$
10 9

7~9쪽 단원평가 1회 (A 난이도) (풀이는 16쪽에)

01 5, 5
02 2, 3
03 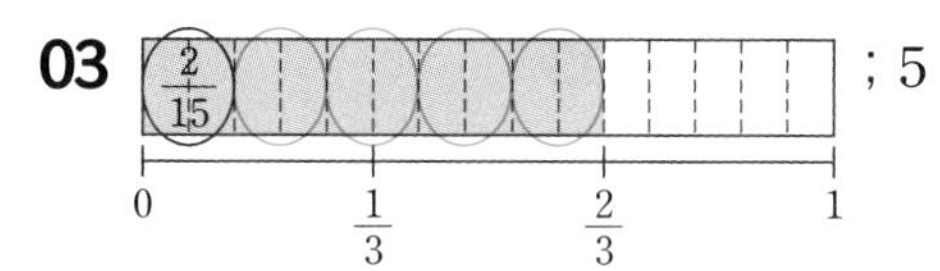

; 5
04 $\frac{10}{16}$, 10, 10, $3\frac{1}{3}$
05 4, 10
06 3, 3, 5, $\frac{5}{6}$
07 $\frac{15}{16}\div\frac{9}{20}=\frac{\overset{5}{\cancel{15}}}{\underset{4}{\cancel{16}}}\times\frac{\overset{5}{\cancel{20}}}{\underset{3}{\cancel{9}}}=\frac{25}{12}=2\frac{1}{12}$
08 $\frac{13}{18}$
09 $1\frac{5}{16}\left(=\frac{21}{16}\right)$
10 $\frac{2}{3}$
11 $<$
12 ④
13 $\frac{7}{8}$
14 $1\frac{5}{6}\div\frac{5}{7}=\frac{11}{6}\div\frac{5}{7}=\frac{11}{6}\times\frac{7}{5}=\frac{77}{30}=2\frac{17}{30}$
15 ㉡
16 $1\frac{1}{3}\left(=\frac{4}{3}\right)$
17
18 $\frac{20}{63}$
19 $6\frac{1}{2}\left(=\frac{13}{2}\right)$
20 5일

10~12쪽 단원평가 2회 (난이도 A) 풀이는 17쪽에

01 8, 4, 2 **02** 2 ; 6 ; 3, 6 **03** 2, 3, 6

04 14, 2, 7 **05** 2, $\frac{5}{2}$ **06** 2

07 $1\frac{1}{4}\left(=\frac{5}{4}\right)$

08 $2\frac{1}{4}\div\frac{3}{5}=\frac{9}{4}\div\frac{3}{5}=\frac{\overset{3}{\cancel{9}}}{4}\times\frac{5}{\underset{1}{\cancel{3}}}=\frac{15}{4}=3\frac{3}{4}$

09 $6\frac{1}{2}\div\frac{4}{5}=\frac{13}{2}\div\frac{4}{5}=\frac{13}{2}\times\frac{5}{4}=\frac{65}{8}=8\frac{1}{8}$

10 $5\frac{7}{9}\left(=\frac{52}{9}\right)$ **11** 22 **12** 18

13 $10\frac{1}{2}\left(=\frac{21}{2}\right)$ **14** >

15 상우 **16** ㉠ **17** ②

18 6개 **19** $4\frac{3}{8}\left(=\frac{35}{8}\right)$배 **20** 8명

13~15쪽 단원평가 3회 (난이도 B) 풀이는 18쪽에

01 예 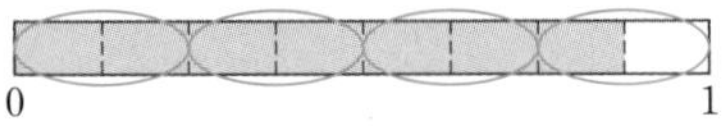 ; $3\frac{1}{2}\left(=\frac{7}{2}\right)$

02 3, 10, $3\frac{1}{3}$ **03** ㉠

04 $40\div\frac{8}{9}=(40\div8)\times9=45$

05 방법 1 16, 4 방법 2 7, 4

06 15 **07** $4\frac{16}{21}\left(=\frac{100}{21}\right)$

08 20 **09**

10 $\frac{10}{11}$, $\frac{2}{11}$, 5 **11** $8\frac{1}{3}\left(=\frac{25}{3}\right)$

12 ㉠ **13** > **14** ③

15 ㉢ **16** $\frac{2}{3}$, $\frac{10}{27}$

17 방법 1 예 $\frac{16}{25}\div\frac{4}{5}=\frac{16}{25}\div\frac{20}{25}=16\div20=\frac{16}{20}=\frac{4}{5}$

방법 2 예 $\frac{16}{25}\div\frac{4}{5}=\frac{\overset{4}{\cancel{16}}}{\underset{5}{\cancel{25}}}\times\frac{\overset{1}{\cancel{5}}}{\underset{1}{\cancel{4}}}=\frac{4}{5}$

18 3개 **19** $3\frac{8}{9}\left(=\frac{35}{9}\right)$배

20 $\frac{7}{12}$ km

16~18쪽 단원평가 4회 (난이도 B) 풀이는 18쪽에

01 3 **02** 3, 3

03 4, $\frac{5}{4}$ **04** 7, $\frac{7}{6}$

05 방법 1 8, $\frac{15}{8}$, $1\frac{7}{8}$ 방법 2 $\frac{17}{8}$, 15, $1\frac{7}{8}$

06 $\frac{9}{14}$ **07** $4\frac{4}{5}\left(=\frac{24}{5}\right)$ **08** 14

09  **10** 18 **11** $1\frac{5}{16}\left(=\frac{21}{16}\right)$

12 > **13** ㉠ **14** 80

15 ④ **16** 5배

17 방법 1 예 $2\frac{5}{6}\div\frac{2}{3}=\frac{17}{6}\div\frac{2}{3}=\frac{17}{6}\div\frac{4}{6}$

$=17\div4=\frac{17}{4}=4\frac{1}{4}$

방법 2 예 $2\frac{5}{6}\div\frac{2}{3}$

$=\frac{17}{6}\div\frac{2}{3}=\frac{17}{\underset{2}{\cancel{6}}}\times\frac{\overset{1}{\cancel{3}}}{2}=\frac{17}{4}=4\frac{1}{4}$

18 2 kg **19** $52\frac{1}{2}\left(=\frac{105}{2}\right)$ cm

20 예 (세로)$=10\frac{2}{5}\div4\frac{1}{3}=\frac{52}{5}\div\frac{13}{3}$

$=\frac{\overset{4}{\cancel{52}}}{5}\times\frac{3}{\underset{1}{\cancel{13}}}=\frac{12}{5}=2\frac{2}{5}$ (m)

; $2\frac{2}{5}\left(=\frac{12}{5}\right)$ m

19~21쪽 단원평가 5회 (난이도 C) 풀이는 19쪽에

01 4, 8, 2 **02** 25, 25, $\frac{12}{25}$

03 $\frac{6}{5}$, $\frac{12}{25}$ **04** $8\div\frac{2}{11}=(8\div2)\times11=44$

05 $1\frac{1}{7}\left(=\frac{8}{7}\right)$ **06** $2\frac{8}{11}\left(=\frac{30}{11}\right)$

07 예 나눗셈을 곱셈으로 바꿀 때 $\frac{8}{15}$을 $\frac{15}{8}$로 바꾸지 않았습니다. ; $\frac{14}{9}\div\frac{8}{15}=\frac{\overset{7}{\cancel{14}}}{\underset{3}{\cancel{9}}}\times\frac{\overset{5}{\cancel{15}}}{\underset{4}{\cancel{8}}}=\frac{35}{12}=2\frac{11}{12}$

08 9 **09**  **10** >

11 2개 **12** ② **13** ㉠, ㉢, ㉡

14 80 **15** 105개

16 $3\frac{1}{2}\left(=\frac{7}{2}\right)$ cm **17** $12\frac{4}{9}\left(=\frac{112}{9}\right)$ km

18 $\frac{8}{9} \div \frac{4}{9}$ **19** $1\frac{9}{10}\left(=\frac{19}{10}\right)$

20 예 (한 개의 유리병에 담은 우유의 양)

$=5\frac{2}{5} \div 3=\frac{27}{5} \div 3=\frac{\overset{9}{\cancel{27}}}{5} \times \frac{1}{\underset{1}{\cancel{3}}}=\frac{9}{5}=1\frac{4}{5}$ (L)

(필요한 컵의 수)

$=1\frac{4}{5} \div \frac{3}{20}=\frac{9}{5} \div \frac{3}{20}=\frac{\overset{3}{\cancel{9}}}{\underset{1}{\cancel{5}}} \times \frac{\overset{4}{\cancel{20}}}{\underset{1}{\cancel{3}}}=12$(개)

; 12개

22~23쪽 단계별로 연습하는 서술형평가 풀이는 20쪽에

01 ❶ 예 $\frac{20}{28}, \frac{21}{28}$, 20, 21, $\frac{20}{21}$ ❷ $\frac{4}{3}, \frac{20}{21}$

02 ❶ 49, 49, 1, 7 ; $1\frac{1}{6}\left(=\frac{7}{6}\right)$ km

❷ 7, 35, $11\frac{2}{3}$; $11\frac{2}{3}\left(=\frac{35}{3}\right)$ km

03 ❶ 4, 10 ; 10 ❷ 24, 15 ; 15 ❸ ㉯

04 ❶ $\square \times \frac{5}{9}=\frac{10}{27}$ ❷ $\frac{2}{3}$ ❸ $1\frac{1}{5}\left(=\frac{6}{5}\right)$

24~25쪽 풀이 과정을 직접 쓰는 서술형평가 풀이는 20쪽에

01 방법 1 예 $7\frac{1}{5} \div 1\frac{1}{2}=\frac{36}{5} \div \frac{3}{2}=\frac{72}{10} \div \frac{15}{10}$

$=72 \div 15=\frac{\overset{24}{\cancel{72}}}{\underset{5}{\cancel{15}}}=\frac{24}{5}=4\frac{4}{5}$

방법 2 예 $7\frac{1}{5} \div 1\frac{1}{2}=\frac{36}{5} \div \frac{3}{2}=\frac{\overset{12}{\cancel{36}}}{5} \times \frac{2}{\underset{1}{\cancel{3}}}$

$=\frac{24}{5}=4\frac{4}{5}$

02 예 $\frac{2}{5}$시간 동안 $\frac{8}{9}$ km를 가므로 $\frac{1}{5}$시간 동안 가는

거리는 $\frac{8}{9} \div 2=\frac{\overset{4}{\cancel{8}}}{9} \times \frac{1}{\underset{1}{\cancel{2}}}=\frac{4}{9}$ (km)입니다.

따라서 1시간 동안 갈 수 있는 거리는

$\frac{4}{9} \times 5=\frac{20}{9}=2\frac{2}{9}$ (km)입니다. ; $2\frac{2}{9}\left(=\frac{20}{9}\right)$ km

03 예 ㉮ $13\frac{1}{2} \div \frac{3}{4}=\frac{\overset{9}{\cancel{27}}}{\underset{1}{\cancel{2}}} \times \frac{\overset{2}{\cancel{4}}}{\underset{1}{\cancel{3}}}=18$

㉯ $12 \div \frac{3}{5}=(12 \div 3) \times 5=20$

⇨ 18<20이므로 계산 결과가 더 작은 식은 ㉮입니다. ; ㉮

04 예 어떤 수를 □라 하면 잘못 계산한 식은

$\square \times \frac{1}{2}=11\frac{7}{8}$이므로

$\square=11\frac{7}{8} \div \frac{1}{2}=\frac{95}{\underset{4}{\cancel{8}}} \times \overset{1}{\cancel{2}}=\frac{95}{4}$입니다.

따라서 바르게 계산하면

$\frac{95}{4} \div \frac{1}{2}=\frac{95}{\underset{2}{\cancel{4}}} \times \overset{1}{\cancel{2}}=\frac{95}{2}=47\frac{1}{2}$입니다.

; $47\frac{1}{2}\left(=\frac{95}{2}\right)$

05 예 (삼각형의 넓이)

=(밑변의 길이)×(높이)÷2이므로

(높이)$=15\frac{1}{9} \times 2 \div 6\frac{2}{3}=\frac{136}{9} \times 2 \div \frac{20}{3}$

$=\frac{\overset{68}{\cancel{272}}}{\underset{3}{\cancel{9}}} \times \frac{\overset{1}{\cancel{3}}}{\underset{5}{\cancel{20}}}=\frac{68}{15}=4\frac{8}{15}$ (cm)입니다.

; $4\frac{8}{15}\left(=\frac{68}{15}\right)$ cm

26쪽 밀크티 성취도평가 오답 베스트 5 풀이는 21쪽에

01 =

02 ③

03 6개

04 ③

05 ⑤

2 소수의 나눗셈

29쪽 쪽지시험 1회 (풀이는 21쪽에)

01 (위부터) 10, 10, 8, 61, 61
02 (위부터) 100, 100, 84, 7, 7
03 5, 5, 27
04 11, 143, 13
05 7
06 28
07 9
08 6
09 51
10 4

30쪽 쪽지시험 2회 (풀이는 21쪽에)

01 230, 7.3, 7.3
02 167.9, 7.3, 7.3
03 (위부터) 100, 2.2, 2.2, 100
04 (위부터) 10, 7.2, 7.2, 10
05 6.2
06 1.6
07 3.9
08 2.1
09 2.2
10 0.4

31쪽 쪽지시험 3회 (풀이는 22쪽에)

01 $10 \div 2.5 = \frac{100}{10} \div \frac{25}{10} = 100 \div 25 = 4$
02 $68 \div 0.17 = \frac{6800}{100} \div \frac{17}{100} = 6800 \div 17 = 400$
03 25
04 2
05 8
06 4800
07 2
08 1.6
09 5.3
10 0.9

32쪽 쪽지시험 4회 (풀이는 22쪽에)

01 2, 0.2
02 5명
03 0.2 kg
04 9, 1.3
05 9명
06 1.3 m
07 8, 40, 3.2 ; 8봉지, 3.2 kg
08 6, 42, 1.2 ; 6봉지, 1.2 kg
09 7군데, 1.1 L
10 4군데, 2.7 L

33~35쪽 단원평가 1회 (A 난이도) (풀이는 22쪽에)

01 16
02 8, 8, 9
03 8, 112
04 26, 46, 138, 138
05 $1.54 \div 0.14 = \frac{154}{100} \div \frac{14}{100} = 154 \div 14 = 11$
06 (위부터) 597, 3, 199, 199
07 (위부터) 10, 3.6, 3.6, 10
08 280, 1.9, 1.9
09 9
10 8
11 6, 60, 600
12 12
13 5.5
14 3
15

```
        3.6
2.7)9.7 2
    8 1
    1 6 2
    1 6 2
        0
```

16 $<$
17 ①
18 2.6
19
20 26개

36~38쪽 단원평가 2회 (A 난이도) (풀이는 23쪽에)

01 152, 152, 16
02 (위부터) 10, 8, 10
03 (위부터) 100, 4, 100
04 17, 52, 364, 364
05 현서
06 $13.6 \div 0.8 = \frac{136}{10} \div \frac{8}{10} = 136 \div 8 = 17$
07 25, 44, 110, 110
08 3
09 1.7
10 216, 216, 216, 36, 36
11 8, 80, 800
12 8
13 $<$
14 (위부터) 33.6, 200
15 1.7
16 ㉠
17 4, 20, 1.2 ; 4, 1.2
18 3, 1, 2
19 34 kg
20 26개

39~41쪽 단원평가 3회 (B 난이도) (풀이는 24쪽에)

01 494, 494, 19
02 434, 6944, 16
03 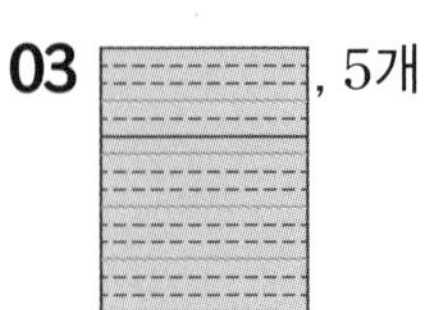

, 5개

04 (위부터) 10, 5.5, 5.5, 10 **05** 24.7
06 25 **07** ⑤ **08** 11.3
09 24 **10** 13.5 **11** 5.6
12 4, 212, 53, 53
13 예

```
         6.4
9.4)6 0.1 6
    5 6 4
      3 7 6
      3 7 6
          0
```

; 예 소수점을 옮겨서 계산한 경우 몫의 소수점은 옮긴 위치에 찍어야 합니다.

14 < **15** 6, 54, 4.4 ; 6명, 4.4 kg
16 6 cm **17** ㉡, ㉢, ㉠ **18** 57.1 g
19 1.5 m
20 예 한 봉지에 3 kg씩 나누어 담으면 27봉지가 되고 1.5 kg이 남습니다.
; 27봉지, 1.5 kg

```
   2 7
3)8 2.5
  6
  2 2
  2 1
    1.5
```

42~44쪽 단원평가 4회 (B 난이도) 풀이는 24쪽에

01 3, 3 **02** 18, 360, 20
03 6, 24 **04** 8.2, 416, 104, 104
05 $9.52 \div 0.56 = \frac{952}{100} \div \frac{56}{100} = 952 \div 56 = 17$
06 ⑤ **07** 15 **08** 39
09 2.6, 2.57 **10** 6.5 **11** 세형
12 < **13** 은경 **14** ㉣
15 8 **16** 126, 52.5 **17** ㉡, ㉢, ㉠
18 9.2배 **19** 64개, 1.2 m
20 예 몫의 소수 둘째 자리부터 숫자 3이 반복되므로 몫의 소수 10째 자리 숫자는 3입니다. ; 3

```
        5.8 3 3
3.6)2 1.0 0 0 0
    1 8 0
      3 0 0
      2 8 8
        1 2 0
        1 0 8
          1 2 0
          1 0 8
            1 2
```

45~47쪽 단원평가 5회 (C 난이도) 풀이는 25쪽에

01 38 **02** 16 **03** 8
04 ④ **05** 24 **06**

07 예

```
       4 5
0.8)3 6.0
    3 2
      4 0
      4 0
        0
```

08 8, 80, 800
09 8, 80, 800 **10** 22.5, 15 **11** 3.2
12 ① **13** >
14 방법 1 예 1.05÷0.35를 100배씩 하면 105÷35이고 105÷35=3이므로 1.05÷0.35=3입니다.
방법 2 예 $1.05 \div 0.35 = \frac{105}{100} \div \frac{35}{100} = 105 \div 35 = 3$
15 5.23배 **16** 20.8, 2.6, 8 **17** 65
18 14번, 2.5 L **19** 15 km
20 예 (삼각형의 넓이)=(밑변의 길이)×(높이)÷2
⇨ (높이)=(삼각형의 넓이)×2÷(밑변의 길이)
=18×2÷7.5=36÷7.5=4.8 (cm)
; 4.8 cm

48~49쪽 단계별로 연습하는 서술형평가 풀이는 25쪽에

01 ❶ 465, 14 ❷

```
          1 4
46.5)6 5 1.0
     4 6 5
     1 8 6 0
     1 8 6 0
           0
```

❸ 14배
02 ❶ 226, 56.5 ; 56.5 ❷ 1092, 52 ; 52 ❸ ㉮
03 ❶ 11.3, 1.6 ❷ 7, 0.1 ❸ 7개, 0.1 m
04 ❶ 3.2, 12.16 ❷ 3.2, 12.16, 8.96 ; 8.96
❸ 2.8 ; 2.8

50~51쪽 풀이 과정을 직접 쓰는 서술형평가 풀이는 26쪽에

01 방법 1 예 분수의 나눗셈으로 고쳐서 계산하면

$9.6 \div 1.2 = \frac{96}{10} \div \frac{12}{10} = 96 \div 12 = 8$이므로

8배입니다.

방법 2 예 세로로 계산하면 8배입니다.

$1.2 \overline{)9.6}$ = 8 (96, 0)

; 8배

02 예 ㉮ $5.12 \div 1.6 = 3.2$, ㉯ $8.91 \div 2.7 = 3.3$

⇨ $3.2 < 3.3$이므로 몫이 더 작은 나눗셈식은 ㉮입니다. ; ㉮

03 예 $0.8 \overline{)13.1}$ = 16 (8, 51, 48, 0.3)

필요한 물통은 16개이고 남는 물은 0.3 L입니다.

; 16개, 0.3 L

04 예 어떤 수를 □라 하면 □ $\times 0.8 = 7.68$입니다.

□ $\times 0.8 = 7.68$, □ $= 7.68 \div 0.8$, □ $= 9.6$

따라서 바르게 계산하면 $9.6 \div 0.8 = 12$입니다.

; 12

05 예 $9 \div 7 = 1.28 \cdots\cdots$ ⇨ 1.3

따라서 미란이의 키는 1.3 m입니다. ; 1.3 m

52쪽 밀크티 성취도평가 오답 베스트 5 풀이는 26쪽에

01 ③
02 13 cm
03 2.3
04 0.4 L
05 ③

3 공간과 입체

55쪽 쪽지시험 1회 풀이는 27쪽에

01 ㉡ **02** ㉢ **03~05**

06 7개 **07** 13개 **08** 6개
09 12개 **10** 7개

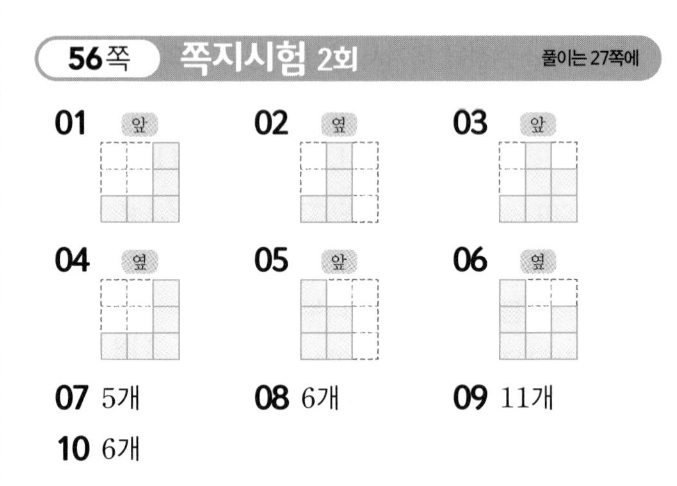

56쪽 쪽지시험 2회 풀이는 27쪽에

01 앞 **02** 옆 **03** 앞
04 옆 **05** 앞 **06** 옆

07 5개 **08** 6개 **09** 11개
10 6개

57쪽 쪽지시험 3회 풀이는 27쪽에

01 **02** **03**
04 **05** **06**

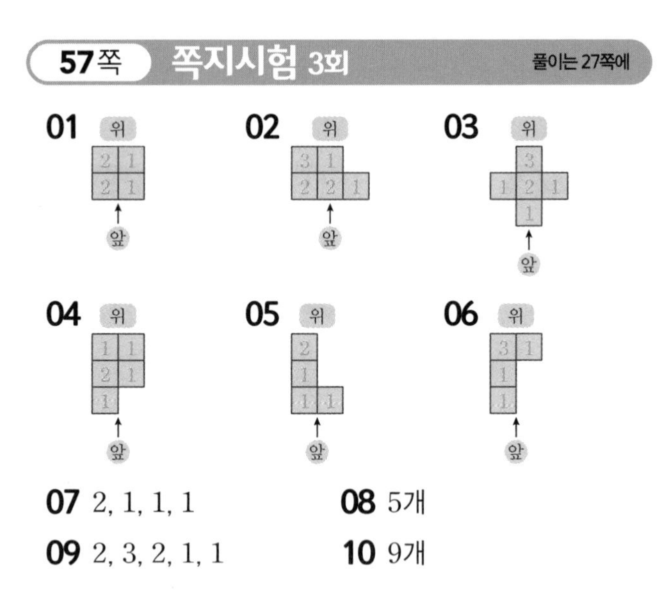

07 2, 1, 1, 1 **08** 5개
09 2, 3, 2, 1, 1 **10** 9개

58쪽 쪽지시험 4회 풀이는 27쪽에

01 **02** **03**
04 **05**

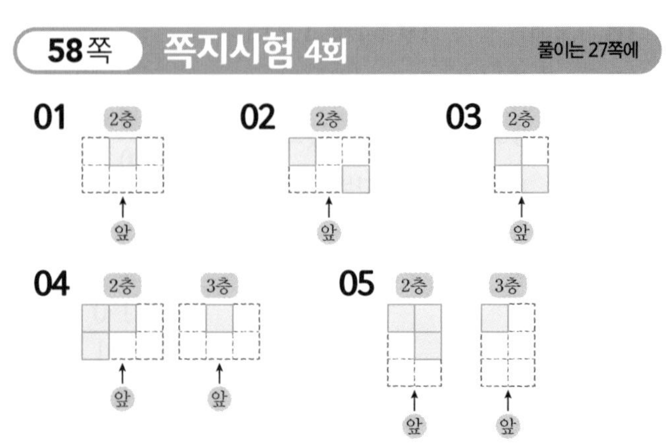

06 (○)( ) 07 (○)( ) 08 ( )(○)

09 나와 다 10 가와 다

59~61쪽 단원평가 1회

A 난이도 풀이는 28쪽에

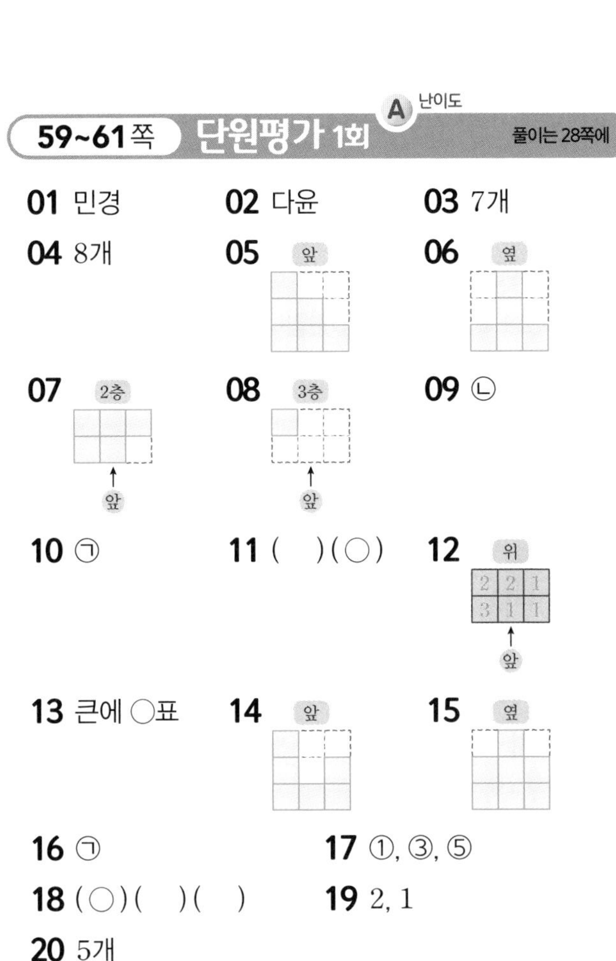

01 민경 02 다윤 03 7개

04 8개 05 앞 06 옆

07 2층 08 3층 09 ㉡

10 ㉠ 11 ( )(○) 12 위

13 큰에 ○표 14 앞 15 옆

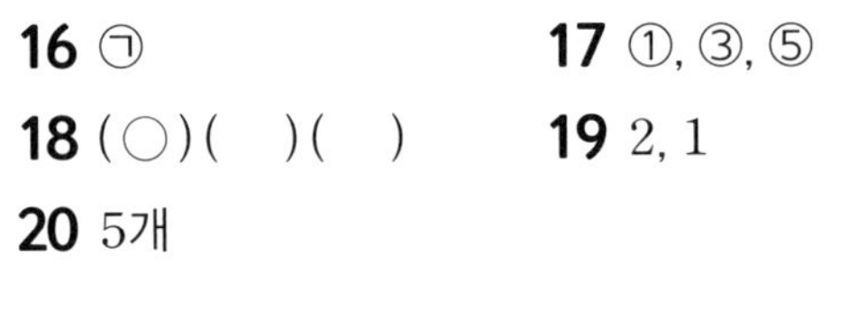

16 ㉠ 17 ①, ③, ⑤

18 (○)( )( ) 19 2, 1

20 5개

62~64쪽 단원평가 2회

A 난이도 풀이는 28쪽에

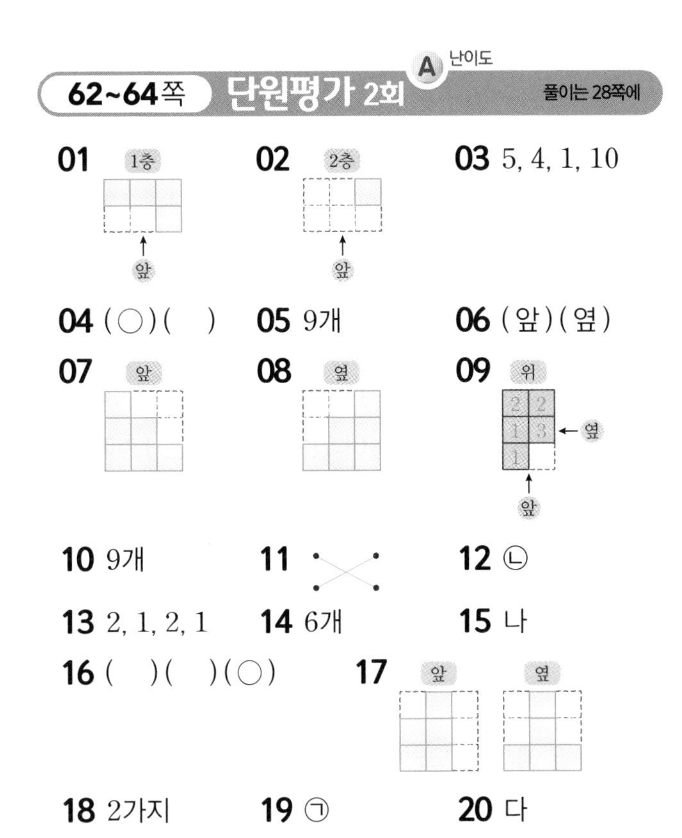

01 1층 02 2층 03 5, 4, 1, 10

04 (○)( ) 05 9개 06 (앞)(옆)

07 앞 08 옆 09 위

10 9개 11 12 ㉡

13 2, 1, 2, 1 14 6개 15 나

16 ( )( )(○) 17 앞 옆

18 2가지 19 ㉠ 20 다

65~67쪽 단원평가 3회

B 난이도 풀이는 29쪽에

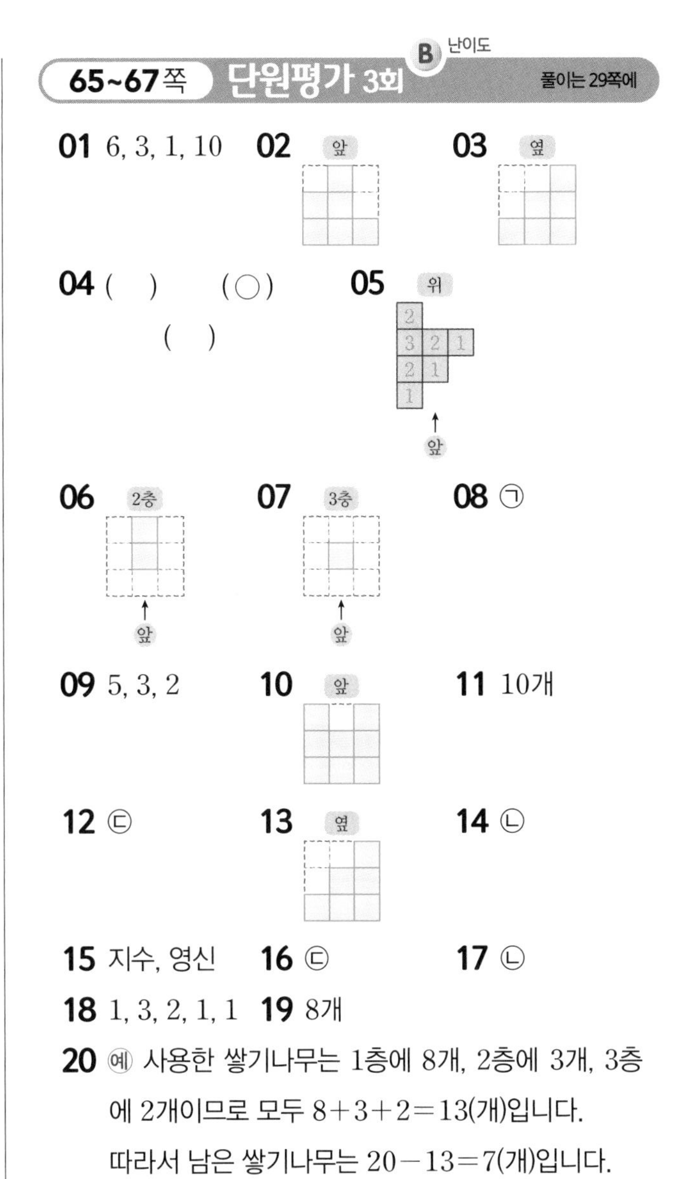

01 6, 3, 1, 10 02 앞 03 옆

04 ( ) (○) ( ) 05 위

06 2층 07 3층 08 ㉠

09 5, 3, 2 10 앞 11 10개

12 ㉢ 13 옆 14 ㉡

15 지수, 영신 16 ㉢ 17 ㉡

18 1, 3, 2, 1, 1 19 8개

20 ㊕ 사용한 쌓기나무는 1층에 8개, 2층에 3개, 3층에 2개이므로 모두 $8+3+2=13$(개)입니다.
따라서 남은 쌓기나무는 $20-13=7$(개)입니다.
; 7개

68~70쪽 단원평가 4회

B 난이도 풀이는 29쪽에

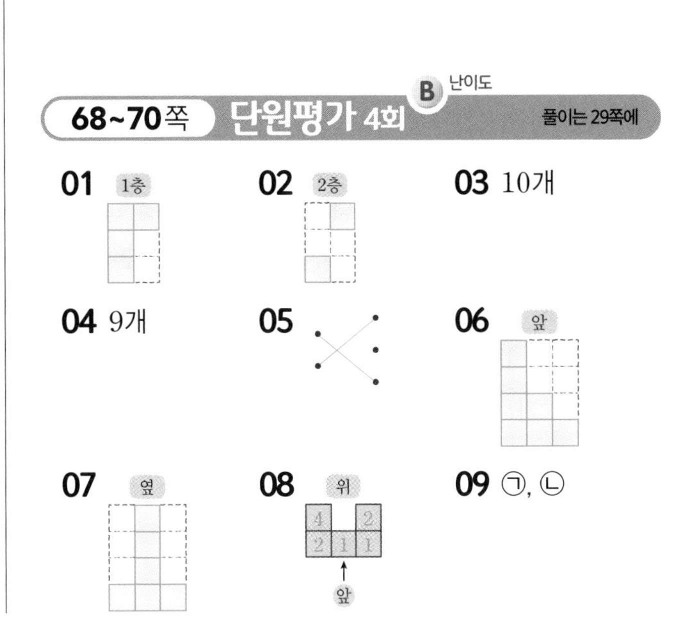

01 1층 02 2층 03 10개

04 9개 05 06 앞

07 옆 08 위 09 ㉠, ㉡

10 가　**11** 옆　**12** 위

13 9개　**14** ㉡　**15**

16 ㉡　**17** 나　**18** 6가지

19 영철, 4개

20 예 위에서 본 모양에 수를 쓰면 오른쪽과 같습니다.

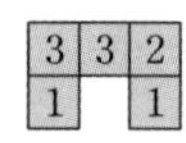

⇨ (필요한 쌓기나무의 수)
$=3+3+2+1+1=10$(개) ; 10개

71~73쪽 단원평가 5회 (난이도 C) 풀이는 30쪽에

01 ㉣　**02** 11개　**03** 앞

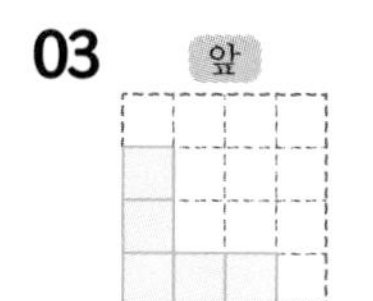

04 옆

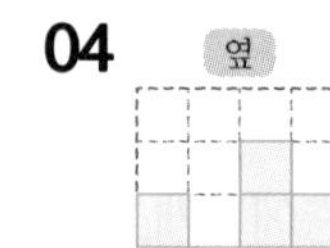

05 2층

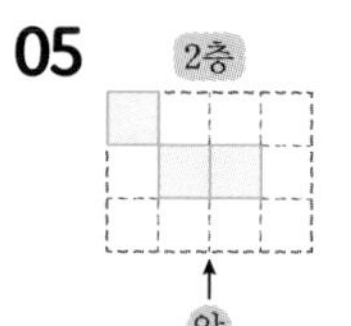

06 ㉢

07 (　)(○)(　)　**08** 옆

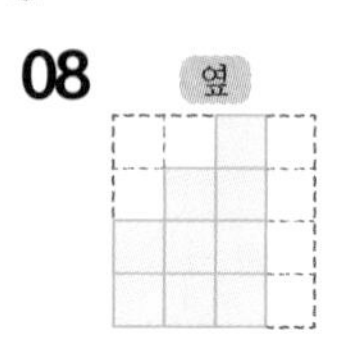

09　**10** 앞　**11** 12개

12 8개　**13** 나

14 예 가는 1층에 6개, 2층에 3개, 3층에 1개이므로 $6+3+1=10$(개)입니다.
나는 1층에 5개, 2층에 2개, 3층에 2개이므로 $5+2+2=9$(개)입니다.
따라서 10개>9개이므로 가에 더 많이 사용했습니다. ; 가

15 위　**16** ㉰, ㉱　**17** ㉢

18 ㉯, ㉮, ㉰　**19** 위

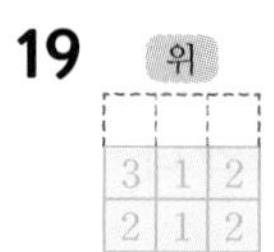

20 예 위에서 본 모양에 수를 쓰면 오른쪽과 같고 ①번 자리에는 1개 또는 2개가 놓일 수 있습니다.

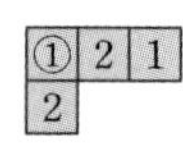

따라서 쌓기나무를 가장 많이 사용한 경우는 ①번 자리에 2개가 놓일 때이므로 사용한 쌓기나무는 모두 $2+2+2+1=7$(개)입니다. ; 7개

74~75쪽 단계별로 연습하는 서술형평가 풀이는 31쪽에

01 ❶ 위　❷ 8개

02 ❶ 6개　❷ 4개　❸ 2개　❹ 12개

03 ❶ 가 위 앞 옆
나 위 앞 옆
❷ 가　❸ 가

04 ❶ 9개, 6개, 3개　❷ 18개　❸ 3개

76~77쪽 풀이 과정을 직접 쓰는 서술형평가 풀이는 31쪽에

01 예 (필요한 쌓기나무의 수)
$=3+2+1+1+1=8$(개) ; 8개

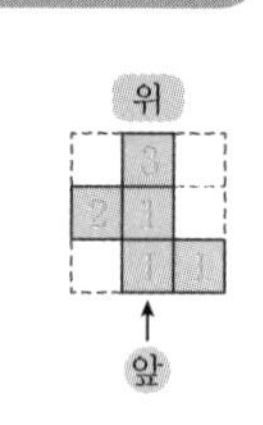

02 예 색칠된 칸의 수가 1층에 5개, 2층에 4개, 3층에 2개이므로 각 층에 놓여 있는 쌓기나무는 1층에 5개, 2층에 4개, 3층에 2개입니다.
⇨ (필요한 쌓기나무의 수)$=5+4+2=11$(개) ; 11개

03 위　앞　옆

예 옆에서 본 모양이 나의 구멍의 모양과 같으므로 모양을 넣을 수 있는 상자는 나입니다. ; 나

04 예 1층에 8개, 2층에 3개, 3층에 1개이므로 주어진 모양과 똑같이 쌓는 데 필요한 쌓기나무는 $8+3+1=12$(개)입니다.
⇨ (남는 쌓기나무의 수)$=20-12=8$(개) ; 8개

78쪽 밀크티 성취도평가 오답 베스트 5 풀이는 32쪽에

01 ㉠, ㉢
02 ㉢
03 8개
04 17개
05 ㉠, ㉣

4 비례식과 비례배분

81쪽 쪽지시험 1회 풀이는 32쪽에

01 4에 △표, 5에 ○표 **02** 6에 △표, 13에 ○표
03 2, 24 **04** (위부터) 2, 7 **05** 5, 50
06 (위부터) 7, 10 **07** 12, 4
08 9, 6, 8 **09** 10 : 21 **10** 45 : 7

82쪽 쪽지시험 2회 풀이는 32쪽에

01 비례식 **02** 4, 18에 △표, 6, 12에 ○표
03 20, 7에 △표, 70, 2에 ○표
04 3, 5, 6, 10 또는 6, 10, 3, 5
05 20, 6, 60, 18 또는 60, 18, 20, 6
06 (○)( ) **07** ( )(○) **08** 44
09 18 **10** 21

83쪽 쪽지시험 3회 풀이는 32쪽에

01 4 : ★ **02** 2 **03** 2컵
04 ★ : 40 **05** 30 cm **06** 2400
07 3 : ★ **08** 900원 **09** ★ : 7500
10 6통

84쪽 쪽지시험 4회 풀이는 33쪽에

01 7, 10, 3 ; 7, 10, 7 **02** 5, 14, 18 ; 5, 14, 10
03 8 **04** 3
05 3, 200 ; 3, 400 **06** 5, 30 ; $\frac{2}{5}$, 20
07 50, 300 **08** 77, 28
09 450, 270 **10** 42, 48

85~87쪽 단원평가 1회 A 난이도 풀이는 33쪽에

01 비율 **02** 3 **03** 9, 12
04 나누어도 **05** 9, 3 **06** 2 ; 3, 3
07 4개, 6개 **08** ( )(○)
09 (위부터) 20, 4, 4, 20 **10** 15, 8
11 5, 15 ; 2, 6 **12** 10, 72, 4, 9

13 (위부터) 3, 5 ; 10 ; 15, 5 ; 5, 5 ; 3, 1
14 24, 30
15 (선 잇기)
16 예 4 : 6, 2 : 3
17 40 : 7
18 45 ; 45 kg
19 45, 35
20 18 cm

88~90쪽 단원평가 2회 (난이도 A) 풀이는 34쪽에

01 전항, 후항
02 3, 4, 6
03 ③
04 3, 3, 4
05 54, 270 ; 30, 270
06 20, 16, 15
07 12, 12, 5, 6
08 10
09 5, 32 ; 3, 5, 48
10 ( )(○)
11 예 12 : 14, 18 : 21
12 (선 잇기)
13 2, 5, 4, 10 또는 4, 10, 2, 5
14 11 : 3
15 ②
16 4, $\frac{4}{7}$; 3, 3, $\frac{3}{7}$
17 48자루, 36자루
18 275, 55 ; 55 g
19 12, 13
20 6

91~93쪽 단원평가 3회 (난이도 B) 풀이는 34쪽에

01 내항
02 10
03 28, 21, 7
04 6, 15, 90 ; 5, 18, 90 ; =
05 3
06 20, 60, 12
07 8, 32 ; 3, 3, 11, 12
08 예 14 : 18, 28 : 36
09 1 : 3
10 5 : 3
11 ②, ③
12 15, 60
13 5 : 2=25 : 10 또는 25 : 10=5 : 2
14 7, 12, 21
15 ㉠, ㉢, ㉡
16 8, 20
17 700, 5 ; 1750원
18 나, 라
19 14개
20 예 민정이네 가족과 경선이네 가족의 사람 수의 비는 6 : 5입니다.
따라서 $66\times\frac{6}{6+5}=36$이므로 민정이네 가족이 갖게 되는 감자는 36 kg입니다. ; 36 kg

94~96쪽 단원평가 4회 (난이도 B) 풀이는 35쪽에

01 4, 18, 6, 12
02 ①
03 210, 210
04 6, 5, 30
05 (왼쪽부터) 2, 12, 3, 3
06 4, 30 ; 4, 4, 40
07 (○)( )
08 5
09 0.4
10 (선 잇기)
11 16, 20
12 630
13 4 : 7, 4 : 7
14 같습니다에 ○표
15 3 : 5=24 : 40 또는 24 : 40=3 : 5
16 125 : 104
17 16
18 39개
19 45 kg
20 지민이와 윤아의 생각은 모두 옳습니다.
; 예 지민이는 가 건물과 나 건물의 높이를 비교해 10 : 20으로 나타낸 것이고 윤아는 비의 성질을 이용하여 10 : 20의 전항과 후항을 각각 10으로 나누어 1 : 2의 간단한 자연수의 비로 나타낸 것입니다.

97~99쪽 단원평가 5회 (난이도 C) 풀이는 36쪽에

01 9에 ○표
02 100
03 93 : 35
04 36, 48
05 4 : 3
06 (선 잇기)
07 $\frac{2}{3}\left(=\frac{6}{9}\right)$
08 14명
09 15초
10 ②
11 ㉡
12 4, 20
13 16, 1, 2
14 예 (가로)+(세로)=220÷2=110 (cm)이므로
(세로)$=110\times\frac{2}{3+2}=44$ (cm)입니다. ; 44 cm
15 800원
16 예 3 : 2=9 : 6
17 예 높이를 □cm라고 하면
5 : 7=10 : □ ⇨ 5×□=7×10, □=70÷5,
□=14이므로 평행사변형의 넓이는
10×14=140 (cm^2)입니다. ; 140 cm^2
18 1시간 20분
19 5 : 4
20 21번

100~101쪽 단계별로 연습하는 서술형평가 풀이는 36쪽에

01 ❶ $\frac{2}{9}$, $\frac{5}{12}$, $\frac{2}{9}$ ❷ 2 : 9, 4 : 18

❸ 2 : 9=4 : 18 또는 4 : 18=2 : 9

02 ❶ 0.4, 10, 9, 4 ; 9 : 4

❷ $\frac{9}{10}$, 10, 9, 4 ; 9 : 4

03 ❶ 예 5 : 9, 25 : ● ❷ 45 ❸ 45 cm

04 ❶ 7, 2, $\frac{7}{9}$ ❷ 예 $1080\times\frac{7}{9}$ ❸ 840 g

102~103쪽 풀이 과정을 직접 쓰는 서술형평가 풀이는 37쪽에

01 예 비의 비율을 기약분수로 나타내어 봅니다.

3 : 4 ⇨ $\frac{3}{4}$, 15 : 8 ⇨ $\frac{15}{8}$, 9 : 12 ⇨ $\frac{9}{12}=\frac{3}{4}$,

18 : 36 ⇨ $\frac{18}{36}=\frac{1}{2}$

비율이 같은 두 비는 3 : 4와 9 : 12이므로 비례식으로 나타내면 3 : 4=9 : 12 또는 9 : 12=3 : 4입니다. ; 3 : 4=9 : 12 또는 9 : 12=3 : 4

02 예 (가의 높이) : (나의 높이)=15.5 : $21\frac{1}{2}$입니다.

후항인 $21\frac{1}{2}$을 소수로 고치면 15.5 : 21.5이므로 전항과 후항에 10을 곱하면 155 : 215가 되고 155와 215를 각각 5로 나누면 31 : 43이 됩니다. ; 31 : 43

03 예 삼각형의 높이를 ● cm라 하여 비례식을 세우면 8 : 3=● : 15이므로 3×●=8×15, 3×●=120, ●=40입니다.

따라서 삼각형의 높이는 40 cm입니다. ; 40 cm

04 예 (쿠키에 넣어야 하는 밀가루의 양)

$=1530\times\frac{4}{5+4}=1530\times\frac{4}{9}=680$ (g) ; 680 g

05 예 갑과 을이 일한 시간의 비는 5 : 9이므로 98000원을 5 : 9로 나눕니다.

따라서 갑은

$98000\times\frac{5}{5+9}=98000\times\frac{5}{14}=35000$(원),

을은 $98000\times\frac{9}{5+9}=98000\times\frac{9}{14}=63000$(원)

을 받으면 됩니다. ; 35000원, 63000원

104쪽 밀크티 성취도평가 오답 베스트 5 풀이는 37쪽에

01 ㉠, ㉣

02 ⑤

03 ④

04 24장, 40장

05 40초

5 원의 넓이

107쪽 쪽지시험 1회 풀이는 38쪽에

01 원주 **02** 3.14 **03** 3.1

04 27.9 cm **05** 18.6 cm **06** 25.12 cm

07 31.4 cm **08** 9 cm **09** 11 cm

10 15 cm

108쪽 쪽지시험 2회 풀이는 38쪽에

01 <, < **02** 8, 8, 32 ; 8, 8, 64

03 32, 64 **04** 192 cm^2 **05** 1200 cm^2

06 50.24 cm^2 **07** 314 cm^2 **08** 2826 cm^2

09 108.5 cm^2 **10** 77.5 cm^2

109~111쪽 단원평가 1회 (A 난이도) 풀이는 38쪽에

01 원주　02 　03 3.1, 3.14

04 원주율, 3, 5　05 6, 18.84　06 7, 7, 151.9

07 ○, ×　08 $<$, $>$

09 72 cm², 144 cm²　10 72, 144

11 (　)(○)　12 (　)(○)

13 원주, 지름, 반지름, 반지름　14 11 cm

15 25.12 cm　16 200.96 cm²　17 111.6 cm²

18 ⑤　19 31 cm　20 153.86 cm²

112~114쪽 단원평가 2회 (A 난이도) 풀이는 39쪽에

01 원주율　02 ③　03 21, 65.1

04 6, 6, 108　05 2, 31.4, 5　06 ④

07 28.26 cm　08 60 cm²　09 88 cm²

10 60, 88　11 49.6 cm²　12 363 cm²

13 128, 256　14 21, 7

15 12.4 m, 18.6 m　16 12.4 m², 27.9 m²

17 7　18 1.2 cm　19 675 cm²

20 252 cm²

115~117쪽 단원평가 3회 (B 난이도) 풀이는 39쪽에

01 예 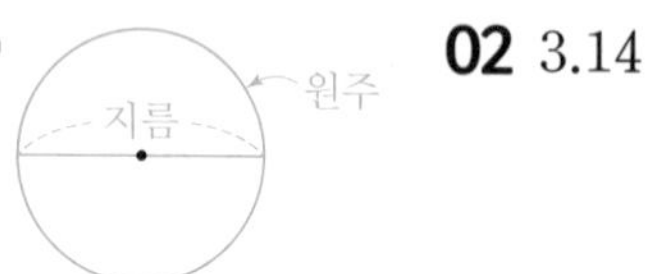

02 3.14

03 ④　04 24, 75.36　05 243 cm²

06 27.9 cm²　07 157 cm

08 원의 지름 0 1 2 3 4 5 6 7 8(cm)
원의 지름 0 1 2 3 4 5 6 7 8(cm)
예 원의 지름 0 1 2 3 4 5 6 7 8(cm)

09 3, 4　10 588 cm²　11 43.4 cm

12 3.1배　13 54 cm　14 28.26 cm²

15 16 cm　16 390.6 cm　17 ㉡

18 101.4 m　19 428.5 m²

20 예 원의 지름은 $37.2 \div 3.1 = 12$ (cm)이고 반지름은 $12 \div 2 = 6$ (cm)입니다. 따라서 원의 넓이는 $6 \times 6 \times 3.1 = 111.6$ (cm²)입니다. ; 111.6 cm²

118~120쪽 단원평가 4회 (B 난이도) 풀이는 40쪽에

01 3.14, 3.14　02 같습니다에 ○표

03 31.4 cm　04 78.5 cm²　05 18 cm

06 147 cm²　07 432 cm²

08 50 cm², 100 cm²　09 50, 100

10 40 cm　11 25.12 cm　12 15.7 cm

13 ③　14 2 cm　15 108 cm²

16 25.7 cm　17 376.8 m　18 62 cm

19 155 cm²

20 예 색칠한 부분의 넓이는 정사각형의 넓이에서 지름이 20 cm인 원의 넓이를 뺀 것과 같습니다. 원의 반지름은 $20 \div 2 = 10$ (cm)이므로 색칠한 부분의 넓이는 $20 \times 20 - 10 \times 10 \times 3 = 400 - 300 = 100$ (cm²)입니다. ; 100 cm²

121~123쪽 단원평가 5회 (C 난이도) 풀이는 41쪽에

01 47.1 cm　02 363 cm²

03 (위부터) 10, 8, 50.24, 12, 24

04 3.5 cm　05 3 cm　06 ×, ○

07 =　08 2배　09 ㉡

10 8 cm　11 8 cm　12 372 cm

13 다, 가, 나　14 2.65 cm　15 ㉢

16 108, 144

17 예 (가장 큰 원의 지름)=(정사각형의 한 변의 길이)
$=32\div4=8$ (cm),
(가장 큰 원의 반지름)$=8\div2=4$ (cm),
(가장 큰 원의 넓이)$=4\times4\times3.14=50.24$ (cm^2)
; 50.24 cm^2

18 490 cm **19** 86 cm^2

20 예 색칠한 부분의 넓이는 두 번째로 큰 원의 넓이에서 가장 작은 원의 넓이를 뺀 것과 같습니다.
두 번째로 큰 원의 반지름은 $15-5=10$ (cm)이므로 원의 넓이는 $10\times10\times3.1=310$ (cm^2)입니다.
가장 작은 원의 반지름은 $15-5-5=5$ (cm)이므로 원의 넓이는 $5\times5\times3.1=77.5$ (cm^2)입니다.
따라서 색칠한 부분의 넓이는
$310-77.5=232.5$ (cm^2)입니다. ; 232.5 cm^2

124~125쪽 단계별로 연습하는 서술형평가 풀이는 42쪽에

01 ❶ 40, 125.6 ; 125.6 cm
❷ 20, 20, 1256 ; 1256 cm^2

02 ❶ 원주 ❷ 42 cm ❸ 54 cm ❹ 96 cm

03 ❶ 68.2, 3.1, 22, 11 ; 11 cm
❷ 1240, 3.1, 400, 20 ; 20 cm ❸ ㉡

04 ❶ 10, 3, 300 ; 300 cm^2
❷ 8, 3, 144 ; 144 cm^2 ❸ 444 cm^2

126~127쪽 풀이 과정을 직접 쓰는 서술형평가 풀이는 42쪽에

01 예 (지름)$=12\times2=24$ (cm)
⇨ (원주)$=24\times3.1=74.4$ (cm)
⇨ (원의 넓이)$=12\times12\times3.1=446.4$ (cm^2)
; 74.4 cm, 446.4 cm^2

02 예 (가의 지름)$=10\times2=20$ (cm)
(가의 원주)$=20\times3.1=62$ (cm)
(나의 지름)$=6\times2=12$ (cm)
(나의 원주)$=12\times3.1=37.2$ (cm)
(가와 나에 사용된 종이띠의 길이의 차)
=(가의 원주)−(나의 원주)
$=62-37.2=24.8$ (cm) ; 24.8 cm

03 예 반지름이 길수록 원이 더 크므로 반지름을 비교해 봅니다.
준용: (반지름)$=74.4\div3.1\div2=12$ (cm),
현수: 반지름을 □cm라고 하면
$\square\times\square\times3.1=697.5$
⇨ $\square\times\square=697.5\div3.1$, $\square\times\square=225$,
$\square=15$
따라서 12 cm$<$15 cm이므로 현수가 그린 원이 더 큽니다. ; 현수

04 예 (가 모양을 만드는 데 사용한 종이의 넓이)
=(반지름이 12 cm인 원의 넓이)
$=12\times12\times3=432$ (cm^2)
(나 모양을 만드는 데 사용한 종이의 넓이)
$=\left(\text{반지름이 8 cm인 원의 넓이의 }\frac{1}{2}\right)$
$=8\times8\times3\times\frac{1}{2}=96$ (cm^2)
(모양을 만들 때 사용한 종이의 넓이)
=(가 종이의 넓이)+(나 종이의 넓이)
$=432+96=528$ (cm^2) ; 528 cm^2

128쪽 밀크티 성취도평가 오답 베스트 5 풀이는 43쪽에

01 111.6 cm^2
02 62.8 cm, 314 cm^2
03 ③
04 =
05 22.5 cm^2

6 원기둥, 원뿔, 구

131쪽 쪽지시험 1회 풀이는 43쪽에

01 가, 마 **02** (왼쪽부터) 옆면, 밑면, 높이
03 (위부터) 밑면, 높이 **04** 원기둥
05 1 cm **06** ( )(○) **07** (○)( )
08 (위부터) 2, 3 **09** (위부터) 18, 3
10 (위부터) 30, 10

132쪽 쪽지시험 2회 풀이는 43쪽에

01 나, 마　02 라, 바
03 (왼쪽부터) 모선, 높이
04 (왼쪽부터) 구의 중심, 구의 반지름
05 구　06 8 cm　07 10 cm
08 12 cm　09 원뿔　10 5 cm

133~135쪽 단원평가 1회 A 난이도 풀이는 44쪽에

01 원기둥　02 원기둥의 전개도
03 (위부터) 원뿔의 꼭짓점, 옆면, 밑면
04 (위부터) 밑면, 옆면, 밑면　05 마
06 다　07 나　08 나
09 높이에 ○표　10 구의 중심　11 원기둥
12 나　13  
14 　15 원에 ○표 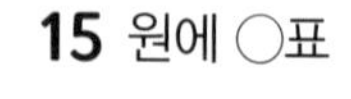
16 ④　17 8 cm　18 은경
19 25.12 cm　20 10 cm

136~138쪽 단원평가 2회 A 난이도 풀이는 44쪽에

01 　02 높이
03 ①　04 ②　05 ③
06
07 (위부터) 원뿔의 꼭짓점, 모선
08 구　09 ②　10 ㉡
11 ③　12 다　13 ㉢
14 　15 5 cm, 4 cm, 6 cm
16 지름　17 5 cm　18 4 cm
19 구　20 12 cm

139~141쪽 단원평가 3회 B 난이도 풀이는 45쪽에

01 구　02 나, 마
03 (왼쪽부터) 높이, 옆면, 밑면
04 6 cm　05 4 cm　06 원뿔
07 나　08 선분 ㄱㄹ, 선분 ㄴㄷ
09 원기둥의 높이　10 12 cm
11 4 cm　12 (위부터) 삼각형, 삼각형
13 ③　14 ㉢　15 ㉠
16 24.8 cm
17 수지 ; 예 모선의 길이는 꼭짓점에서 밑면인 원의 둘레의 한 점을 이은 선분의 길이이니까 5 cm라고 할 수 있어.
18 12 cm　19 14 cm, 10 cm　20 62

142~144쪽 단원평가 4회 B 난이도 풀이는 46쪽에

01 (△)(　)(○)
02 (왼쪽부터) 모선, 옆면, 원뿔의 꼭짓점, 높이, 밑면
03 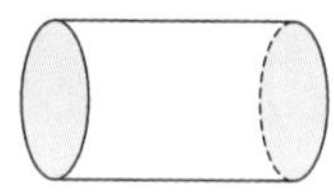
04 (왼쪽부터) 구의 중심, 구의 반지름
05 원, 직사각형　06 9
07 　08 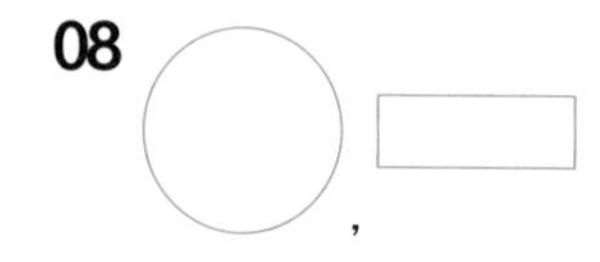
09 ㉠　10 ㉠, ㉤　11 구
12 ㉠　13 (위부터) 2, 원 ; 1, 사각형
14 예 두 밑면이 합동이 아닙니다.
15 (왼쪽부터) 31.4, 10, 10　16 9 cm
17 4.5 cm　18 (위부터) 5, 6
19 (위부터) 6, 5　20 ㉮, 1 cm

145~147쪽 단원평가 5회 C 난이도 풀이는 46쪽에

01 원기둥의 전개도　02 ㉢, ㉣

03 (선 잇기)　04 예 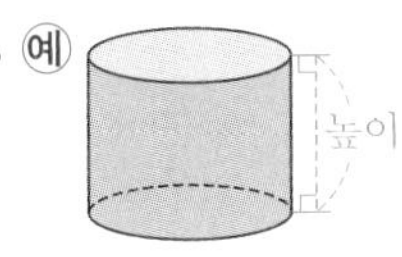

05 구의 중심, 구의 반지름

06 선분 ㄱㄴ, 선분 ㄱㄷ, 선분 ㄱㅁ, 선분 ㄱㅂ

07 원뿔　08 (선 잇기) ; (위부터) 5, 4, 6

09 18 cm　10 (왼쪽부터) 2, 6, 12

11 ㉢　12 ⑤　13 지혜

14 예 두 밑면이 서로 평행하지만 합동이 아닙니다.

15 3 cm, 4 cm　16 8 cm

17 원기둥, 6 cm

18 예 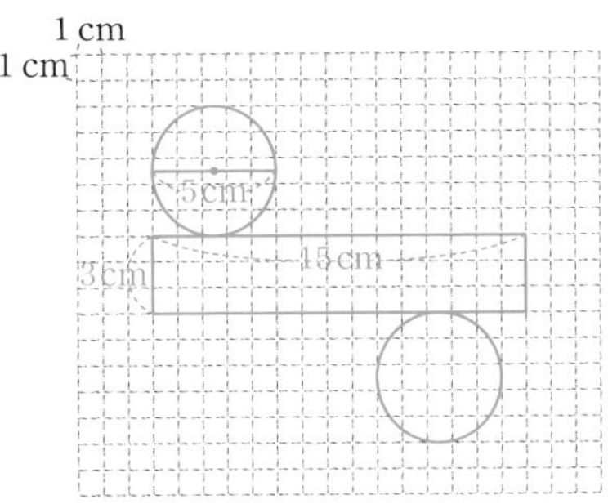

19 6 cm

20 예 모선의 길이는 5 cm로 모두 같으므로 입체도형을 앞에서 보았을 때 생기는 모양은 오른쪽과 같이 네 변의 길이가 5 cm인 마름모입니다.

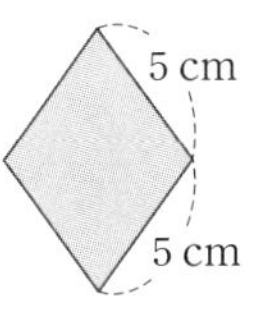

⇨ (둘레) $=5\times4=20$ (cm) ; 20 cm

148~149쪽 단계별로 연습하는 서술형평가 풀이는 47쪽에

01 ❶ 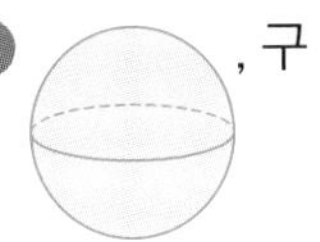, 구

❷ 같으므로에 ○표, 셀 수 없이 많습니다에 ○표

❸ 진수

02 ❶ 원, 굽은에 ○표

❷ 원뿔에 ○표, 원기둥에 ○표 ; 2, 1

03 ❶ 원, 직사각형, 마주 보게

❷ 예 나란히 그려져 있으므로

04 ❶ 밑면에 ○표　❷ 14 cm　❸ 14 cm

❹ 14 cm

150~151쪽 풀이 과정을 직접 쓰는 서술형평가 풀이는 48쪽에

01 동현 ; 예 원기둥에는 꼭짓점이 없습니다.

따라서 잘못 말한 학생은 동현입니다.

02 원기둥, 각기둥 ; 예 밑면의 모양이 원기둥은 원이고 각기둥은 다각형입니다.

각기둥은 옆면이 직사각형이지만 원기둥은 옆면이 굽은 면입니다.

03 예 원지가 그린 전개도는 두 밑면이 합동이 아닙니다. 동규가 그린 전개도는 옆면이 직사각형이 아닙니다.

04 예 블록의 밑면의 지름은 반지름의 2배이므로 $8\times2=16$ (cm)입니다.

블록을 앞에서 본 모양이 직사각형이므로 직사각형의 가로는 블록의 밑면의 지름과 같고 세로는 블록의 높이와 같습니다. 이때 세로가 가로보다 3 cm 더 길므로 블록의 높이는 밑면의 지름보다 3 cm 더 깁니다.

따라서 블록의 높이는 $16+3=19$ (cm)입니다.

; 16 cm, 19 cm

152쪽 밀크티 성취도평가 오답 베스트 5 풀이는 48쪽에

01 15 cm

02 ③

03 17 cm, 15 cm

04 24.8 cm

05 ⑤

정답 및 풀이

1 분수의 나눗셈

3쪽 쪽지시험 1회

01 4, 2　**02** 4, 3, $1\frac{1}{3}\left(=\frac{4}{3}\right)$

03 9, 3, 3　**04** 3, 5　**05** 3, $1\frac{2}{3}\left(=\frac{5}{3}\right)$

06 5　**07** $1\frac{4}{7}\left(=\frac{11}{7}\right)$　**08** $1\frac{2}{3}\left(=\frac{5}{3}\right)$

09 =　**10** <

07 $\frac{11}{12}\div\frac{7}{12}=11\div7=\frac{11}{7}=1\frac{4}{7}$

10 $\frac{5}{11}\div\frac{4}{11}=5\div4=\frac{5}{4}=1\frac{1}{4}$, $\frac{5}{8}\div\frac{1}{8}=5\div1=5$

4쪽 쪽지시험 2회

01 6　**02** 8　**03** 4, 4, $\frac{9}{4}$, $2\frac{1}{4}$

04 12, 12, 3　**05** 3, 3, 2

06 예 $\frac{7}{15}\div\frac{7}{30}=\frac{14}{30}\div\frac{7}{30}=14\div7=2$

07 예 $\frac{33}{40}\div\frac{5}{8}=\frac{33}{40}\div\frac{25}{40}=33\div25=\frac{33}{25}=1\frac{8}{25}$

08 예 $\frac{11}{12}\div\frac{5}{6}=\frac{11}{12}\div\frac{10}{12}=11\div10=\frac{11}{10}=1\frac{1}{10}$

09 2　**10** 3

09 $\frac{3}{4}\div\frac{3}{8}=\frac{6}{8}\div\frac{3}{8}=6\div3=2$

10 $\frac{1}{4}\div\frac{1}{12}=\frac{3}{12}\div\frac{1}{12}=3\div1=3$

5쪽 쪽지시험 3회

01 2, 20　**02** 6, 14

03 $6\div\frac{3}{5}=(6\div3)\times5=10$

04 $14\div\frac{7}{10}=(14\div7)\times10=20$

05 $27\div\frac{9}{11}=(27\div9)\times11=33$　**06** $\frac{3}{2}$

07 $\frac{9}{5}$　**08** $1\frac{3}{5}\left(=\frac{8}{5}\right)$　**09** $\frac{3}{4}$　**10** $\frac{1}{2}$

08 $\frac{4}{5}\div\frac{1}{2}=\frac{4}{5}\times2=\frac{8}{5}=1\frac{3}{5}$

09 $\frac{2}{3}\div\frac{8}{9}=\frac{\overset{1}{\cancel{2}}}{\underset{1}{\cancel{3}}}\times\frac{\overset{3}{\cancel{9}}}{\underset{4}{\cancel{8}}}=\frac{3}{4}$

10 $\frac{5}{16}\div\frac{5}{8}=\frac{\overset{1}{\cancel{5}}}{\underset{2}{\cancel{16}}}\times\frac{\overset{1}{\cancel{8}}}{\underset{1}{\cancel{5}}}=\frac{1}{2}$

6쪽 쪽지시험 4회

01 방법 1 3, 2, 3, $1\frac{1}{2}$　방법 2 $\frac{5}{2}$, 3, $1\frac{1}{2}$

02 방법 1 28, 28, 28, 4, $1\frac{1}{3}$　방법 2 $\frac{4}{7}$, 4, $1\frac{1}{3}$

03 $4\frac{1}{5}\div\frac{7}{8}=\frac{21}{5}\div\frac{7}{8}=\frac{\overset{3}{\cancel{21}}}{5}\times\frac{8}{\underset{1}{\cancel{7}}}=\frac{24}{5}=4\frac{4}{5}$

04 $2\frac{6}{7}\div\frac{5}{21}=\frac{20}{7}\div\frac{5}{21}=\frac{\overset{4}{\cancel{20}}}{\underset{1}{\cancel{7}}}\times\frac{\overset{3}{\cancel{21}}}{\underset{1}{\cancel{5}}}=12$

05 $2\frac{1}{12}\left(=\frac{25}{12}\right)$　**06** $\frac{24}{55}$　**07** $\frac{3}{20}$

08 $5\frac{7}{9}\left(=\frac{52}{9}\right)$　**09** $4\frac{2}{3}\left(=\frac{14}{3}\right)$　**10** 9

05 $\frac{5}{6}\div\frac{2}{5}=\frac{5}{6}\times\frac{5}{2}=\frac{25}{12}=2\frac{1}{12}$

07 $\frac{2}{15}\div\frac{8}{9}=\frac{\overset{1}{\cancel{2}}}{\underset{5}{\cancel{15}}}\times\frac{\overset{3}{\cancel{9}}}{\underset{4}{\cancel{8}}}=\frac{3}{20}$

08 $4\frac{4}{9}\div\frac{10}{13}=\frac{40}{9}\div\frac{10}{13}=\frac{\overset{4}{\cancel{40}}}{9}\times\frac{13}{\underset{1}{\cancel{10}}}=\frac{52}{9}=5\frac{7}{9}$

09 $3\frac{1}{2}\div\frac{3}{4}=\frac{7}{2}\div\frac{3}{4}=\frac{7}{\underset{1}{\cancel{2}}}\times\frac{\overset{2}{\cancel{4}}}{3}=\frac{14}{3}=4\frac{2}{3}$

7~9쪽 단원평가 1회 (A 난이도)

01 5, 5　**02** 2, 3

03 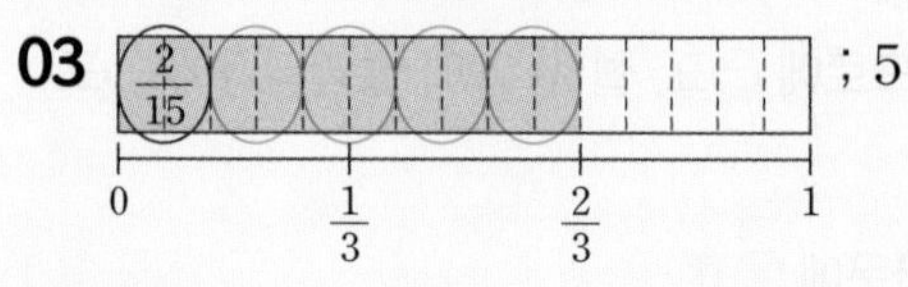

; 5

04 $\frac{10}{16}$, 10, 10, $3\frac{1}{3}$　**05** 4, 10

06 3, 3, 5, $\frac{5}{6}$

07 $\frac{15}{16}\div\frac{9}{20}=\frac{\overset{5}{\cancel{15}}}{\underset{4}{\cancel{16}}}\times\frac{\overset{5}{\cancel{20}}}{\underset{3}{\cancel{9}}}=\frac{25}{12}=2\frac{1}{12}$

08 $\frac{13}{18}$ **09** $1\frac{5}{16}\left(=\frac{21}{16}\right)$ **10** $\frac{2}{3}$

11 $<$ **12** ④ **13** $\frac{7}{8}$

14 $1\frac{5}{6}\div\frac{5}{7}=\frac{11}{6}\div\frac{5}{7}=\frac{11}{6}\times\frac{7}{5}=\frac{77}{30}=2\frac{17}{30}$

15 ㉡ **16** $1\frac{1}{3}\left(=\frac{4}{3}\right)$ **17**

18 $\frac{20}{63}$ **19** $6\frac{1}{2}\left(=\frac{13}{2}\right)$ **20** 5일

08 $\frac{5}{9}\div\frac{10}{13}=\frac{\overset{1}{\cancel{5}}}{9}\times\frac{13}{\underset{2}{\cancel{10}}}=\frac{13}{18}$

10 $1\frac{2}{5}\div2\frac{1}{10}=\frac{7}{5}\div\frac{21}{10}=\frac{\overset{1}{\cancel{7}}}{\underset{1}{\cancel{5}}}\times\frac{\overset{2}{\cancel{10}}}{\underset{3}{\cancel{21}}}=\frac{2}{3}$

11 $14\div\frac{7}{8}=(14\div7)\times8=16$

$10\div\frac{5}{11}=(10\div5)\times11=22$ ⇨ $16<22$

12 ① $\frac{1}{2}$ ② $\frac{1}{2}$ ③ $\frac{5}{7}$ ④ 2 ⑤ $\frac{7}{11}$

13 ㉠÷㉡$=\frac{3}{4}\div\frac{6}{7}=\frac{\overset{1}{\cancel{3}}}{4}\times\frac{7}{\underset{2}{\cancel{6}}}=\frac{7}{8}$

14 나눗셈을 곱셈으로 나타낼 때는 나누는 수의 분모와 분자를 바꾸어야 합니다.

15 ㉠ $21\div\frac{7}{8}=(21\div7)\times8=24$

㉡ $12\div\frac{4}{9}=(12\div4)\times9=27$ ⇨ ㉠<㉡

17 $\frac{8}{9}\div\frac{4}{15}=\frac{\overset{2}{\cancel{8}}}{\underset{3}{\cancel{9}}}\times\frac{\overset{5}{\cancel{15}}}{\underset{1}{\cancel{4}}}=\frac{10}{3}=3\frac{1}{3}$

$3\frac{3}{4}\div\frac{2}{7}=\frac{15}{4}\div\frac{2}{7}=\frac{15}{4}\times\frac{7}{2}=\frac{105}{8}=13\frac{1}{8}$

18 $\square=\frac{5}{21}\div\frac{3}{4}=\frac{5}{21}\times\frac{4}{3}=\frac{20}{63}$

19 $5\div\frac{10}{13}=\overset{1}{\cancel{5}}\times\frac{13}{\underset{2}{\cancel{10}}}=\frac{13}{2}=6\frac{1}{2}$

20 (우유를 마실 수 있는 날수)

$=1\frac{1}{9}\div\frac{2}{9}=\frac{10}{9}\div\frac{2}{9}=10\div2=5$(일)

10~12쪽 단원평가 2회 (A 난이도)

01 8, 4, 2 **02** 2 ; 6 ; 3, 6 **03** 2, 3, 6

04 14, 2, 7 **05** 2, $\frac{5}{2}$ **06** 2

07 $1\frac{1}{4}\left(=\frac{5}{4}\right)$

08 $2\frac{1}{4}\div\frac{3}{5}=\frac{9}{4}\div\frac{3}{5}=\frac{\overset{3}{\cancel{9}}}{4}\times\frac{5}{\underset{1}{\cancel{3}}}=\frac{15}{4}=3\frac{3}{4}$

09 $6\frac{1}{2}\div\frac{4}{5}=\frac{13}{2}\div\frac{4}{5}=\frac{13}{2}\times\frac{5}{4}=\frac{65}{8}=8\frac{1}{8}$

10 $5\frac{7}{9}\left(=\frac{52}{9}\right)$ **11** 22 **12** 18

13 $10\frac{1}{2}\left(=\frac{21}{2}\right)$ **14** $>$ **15** 상우

16 ㉠ **17** ② **18** 6개

19 $4\frac{3}{8}\left(=\frac{35}{8}\right)$배 **20** 8명

02 $\frac{1}{3}$은 $\frac{2}{3}$를 2로 나눈 것과 같고 1은 $\frac{1}{3}$의 3배입니다.

10 $\frac{8}{9}\div\frac{2}{13}=\frac{\overset{4}{\cancel{8}}}{9}\times\frac{13}{\underset{1}{\cancel{2}}}=\frac{52}{9}=5\frac{7}{9}$

11 $18\div\frac{9}{11}=(18\div9)\times11=22$

12 $\frac{7}{2}\div\frac{5}{8}=\frac{7}{\underset{1}{\cancel{2}}}\times\frac{\overset{4}{\cancel{8}}}{5}=\frac{28}{5}=5\frac{3}{5}$

⇨ ㉠=5, ㉡=8, ㉢=5이므로

㉠+㉡+㉢=5+8+5=18입니다.

13 $5\frac{1}{4}\div\frac{1}{2}=\frac{21}{4}\div\frac{1}{2}=\frac{21}{\underset{2}{\cancel{4}}}\times\overset{1}{\cancel{2}}=\frac{21}{2}=10\frac{1}{2}$

14 $15\div\frac{3}{8}=40$, $3\frac{7}{16}\div\frac{1}{4}=13\frac{3}{4}$ ⇨ $40>13\frac{3}{4}$

15 지혜 : $\frac{16}{21}\div\frac{4}{7}=\frac{\overset{4}{\cancel{16}}}{\underset{3}{\cancel{21}}}\times\frac{\overset{1}{\cancel{7}}}{\underset{1}{\cancel{4}}}=\frac{4}{3}=1\frac{1}{3}$

16 ㉠ 2 ㉡ $\frac{5}{6}$ ㉢ $5\frac{1}{2}$

17 나누어지는 수가 나누는 수보다 크면 계산 결과가 1보다 큽니다.

① $\frac{1}{4}<\frac{1}{2}$ ② $\frac{3}{4}>\frac{2}{5}$ ③ $\frac{5}{8}<\frac{5}{6}$

④ $\frac{4}{7}<1\frac{1}{3}$ ⑤ $\frac{1}{4}<\frac{4}{5}$

18 (필요한 컵 수)

$=\frac{12}{13}\div\frac{2}{13}=12\div2=6$(개)

19 (㉯ 색 테이프의 길이)÷(㉮ 색 테이프의 길이)

$=3\frac{1}{8}\div\frac{5}{7}=\frac{\overset{5}{\cancel{25}}}{8}\times\frac{7}{\underset{1}{\cancel{5}}}=\frac{35}{8}=4\frac{3}{8}$ (배)

20 (나누어 줄 수 있는 사람 수)

$=4\frac{4}{5}\div\frac{3}{5}=\frac{24}{5}\div\frac{3}{5}=24\div3=8$(명)

13~15쪽 단원평가 3회 (B 난이도)

01 예 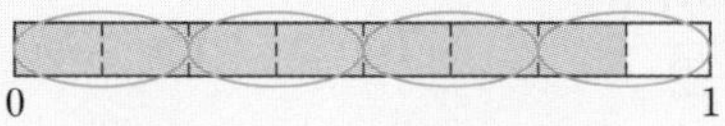 ; $3\frac{1}{2}\left(=\frac{7}{2}\right)$

02 3, 10, $3\frac{1}{3}$ **03** ㉠

04 $40\div\frac{8}{9}=(40\div8)\times9=45$

05 방법 1 16, 4 방법 2 7, 4 **06** 15

07 $4\frac{16}{21}\left(=\frac{100}{21}\right)$ **08** 20 **09** 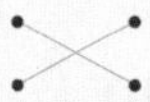

10 $\frac{10}{11}$, $\frac{2}{11}$, 5 **11** $8\frac{1}{3}\left(=\frac{25}{3}\right)$ **12** ㉠

13 > **14** ③ **15** ㉢ **16** $\frac{2}{3}$, $\frac{10}{27}$

17 방법 1 예 $\frac{16}{25}\div\frac{4}{5}=\frac{16}{25}\div\frac{20}{25}=16\div20=\frac{16}{20}=\frac{4}{5}$

방법 2 예 $\frac{16}{25}\div\frac{4}{5}=\frac{\overset{4}{\cancel{16}}}{\underset{5}{\cancel{25}}}\times\frac{\overset{1}{\cancel{5}}}{\underset{1}{\cancel{4}}}=\frac{4}{5}$

18 3개 **19** $3\frac{8}{9}\left(=\frac{35}{9}\right)$배 **20** $\frac{7}{12}$ km

08 $24\div\frac{6}{5}=(24\div6)\times5=20$

09 $\frac{12}{13}\div\frac{7}{13}=12\div7=\frac{12}{7}=1\frac{5}{7}$

$\frac{8}{9}\div\frac{5}{9}=8\div5=\frac{8}{5}=1\frac{3}{5}$

10 $\frac{10}{11}$에서 $\frac{2}{11}$를 5번 덜어 낼 수 있습니다.

11 $6\frac{2}{3}\div\frac{4}{5}=\frac{20}{3}\div\frac{4}{5}=\frac{\overset{5}{\cancel{20}}}{3}\times\frac{5}{\underset{1}{\cancel{4}}}=\frac{25}{3}=8\frac{1}{3}$

12 ㉠ 24 ㉡ 56 ㉢ 40

13 $6\div\frac{3}{10}=20$, $22\frac{1}{2}\div1\frac{2}{3}=13\frac{1}{2}$ ⇨ $20>13\frac{1}{2}$

14 나누는 수가 $\frac{3}{5}$으로 같으므로 나누어지는 수가 클수록 몫이 큽니다.

15 ㉠ $\frac{14}{15}$ ㉡ $1\frac{17}{39}$ ㉢ 18

16 $1\frac{2}{9}\div1\frac{5}{6}=\frac{11}{9}\div\frac{11}{6}=\frac{\overset{1}{\cancel{11}}}{\underset{3}{\cancel{9}}}\times\frac{\overset{2}{\cancel{6}}}{\underset{1}{\cancel{11}}}=\frac{2}{3}$,

$\frac{4}{9}\div\frac{6}{5}=\frac{\overset{2}{\cancel{4}}}{9}\times\frac{5}{\underset{3}{\cancel{6}}}=\frac{10}{27}$

18 $8\div\frac{4}{7}=(8\div4)\times7=14$이므로 $14<\square<18$입니다. 따라서 □ 안에 들어갈 수 있는 자연수는 15, 16, 17로 모두 3개입니다.

19 (지현이가 먹은 피자 양)÷(영준이가 먹은 피자 양)

$=\frac{7}{9}\div\frac{1}{5}=\frac{35}{45}\div\frac{9}{45}=35\div9=\frac{35}{9}=3\frac{8}{9}$(배)

20 (1분 동안 간 거리)

$=6\frac{3}{10}\div10\frac{4}{5}=\frac{63}{10}\div\frac{54}{5}$

$=\frac{\overset{7}{\cancel{63}}}{\underset{2}{\cancel{10}}}\times\frac{\overset{1}{\cancel{5}}}{\underset{6}{\cancel{54}}}=\frac{7}{12}$ (km)

16~18쪽 단원평가 4회 (B 난이도)

01 3 **02** 3, 3

03 4, $\frac{5}{4}$ **04** 7, $\frac{7}{6}$

05 방법 1 8, $\frac{15}{8}$, $1\frac{7}{8}$ 방법 2 $\frac{17}{8}$, 15, $1\frac{7}{8}$

06 $\frac{9}{14}$ **07** $4\frac{4}{5}\left(=\frac{24}{5}\right)$ **08** 14

09 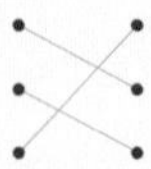 **10** 18 **11** $1\frac{5}{16}\left(=\frac{21}{16}\right)$

12 > **13** ㉠ **14** 80

15 ④ **16** 5배

17 방법 1 예 $2\frac{5}{6}\div\frac{2}{3}=\frac{17}{6}\div\frac{2}{3}=\frac{17}{6}\div\frac{4}{6}$

$=17\div4=\frac{17}{4}=4\frac{1}{4}$

방법 2 예 $2\frac{5}{6}\div\frac{2}{3}$

$=\frac{17}{6}\div\frac{2}{3}=\frac{17}{\underset{2}{\cancel{6}}}\times\frac{\overset{1}{\cancel{3}}}{2}=\frac{17}{4}=4\frac{1}{4}$

18 2 kg　　**19** $52\frac{1}{2}\left(=\frac{105}{2}\right)$ cm

20 예 $(\text{세로})=10\frac{2}{5}\div4\frac{1}{3}=\frac{52}{5}\div\frac{13}{3}$

$=\frac{\overset{4}{\cancel{52}}}{5}\times\frac{3}{\underset{1}{\cancel{13}}}=\frac{12}{5}=2\frac{2}{5}$ (m)

; $2\frac{2}{5}\left(=\frac{12}{5}\right)$ m

08 $4\div\frac{2}{7}=(4\div2)\times7=14$

09 분모가 같은 분수의 나눗셈은 분자끼리 나누어 계산합니다.

11 $1\frac{1}{6}\div\frac{8}{9}=\frac{7}{6}\div\frac{8}{9}=\frac{7}{\underset{2}{\cancel{6}}}\times\frac{\overset{3}{\cancel{9}}}{8}=\frac{21}{16}=1\frac{5}{16}$

12 $\frac{17}{6}\div\frac{2}{3}=4\frac{1}{4}$, $3\frac{1}{9}\div2\frac{4}{5}=1\frac{1}{9}$ ⇨ $4\frac{1}{4}>1\frac{1}{9}$

13 ㉠ 35　㉡ 27　㉢ 10 ⇨ ㉠>㉡>㉢

14 $\square=35\div\frac{7}{16}=(35\div7)\times16=80$

15 (나누어지는 수)<(나누는 수)일 때 계산 결과는 1보다 작습니다.

16 ㉠ 6　㉡ 30 ⇨ ㉡÷㉠=30÷6=5(배)

17 분모를 통분하여 분자끼리 나누거나 분수의 곱셈으로 바꾸어 계산합니다.

18 (고무관 1 m의 무게)

$=1\frac{1}{2}\div\frac{3}{4}=\frac{3}{2}\div\frac{3}{4}=\frac{\overset{1}{\cancel{3}}}{\underset{1}{\cancel{2}}}\times\frac{\overset{2}{\cancel{4}}}{\underset{1}{\cancel{3}}}=2$ (kg)

19 $3\frac{1}{2}\div\frac{1}{15}=\frac{7}{2}\times15=\frac{105}{2}=52\frac{1}{2}$ (cm)

19~21쪽 단원평가 5회

난이도

01 4, 8, 2　　**02** 25, 25, $\frac{12}{25}$

03 $\frac{6}{5}$, $\frac{12}{25}$　　**04** $8\div\frac{2}{11}=(8\div2)\times11=44$

05 $1\frac{1}{7}\left(=\frac{8}{7}\right)$　　**06** $2\frac{8}{11}\left(=\frac{30}{11}\right)$

07 예 나눗셈을 곱셈으로 바꿀 때 $\frac{8}{15}$을 $\frac{15}{8}$로 바꾸지 않았습니다. ; $\frac{14}{9}\div\frac{8}{15}=\frac{\overset{7}{\cancel{14}}}{\underset{3}{\cancel{9}}}\times\frac{\overset{5}{\cancel{15}}}{\underset{4}{\cancel{8}}}=\frac{35}{12}=2\frac{11}{12}$

08 9　　**09**　　**10** >

11 2개　　**12** ②　　**13** ㉠, ㉢, ㉡

14 80　　**15** 105개

16 $3\frac{1}{2}\left(=\frac{7}{2}\right)$ cm　　**17** $12\frac{4}{9}\left(=\frac{112}{9}\right)$ km

18 $\frac{8}{9}\div\frac{4}{9}$　　**19** $1\frac{9}{10}\left(=\frac{19}{10}\right)$

20 예 (한 개의 유리병에 담은 우유의 양)

$=5\frac{2}{5}\div3=\frac{27}{5}\div3=\frac{\overset{9}{\cancel{27}}}{5}\times\frac{1}{\underset{1}{\cancel{3}}}=\frac{9}{5}=1\frac{4}{5}$ (L)

(필요한 컵의 수)

$=1\frac{4}{5}\div\frac{3}{20}=\frac{9}{5}\div\frac{3}{20}=\frac{\overset{3}{\cancel{9}}}{\underset{1}{\cancel{5}}}\times\frac{\overset{4}{\cancel{20}}}{\underset{1}{\cancel{3}}}=12$(개)

; 12개

09 $3\frac{1}{2}\div\frac{7}{12}=\frac{7}{2}\div\frac{7}{12}=\frac{\overset{1}{\cancel{7}}}{\underset{1}{\cancel{2}}}\times\frac{\overset{6}{\cancel{12}}}{\underset{1}{\cancel{7}}}=6$

$\frac{3}{4}\div\frac{5}{22}=\frac{3}{\underset{2}{\cancel{4}}}\times\frac{\overset{11}{\cancel{22}}}{5}=\frac{33}{10}=3\frac{3}{10}$

10 $4\frac{4}{5}\div1\frac{1}{5}=4$, $\frac{11}{12}\div2\frac{1}{4}=\frac{11}{27}$ ⇨ $4>\frac{11}{27}$

11 $1\frac{5}{9}\div\frac{2}{3}=\frac{\overset{7}{\cancel{14}}}{\underset{3}{\cancel{9}}}\times\frac{\overset{1}{\cancel{3}}}{\underset{1}{\cancel{2}}}=\frac{7}{3}=2\frac{1}{3}$

⇨ $2\frac{1}{3}>\square$이므로 $\square$ 안에 들어갈 수 있는 자연수는 1, 2로 2개입니다.

12 나누는 수가 $\frac{7}{9}$보다 작으면 계산 결과는 $\frac{7}{9}$보다 큽니다.

13 ㉠ 4　㉡ $1\frac{2}{9}$　㉢ $1\frac{3}{8}$ ⇨ $4>1\frac{3}{8}>1\frac{2}{9}$

14 $8\div\frac{1}{12}=8\times12=96$이므로 $㉠\times\frac{6}{5}=96$입니다.

⇨ $㉠=96\div\frac{6}{5}=(96\div6)\times5=80$

15 (만들 수 있는 케이크의 수)

$=30\div\frac{2}{7}=(30\div2)\times7=105$(개)

16 $(\text{높이})=10\frac{3}{4}\div3\frac{1}{14}=\frac{43}{4}\div\frac{43}{14}$

$=\frac{\overset{1}{\cancel{43}}}{\underset{2}{\cancel{4}}}\times\frac{\overset{7}{\cancel{14}}}{\underset{1}{\cancel{43}}}=\frac{7}{2}=3\frac{1}{2}$ (cm)

17 (휘발유 1 L로 갈 수 있는 거리)

$=11\frac{1}{5}\div\frac{9}{10}=\frac{56}{5}\times\frac{10}{9}=\frac{112}{9}=12\frac{4}{9}$ (km)

18 분모가 10보다 작은 진분수가 되려면 두 분수의 분모는 9이어야 하므로 분수의 나눗셈식은 $\frac{8}{9}\div\frac{4}{9}$입니다.

19 어떤 수를 □라고 하면 $\square\times2\frac{1}{2}=11\frac{7}{8}$,

$\square=11\frac{7}{8}\div2\frac{1}{2}=\frac{95}{8}\times\frac{2}{5}=\frac{19}{4}$입니다.

따라서 바르게 계산하면

$\frac{19}{4}\div2\frac{1}{2}=\frac{19}{4}\times\frac{2}{5}=\frac{19}{10}=1\frac{9}{10}$입니다.

22~23쪽 단계별로 연습하는 서술형평가

01 ❶ 예 $\frac{20}{28}$, $\frac{21}{28}$, 20, 21, $\frac{20}{21}$ ❷ $\frac{4}{3}$, $\frac{20}{21}$

02 ❶ 49, 49, 1, 7 ; $1\frac{1}{6}\left(=\frac{7}{6}\right)$ km

❷ 7, 35, $11\frac{2}{3}$; $11\frac{2}{3}\left(=\frac{35}{3}\right)$ km

03 ❶ 4, 10 ; 10 ❷ 24, 15 ; 15 ❸ ㉯

04 ❶ $\square\times\frac{5}{9}=\frac{10}{27}$ ❷ $\frac{2}{3}$ ❸ $1\frac{1}{5}\left(=\frac{6}{5}\right)$

02 ❶ $\frac{7}{10}$ L로 $8\frac{1}{6}$ km를 가므로 $\frac{1}{10}$ L로는 $\left(8\frac{1}{6}\div7\right)$ km를 갈 수 있습니다.

❷ $\frac{1}{10}$ L로 $\left(8\frac{1}{6}\div7\right)$ km를 가므로 1 L로는 $\left(8\frac{1}{6}\div7\times10\right)$ km를 갈 수 있습니다.

03 ❷ $3\frac{1}{8}\div\frac{5}{24}=\frac{25}{8}\times\frac{24}{5}=15$

❸ 10＜15이므로 계산 결과가 더 큰 식은 ㉯입니다.

04 ❶ 잘못 계산한 식: (어떤 수)$\times\frac{5}{9}=\frac{10}{27}$

❷ $\square\times\frac{5}{9}=\frac{10}{27}$ ⇨ $\square=\frac{10}{27}\div\frac{5}{9}=\frac{10}{27}\times\frac{9}{5}=\frac{2}{3}$

❸ $\frac{2}{3}\div\frac{5}{9}=\frac{2}{3}\times\frac{9}{5}=\frac{6}{5}=1\frac{1}{5}$

24~25쪽 풀이 과정을 직접 쓰는 서술형평가

01 방법 1 예 $7\frac{1}{5}\div1\frac{1}{2}=\frac{36}{5}\div\frac{3}{2}=\frac{72}{10}\div\frac{15}{10}$

$=72\div15=\frac{72}{15}=\frac{24}{5}=4\frac{4}{5}$

방법 2 예 $7\frac{1}{5}\div1\frac{1}{2}=\frac{36}{5}\div\frac{3}{2}=\frac{36}{5}\times\frac{2}{3}$

$=\frac{24}{5}=4\frac{4}{5}$

02 예 $\frac{2}{5}$시간 동안 $\frac{8}{9}$ km를 가므로 $\frac{1}{5}$시간 동안 가는 거리는 $\frac{8}{9}\div2=\frac{8}{9}\times\frac{1}{2}=\frac{4}{9}$ (km)입니다.

따라서 1시간 동안 갈 수 있는 거리는

$\frac{4}{9}\times5=\frac{20}{9}=2\frac{2}{9}$ (km)입니다. ; $2\frac{2}{9}\left(=\frac{20}{9}\right)$ km

03 예 ㉮ $13\frac{1}{2}\div\frac{3}{4}=\frac{27}{2}\times\frac{4}{3}=18$

㉯ $12\div\frac{3}{5}=(12\div3)\times5=20$

⇨ 18＜20이므로 계산 결과가 더 작은 식은 ㉮입니다. ; ㉮

04 예 어떤 수를 □라 하면 잘못 계산한 식은

$\square\times\frac{1}{2}=11\frac{7}{8}$이므로

$\square=11\frac{7}{8}\div\frac{1}{2}=\frac{95}{8}\times2=\frac{95}{4}$입니다.

따라서 바르게 계산하면 $\frac{95}{4}\div\frac{1}{2}=\frac{95}{4}\times2=\frac{95}{2}$

$=47\frac{1}{2}$입니다. ; $47\frac{1}{2}\left(=\frac{95}{2}\right)$

05 예 (삼각형의 넓이)=(밑변의 길이)×(높이)÷2이므로 (높이)$=15\frac{1}{9}\times2\div6\frac{2}{3}=\frac{136}{9}\times2\div\frac{20}{3}$

$=\frac{272}{9}\times\frac{3}{20}=\frac{68}{15}=4\frac{8}{15}$ (cm)입니다.

; $4\frac{8}{15}\left(=\frac{68}{15}\right)$ cm

01

배점	채점기준
상	나눗셈을 두 가지 방법으로 바르게 계산함
중	한 가지 방법으로만 바르게 계산함
하	문제를 전혀 해결하지 못함

02

배점	채점기준
상	$\frac{1}{5}$시간 동안 가는 거리를 구하여 답을 바르게 구함
중	풀이 과정이 부족하나 답은 맞음
하	문제를 전혀 해결하지 못함

03

배점	채점기준
상	㉮와 ㉯의 몫을 구하여 답을 바르게 구함
중	풀이 과정이 부족하나 답은 맞음
하	문제를 전혀 해결하지 못함

04

배점	채점기준
상	어떤 수를 구하여 답을 바르게 구함
중	풀이 과정이 부족하나 답은 맞음
하	문제를 전혀 해결하지 못함

05

배점	채점기준
상	삼각형의 넓이 구하는 식을 이용하여 답을 바르게 구함
중	풀이 과정이 부족하나 답은 맞음
하	문제를 전혀 해결하지 못함

26쪽 밀크티 성취도평가 오답 베스트 5

01 =　**02** ③　**03** 6개
04 ③　**05** ⑤

01 $\frac{6}{11}\div\frac{3}{11}=6\div3=2$, $\frac{10}{13}\div\frac{5}{13}=10\div5=2$

02 $6\div\frac{1}{\square}$을 분수의 곱셈으로 나타내면 $6\times\square$입니다.
$15<6\times\square<20$이므로 □ 안에 들어갈 수 있는 자연수는 3입니다.

03 (밀가루 $2\frac{1}{4}$컵으로 만들 수 있는 호떡의 개수)
$=2\frac{1}{4}\div\frac{3}{8}=\frac{9}{4}\div\frac{3}{8}=\frac{\overset{3}{\cancel{9}}}{\underset{1}{\cancel{4}}}\times\frac{\overset{2}{\cancel{8}}}{\underset{1}{\cancel{3}}}=6$(개)

04 $2\frac{6}{7}\div1\frac{1}{3}=\frac{20}{7}\div\frac{4}{3}=\frac{\overset{5}{\cancel{20}}}{7}\times\frac{3}{\underset{1}{\cancel{4}}}=\frac{15}{7}=2\frac{1}{7}$

05 (쇠막대 1 m의 무게)
$=3\div\frac{4}{5}=3\times\frac{5}{4}=\frac{15}{4}=3\frac{3}{4}$ (kg)

2 소수의 나눗셈

29쪽 쪽지시험 1회

01 (위부터) 10, 10, 8, 61, 61
02 (위부터) 100, 100, 84, 7, 7　**03** 5, 5, 27
04 11, 143, 13　**05** 7　**06** 28
07 9　**08** 6　**09** 51
10 4

05
```
       7
0.4)2.8
    2 8
      0
```

06
```
        2 8
0.7)1 9.6
    1 4
      5 6
      5 6
        0
```

07
```
           9
0.04)0.3 6
       3 6
         0
```

08
```
           6
0.52)3.1 2
     3 1 2
         0
```

09
```
       5 1
0.6)3 0.6
    3 0
        6
        6
        0
```

10
```
           4
0.56)2.2 4
     2 2 4
         0
```

30쪽 쪽지시험 2회

01 230, 7.3, 7.3　**02** 167.9, 7.3, 7.3
03 (위부터) 100, 2.2, 2.2, 100
04 (위부터) 10, 7.2, 7.2, 10　**05** 6.2
06 1.6　**07** 3.9　**08** 2.1
09 2.2　**10** 0.4

05
```
          6.2
6.3)3 9.0 6
    3 7 8
      1 2 6
      1 2 6
          0
```

06
```
        1.6
2.7)4.3 2
    2 7
    1 6 2
    1 6 2
        0
```

07
```
          3.9
5.1)1 9.8 9
    1 5 3
      4 5 9
      4 5 9
          0
```

08
```
        2.1
0.8)1.6 8
    1 6
        8
        8
        0
```

09

```
      2.2
4.3)9.4 6
    8 6
    ---
      8 6
      8 6
      ---
        0
```

10

```
      0.4
2.4)0.9 6
      9 6
      ---
        0
```

31쪽 쪽지시험 3회

01 $10\div2.5=\frac{100}{10}\div\frac{25}{10}=100\div25=4$

02 $68\div0.17=\frac{6800}{100}\div\frac{17}{100}=6800\div17=400$

03 25 **04** 2 **05** 8

06 4800 **07** 2 **08** 1.6

09 5.3 **10** 0.9

03

```
       2 5
1.2)3 0.0
    2 4
    ---
      6 0
      6 0
      ---
        0
```

04

```
       2
3.5)7.0
    7 0
    ---
      0
```

05

```
            8
2.25)1 8.0 0
     1 8 0 0
     -------
           0
```

06

```
         4 8 0 0
0.06)2 8 8.0 0
     2 4
     ---------
       4 8
       4 8
       ---
         0
```

09 16÷3=5.33……이고 몫의 소수 둘째 자리 숫자가 3이므로 반올림하여 소수 첫째 자리까지 나타내면 5.3입니다.

```
   5.3 3
3)1 6.0 0
  1 5
  -------
    1 0
      9
    -----
      1 0
        9
      ---
        1
```

32쪽 쪽지시험 4회

01 2, 0.2 **02** 5명 **03** 0.2 kg

04 9, 1.3 **05** 9명 **06** 1.3 m

07 8, 40, 3.2 ; 8봉지, 3.2 kg

08 6, 42, 1.2 ; 6봉지, 1.2 kg

09 7군데, 1.1 L **10** 4군데, 2.7 L

02 10.2에서 2를 5번 뺄 수 있으므로 5명에게 나누어 줄 수 있습니다.

03 10.2에서 2를 5번 빼면 0.2가 남으므로 나누어 주고 남는 고구마는 0.2 kg입니다.

05 몫을 자연수까지 구하면 9입니다.

06 나머지가 1.3이므로 남는 끈은 1.3 m입니다.

09

```
     7
4)2 9.1
  2 8
  -----
    1.1
```

10

```
     4
4)1 8.7
  1 6
  -----
    2.7
```

33~35쪽 단원평가 1회 (난이도 A)

01 16 **02** 8, 8, 9

03 8, 112 **04** 26, 46, 138, 138

05 $1.54\div0.14=\frac{154}{100}\div\frac{14}{100}=154\div14=11$

06 (위부터) 597, 3, 199, 199

07 (위부터) 10, 3.6, 3.6, 10 **08** 280, 1.9, 1.9

09 9 **10** 8 **11** 6, 60, 600

12 12 **13** 5.5 **14** 3

15

```
      3.6
2.7)9.7 2
    8 1
    -----
    1 6 2
    1 6 2
    -----
        0
```

16 < **17** ①

18 2.6 **19** (풀이 참조) **20** 26개

06 59.7과 0.3을 똑같이 10배 하여 597÷3으로 계산합니다.

597÷3=199 ⇨ 59.7÷0.3=199

09

```
      9
0.4)3.6
    3 6
    ---
      0
```

10 나누는 수와 나누어지는 수의 소수점을 오른쪽으로 한 자리씩 옮겨 계산합니다. 이때 나누어지는 수 20은 20.0으로 생각하여 소수점을 옮깁니다.

```
        8
2.5)2 0.0
    2 0 0
    -----
        0
```

11 나누어지는 수가 같을 때 나누는 수가 $\frac{1}{10}$배, $\frac{1}{100}$배가 되면 몫은 10배, 100배가 됩니다.

12 $65.04 \div 5.42 = 6504 \div 542 = 12$

13 $6.4 < 35.2 \Rightarrow 35.2 \div 6.4 = 5.5$

14 $22 \div 7 = 3.1 \cdots\cdots \Rightarrow 3$

15 몫의 소수점의 위치는 나누어지는 수의 옮긴 소수점의 위치와 같습니다.

16 $44.46 \div 2.34 = 4446 \div 234 = 19$, $89.24 \div 4.6 = 892.4 \div 46 = 19.4$ $\Rightarrow 19 < 19.4$

17 나누어지는 수가 같으므로 나누는 수가 작을수록 몫이 큽니다.

18 몫을 반올림하여 소수 첫째 자리까지 나타내려면 소수 둘째 자리에서 반올림합니다.

$15.8 \div 6 = 2.63 \cdots\cdots \Rightarrow 2.6$

$$\begin{array}{r} 2.63 \\ 6\overline{)15.80} \\ 12 \\ \hline 38 \\ 36 \\ \hline 20 \\ 18 \\ \hline 2 \end{array}$$

19 $95 \div 3.8 = 950 \div 38 = 25$, $119 \div 4.25 = 11900 \div 425 = 28$

20 (포장할 수 있는 선물 상자의 수)

$= 21.84 \div 0.84 = 2184 \div 84 = 26$(개)

36~38쪽 단원평가 2회 (A 난이도)

01 152, 152, 16 **02** (위부터) 10, 8, 10

03 (위부터) 100, 4, 100 **04** 17, 52, 364, 364

05 현서

06 $13.6 \div 0.8 = \frac{136}{10} \div \frac{8}{10} = 136 \div 8 = 17$

07 25, 44, 110, 110 **08** 3

09 1.7 **10** 216, 216, 216, 36, 36

11 8, 80, 800 **12** 8 **13** <

14 (위부터) 33.6, 200 **15** 1.7

16 ㉠ **17** 4, 20, 1.2 ; 4, 1.2

18 3, 1, 2 **19** 34 kg **20** 26개

05 나누는 수가 자연수가 되도록 나누는 수와 나누어지는 수의 소수점을 오른쪽으로 한 자리씩 옮겨야 합니다.

07 2.2를 자연수로 만들려면 소수점을 오른쪽으로 한 자리씩 옮겨야 합니다.

08

$$\begin{array}{r} 3 \\ 2.14\overline{)6.42} \\ 642 \\ \hline 0 \end{array}$$

09

$$\begin{array}{r} 1.7 \\ 4.3\overline{)7.31} \\ 43 \\ \hline 301 \\ 301 \\ \hline 0 \end{array}$$

11 나누어지는 수가 같을 때 나누는 수가 $\frac{1}{10}$배, $\frac{1}{100}$배가 되면 몫은 10배, 100배가 됩니다.

12 $28.8 \div 3.6 = 288 \div 36 = 8$

13 $9.25 \div 0.37 = 925 \div 37 = 25$

$43.2 \div 1.6 = 432 \div 16 = 27$

$\Rightarrow 25 < 27$

14 $42 \div 1.25 = 4200 \div 125 = 33.6$,

$42 \div 0.21 = 4200 \div 21 = 200$

15 $10 \div 6 = 1.66 \cdots\cdots \Rightarrow 1.7$

$$\begin{array}{r} 1.66 \\ 6\overline{)10.00} \\ 6 \\ \hline 40 \\ 36 \\ \hline 40 \\ 36 \\ \hline 4 \end{array}$$

16 ㉠ 1.5 ㉡ 16 ㉢ 29 $\Rightarrow$ ㉢ > ㉡ > ㉠

18 $5.4 \div 1.8 = 54 \div 18 = 3$,

$2.46 \div 0.6 = 24.6 \div 6 = 4.1$,

$37.6 \div 9.4 = 376 \div 94 = 4$

$\Rightarrow 4.1 > 4 > 3$

19 (성수의 몸무게)

=(지훈이의 몸무게) $\div 1.7$

$= 57.8 \div 1.7 = 578 \div 17 = 34$ (kg)

20 (필요한 병의 수)

$= 49.4 \div 1.9 = 494 \div 19 = 26$(개)

39~41쪽 단원평가 3회 (B 난이도)

01 494, 494, 19
02 434, 6944, 16
03 (그림: 1.5 L), 5개
04 (위부터) 10, 5.5, 5.5, 10
05 24.7
06 25
07 ⑤
08 11.3
09 24
10 13.5
11 5.6
12 4, 212, 53, 53
13 예

```
       6.4
9.4)6 0.1 6
    5 6 4
      3 7 6
      3 7 6
          0
```

; 예 소수점을 옮겨서 계산한 경우 몫의 소수점은 옮긴 위치에 찍어야 합니다.

14 <
15 6, 54, 4.4 ; 6명, 4.4 kg
16 6 cm
17 ㉡, ㉢, ㉠
18 57.1 g
19 1.5 m
20 예 한 봉지에 3 kg씩 나누어 담으면 27봉지가 되고 1.5 kg이 남습니다. ; 27봉지, 1.5 kg

```
   2 7
3)8 2.5
  6
  2 2
  2 1
    1.5
```

07 나누어지는 수가 같으므로 나누는 수가 클수록 몫이 작습니다.

09 가장 큰 수: 51.84, 가장 작은 수: 2.16
⇨ $51.84 \div 2.16 = 5184 \div 216 = 24$

10 $66.3 \div 4.9 = 13.53\cdots\cdots$ ⇨ 13.5

11 $7.8 \div 1.4 = 5.57\cdots\cdots$ ⇨ 5.6

14 $23.46 \div 5.1 = 4.6$, $14.5 \div 2.9 = 5$ ⇨ $4.6 < 5$

16 (가로)$= 27 \div 4.5 = 270 \div 45 = 6$ (cm)

17 ㉠ $75 \div 1.5 = 50$ ㉡ $0.75 \div 1.5 = 0.5$
㉢ $0.75 \div 0.15 = 5$
⇨ ㉡<㉢<㉠

18 $400 \div 7 = 57.14\cdots\cdots$ ⇨ 57.1 g

19 (㉮의 넓이)$= 1.2 \times 1.2 = 1.44$ (m^2)
(㉯의 세로)$= 1.44 \div 0.96$
$= 144 \div 96 = 1.5$ (m)

42~44쪽 단원평가 4회 (B 난이도)

01 3, 3
02 18, 360, 20
03 6, 24
04 8.2, 416, 104, 104
05 $9.52 \div 0.56 = \frac{952}{100} \div \frac{56}{100} = 952 \div 56 = 17$
06 ⑤
07 15
08 39
09 2.6, 2.57
10 6.5
11 세형
12 <
13 은경
14 ㉣
15 8
16 126, 52.5
17 ㉡, ㉢, ㉠
18 9.2배
19 64개, 1.2 m
20 예 몫의 소수 둘째 자리부터 숫자 3이 반복되므로 몫의 소수 10째 자리 숫자는 3입니다. ; 3

```
      5.8 3 3
3.6)2 1.0 0 0 0
    1 8 0
      3 0 0
      2 8 8
        1 2 0
        1 0 8
          1 2 0
          1 0 8
            1 2
```

10 $92.95 \div 14.3 = 929.5 \div 143 = 6.5$

11 현진: $10.72 \div 1.6 = 107.2 \div 16 = 6.7$
세형: $40.6 \div 5.8 = 406 \div 58 = 7$
⇨ $6.7 < 7$

13 나누어지는 수가 10배로 커지면 몫도 10배로 커지고, 나누는 수가 $\frac{1}{10}$배로 작아지면 몫은 10배로 커집니다. 따라서 $42 \div 0.06 = 700$입니다.

14 ㉠ $2.56 \div 0.32 = 256 \div 32 = 8$
㉡ $25.6 \div 3.2 = 256 \div 32 = 8$
㉢ $0.256 \div 0.032 = 256 \div 32 = 8$
㉣ $256 \div 0.32 = 25600 \div 32 = 800$

15 $\square = 28.8 \div 3.6 = 8$

16 $441 \div 3.5 = 4410 \div 35 = 126$
$126 \div 2.4 = 1260 \div 24 = 52.5$

17 ㉠ $1.92 \div 0.8 = 19.2 \div 8 = 2.4$
㉡ $16.32 \div 2.04 = 1632 \div 204 = 8$
㉢ $5.6 \div 1.4 = 56 \div 14 = 4$
⇨ ㉡>㉢>㉠

18 $3.68 \div 0.4 = 36.8 \div 4 = 9.2$(배)

19 $193.2 \div 3$의 몫을 자연수까지만 구하면 몫은 64이고 이때 나머지는 1.2이므로 선물 상자는 64개까지 포장할 수 있고 남는 리본은 1.2 m입니다.

45~47쪽 단원평가 5회 (C 난이도)

01 38 **02** 16 **03** 8

04 ④ **05** 24 **06**

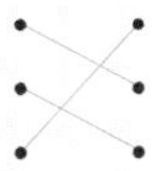

07 예

$$\begin{array}{r} 4\,5 \\ 0.8\overline{)3\,6.0} \\ 3\,2 \\ \hline 4\,0 \\ 4\,0 \\ \hline 0 \end{array}$$

08 8, 80, 800

09 8, 80, 800 **10** 22.5, 15 **11** 3.2

12 ① **13** $>$

14 방법 1 예 $1.05 \div 0.35$를 100배씩 하면 $105 \div 35$이고 $105 \div 35 = 3$이므로 $1.05 \div 0.35 = 3$입니다.

방법 2 예 $1.05 \div 0.35 = \frac{105}{100} \div \frac{35}{100} = 105 \div 35$
$= 3$

15 5.23배 **16** 20.8, 2.6, 8 **17** 65

18 14번, 2.5 L **19** 15 km

20 예 (삼각형의 넓이)=(밑변의 길이)×(높이)÷2
⇨ (높이)=(삼각형의 넓이)×2÷(밑변의 길이)
$= 18 \times 2 \div 7.5 = 36 \div 7.5 = 4.8$ (cm)
; 4.8 cm

04 $14.82 \div 7.8 = \frac{148.2}{10} \div \frac{78}{10} = 148.2 \div 78$

05 $18.24 \div 0.76 = 1824 \div 76 = 24$

06 $10.4 \div 1.3 = 8$, $63 \div 4.2 = 15$, $45 \div 7.5 = 6$

07 소수점을 옮겨서 계산한 경우 몫의 소수점은 옮긴 위치에 맞추어 찍어야 합니다.

08 나누어지는 수가 같을 때 나누는 수가 $\frac{1}{10}$배, $\frac{1}{100}$배가 되면 몫은 10배, 100배가 됩니다.

09 나누는 수는 같고 나누어지는 수가 10배, 100배가 되면 몫도 10배, 100배가 됩니다.

10 $54 \div 2.4 = 540 \div 24 = 22.5$
$22.5 \div 1.5 = 225 \div 15 = 15$

11 $\square = 5.12 \div 1.6 = 3.2$

12 ① $60.06 \div 1.54 = 6006 \div 154 = 39$
② $16.32 \div 4.8 = 1632 \div 480 = 3.4$
③ $27.9 \div 6.2 = 279 \div 62 = 4.5$
④ $8.428 \div 2.8 = 84.28 \div 28 = 3.01$
⑤ $56 \div 1.75 = 5600 \div 175 = 32$

13 $25 \div 7 = 3.5\cdots\cdots$ ⇨ 4이므로 $4 > 3.5\cdots\cdots$입니다.

15 (큰 못의 무게)÷(작은 못의 무게)
$= 32.4 \div 6.2 = 5.225\cdots\cdots$ ⇨ 5.23배

16 $208 \div 26 = 8$입니다.
10배 하여 208이 되는 수는 208을 $\frac{1}{10}$배 한 수이므로 20.8이고 10배 하여 26이 되는 수는 26을 $\frac{1}{10}$배 한 수이므로 2.6입니다.

17 어떤 수를 □라 하면 $\square \times 0.24 = 15.6$이므로
$\square = 15.6 \div 0.24 = 65$입니다.

18 $44.5 \div 3$의 몫을 자연수까지만 구하면 14이고 이때 나머지는 2.5이므로 14번 퍼낼 수 있고 남는 물은 2.5 L입니다.

19 (1시간 동안 달린 거리)
$= 42.2 \div 2.8 = 15.07\cdots\cdots$ ⇨ 15 km

48~49쪽 단계별로 연습하는 서술형평가

01 ❶ 465, 14 ❷

$$\begin{array}{r} 1\,4 \\ 46.5\overline{)6\,5\,1.0} \\ 4\,6\,5 \\ \hline 1\,8\,6\,0 \\ 1\,8\,6\,0 \\ \hline 0 \end{array}$$

❸ 14배

02 ❶ 226, 56.5 ; 56.5 ❷ 1092, 52 ; 52 ❸ ㉮

03 ❶ 11.3, 1.6 ❷ 7, 0.1 ❸ 7개, 0.1 m

04 ❶ 3.2, 12.16
❷ 3.2, 12.16, 8.96 ; 8.96
❸ 2.8 ; 2.8

02 ❸ $56.5>52$이므로 몫이 더 큰 나눗셈식은 ㉮입니다.

03 ❷
$$\begin{array}{r} 7 \\ 1.6\overline{)\,11.3} \\ 112 \\ \hline 0.1 \end{array}$$

❸ 묶을 수 있는 상자의 수는 몫과 같습니다.
⇨ 7개
남는 리본의 길이는 나머지와 같습니다.
⇨ 0.1 m

04 ❷ ●$+3.2=12.16$ ⇨ ●$=12.16-3.2=8.96$
❸ $8.96\div3.2=2.8$

50~51쪽 풀이 과정을 직접 쓰는 서술형평가

01 방법 1 ㉥ 분수의 나눗셈으로 고쳐서 계산하면
$9.6\div1.2=\frac{96}{10}\div\frac{12}{10}=96\div12=8$이므로 8배입니다.
방법 2 ㉥ 세로로 계산하면 8배입니다.
$$\begin{array}{r} 8 \\ 1.2\overline{)\,9.6} \\ 96 \\ \hline 0 \end{array}$$
; 8배

02 ㉥ ㉮ $5.12\div1.6=3.2$, ㉯ $8.91\div2.7=3.3$
⇨ $3.2<3.3$이므로 몫이 더 작은 나눗셈식은 ㉮입니다. ; ㉮

03 ㉥
$$\begin{array}{r} 16 \\ 0.8\overline{)\,13.1} \\ 8 \\ \hline 51 \\ 48 \\ \hline 0.3 \end{array}$$
필요한 물통은 16개이고 남는 물은 0.3 L입니다.
; 16개, 0.3 L

04 ㉥ 어떤 수를 □라 하면 □$\times0.8=7.68$입니다.
□$\times0.8=7.68$, □$=7.68\div0.8$, □$=9.6$
따라서 바르게 계산하면 $9.6\div0.8=12$입니다.
; 12

05 ㉥ $9\div7=1.28\cdots\cdots$ ⇨ 1.3
따라서 미란이의 키는 1.3 m입니다. ; 1.3 m

01

배점	채점기준
상	두 가지 방법으로 계산하여 답을 바르게 구함
중	한 가지 방법으로만 계산하여 답을 바르게 구함
하	문제를 전혀 해결하지 못함

02

배점	채점기준
상	㉮와 ㉯의 몫을 구하여 답을 바르게 구함
중	풀이 과정이 부족하나 답은 맞음
하	문제를 전혀 해결하지 못함

03

배점	채점기준
상	나눗셈의 몫과 나머지를 구하여 답을 바르게 구함
중	풀이 과정이 부족하나 답은 맞음
하	문제를 전혀 해결하지 못함

04

배점	채점기준
상	어떤 수를 구하여 답을 바르게 구함
중	풀이 과정이 부족하나 답은 맞음
하	문제를 전혀 해결하지 못함

05

배점	채점기준
상	나눗셈식을 만들어 답을 바르게 구함
중	풀이 과정이 부족하나 답은 맞음
하	문제를 전혀 해결하지 못함

52쪽 밀크티 성취도평가 오답 베스트 5

01 ③ **02** 13 cm **03** 2.3
04 0.4 L **05** ③

01
$$\begin{array}{r} 15 \\ 4\overline{)\,62.1} \\ 4 \\ \hline 22 \\ 20 \\ \hline 2.1 \end{array}$$
⇨ 감자는 2.1 kg이 남았습니다.

02 (평행사변형의 넓이)=(밑변의 길이)×(높이)이므로 (높이)=(평행사변형의 넓이)÷(밑변의 길이)입니다.
⇨ (평행사변형의 높이)
$=261.95\div20.15=13$ (cm)

04 $3.72\div9=0.41\cdots\cdots$ ⇨ 0.4
따라서 한 사람이 주스를 0.4 L씩 마시게 됩니다.

05 $81.9\div6.3=13$
□<13이므로 □ 안에 들어갈 수 있는 가장 큰 자연수는 12입니다.

3 공간과 입체

55쪽 쪽지시험 1회

01 ㉡ 02 ㉢ 03~05

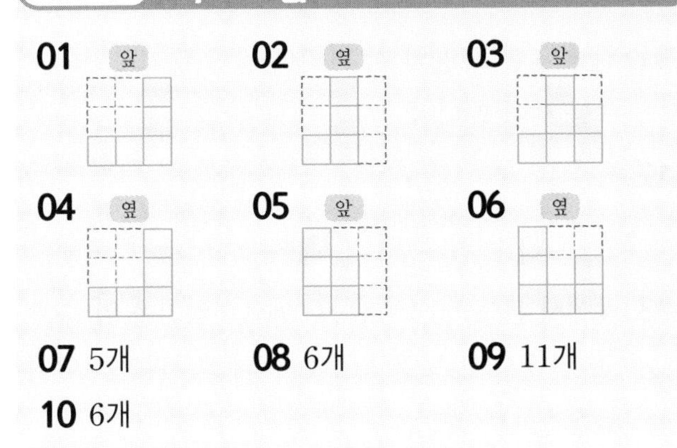

06 7개 07 13개 08 6개
09 12개 10 7개

01 나무와 집의 앞 모습이 보이는 방향은 ㉡입니다.
06 1층: 5개, 2층: 2개 ⇨ 5+2=7(개)
07 1층: 6개, 2층: 4개, 3층: 3개
⇨ 6+4+3=13(개)
08 1층: 3개, 2층: 2개, 3층: 1개 ⇨ 3+2+1=6(개)
09 1층: 7개, 2층: 3개, 3층: 2개
⇨ 7+3+2=12(개)
10 1층: 5개, 2층: 2개 ⇨ 5+2=7(개)

56쪽 쪽지시험 2회

01 앞 02 옆 03 앞
04 옆 05 앞 06 옆

07 5개 08 6개 09 11개
10 6개

01 왼쪽부터 1층, 1층, 3층으로 보입니다.
07 위에서 본 모양: 1층에 쌓기나무 4개,
앞에서 본 모양: ★에 쌓기나무 1개,
옆에서 본 모양: ○에 쌓기나무 1개씩,
◇에 쌓기나무 2개
⇨ 1층 4개, 2층 1개로 모두 5개입니다.
08 위에서 본 모양: 1층에 쌓기나무 5개,
앞에서 본 모양: ★에 쌓기나무 1개씩,
옆에서 본 모양: ○에 쌓기나무 1개씩,
◇에 쌓기나무 2개
⇨ 1층 5개, 2층 1개로 모두 6개입니다.

57쪽 쪽지시험 3회

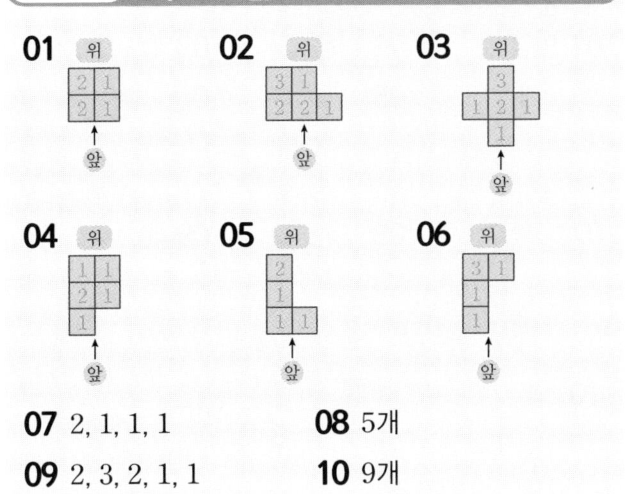

07 2, 1, 1, 1 08 5개
09 2, 3, 2, 1, 1 10 9개

01 위에서 본 모양의 각 자리에 쌓인 쌓기나무의 개수를 세어 위에서 본 모양에 수를 씁니다.
08 위에서 본 모양에 수를 쓰면 필요한 쌓기나무는 2+1+1+1=5(개)입니다.
10 위에서 본 모양에 수를 쓰면 필요한 쌓기나무는 2+3+2+1+1=9(개)입니다.

58쪽 쪽지시험 4회

01 2층 02 2층 03 2층
04 2층 3층 05 2층 3층

06 (○)( ) 07 (○)( ) 08 ( )(○)
09 나와 다 10 가와 다

01 1층에 놓인 모양은 위에서 본 모양과 같습니다. 앞에서 보았을 때 2층에 놓인 칸에 맞게 색칠합니다.

09 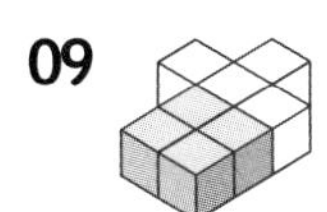
10 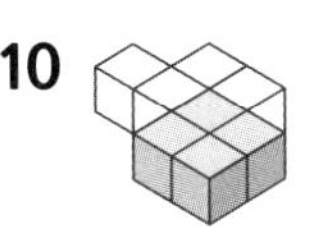

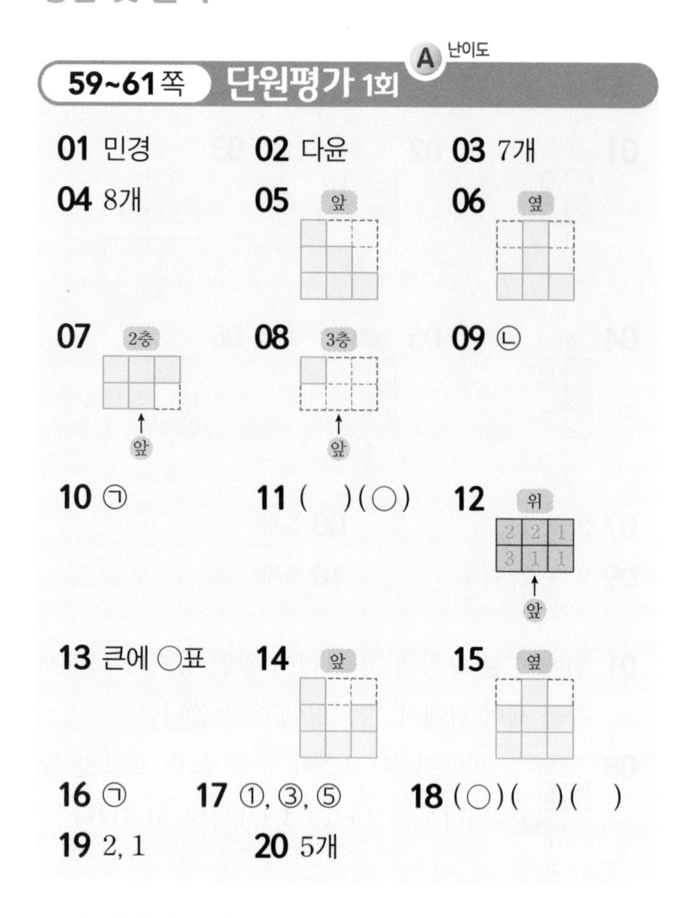

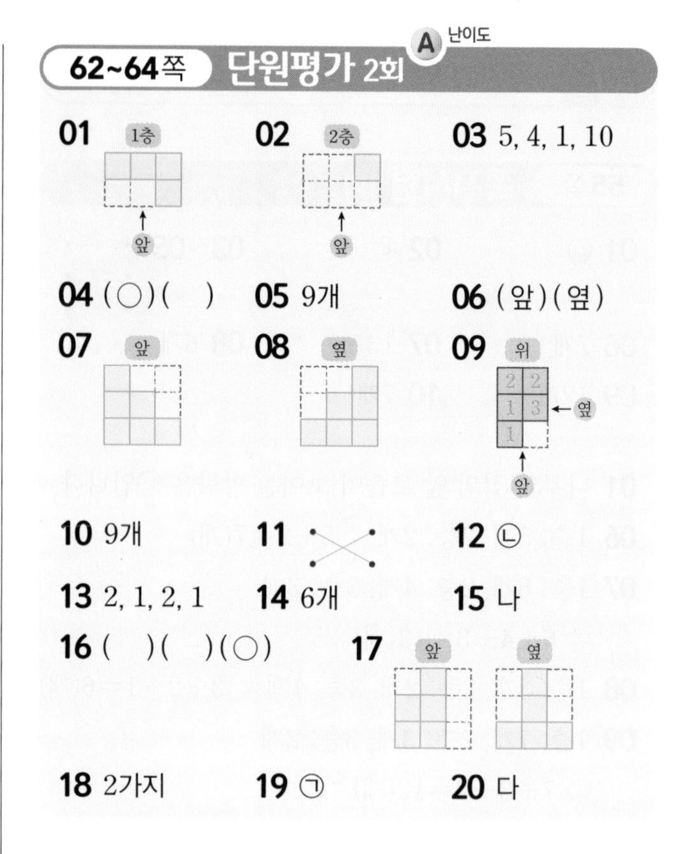

06 옆에서 보면 왼쪽부터 1층, 3층, 1층으로 보입니다.

07~08 쌓기나무가 2층에는 5개, 3층에는 1개 있습니다.

09 1층에 2개, 3개, 2개가 놓여 있는 모양입니다.

11 쌓은 모양을 옆에서 보면 왼쪽부터 1층, 2층, 3층으로 보입니다.

12 위에서 본 모양은 1층에 놓인 모양과 같습니다.

14 앞에서 보면 왼쪽부터 쌓인 쌓기나무는 3층, 1층, 2층입니다.

15 옆에서 보면 왼쪽부터 쌓인 쌓기나무는 2층, 3층, 2층입니다.

16 ㉡을 옆에서 본 모양은 왼쪽과 같습니다.

19 앞과 옆에서 본 모양을 보고 각 자리에 몇 개씩 쌓았는지 알아봅니다.
①번과 ②번 자리에 2개씩, ③번 자리에 1개를 쌓으면 됩니다.

20 $2+2+1=5$(개)

04 가장 왼쪽에 가장 큰 컵이 있을 때 가운데에 놓인 컵은 손잡이가 오른쪽에 있고 가장 오른쪽에 놓인 컵은 손잡이가 가운데에 있는 것으로 보입니다.

11 위에서 본 모양의 각 자리에 쌓인 쌓기나무의 개수를 세어 씁니다.

12 ㉠ ㉢ ㉣

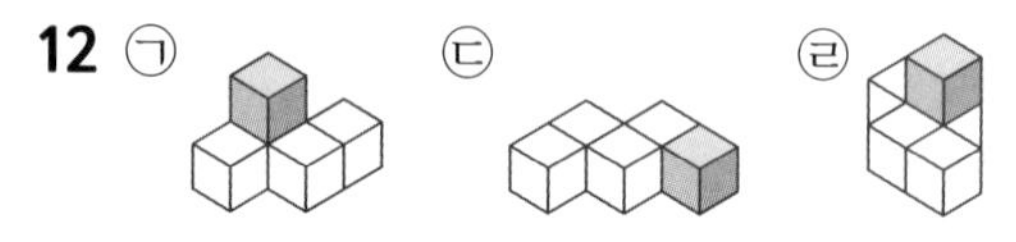

13 앞에서 본 모양으로 ②, ④에 1개씩임을 알 수 있고, 옆에서 본 모양으로 ①, ③에 2개씩임을 알 수 있습니다.

14 $2+1+2+1=6$(개)

16 앞에서 보았을 때 왼쪽부터 쌓인 쌓기나무가 1개, 3개, 2개인 것을 찾습니다.

17 앞에서 보면 왼쪽부터 2층, 3층으로 보이고 옆에서 보면 왼쪽부터 1층, 3층, 1층으로 보입니다.

18

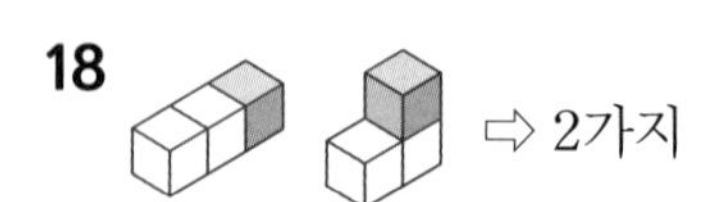

⇨ 2가지

19 위에서 본 모양이 같을 때 옆에서 본 모양은 ㉠과 ㉡이 같으므로 앞에서 본 모양을 알아봅니다.
㉡을 앞에서 본 모양은 입니다.

20 주어진 두 가지 모양을 사용하여 만들 수 있는 모양은 가와 나입니다.

가 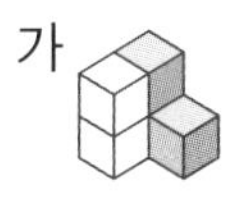 나 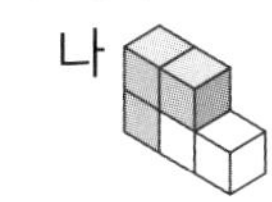

65~67쪽 단원평가 3회 (B 난이도)

01 6, 3, 1, 10 **02** (앞) **03** (옆)

04 ( ) (○) ( ) **05** (위)

06 (2층) **07** (3층) **08** ㉠

09 5, 3, 2 **10** (앞) **11** 10개

12 ㉢ **13** (옆) **14** ㉡

15 지수, 영신 **16** ㉢ **17** ㉡

18 1, 3, 2, 1, 1 **19** 8개

20 예 사용한 쌓기나무는 1층에 8개, 2층에 3개, 3층에 2개이므로 모두 $8+3+2=13$(개)입니다. 따라서 남은 쌓기나무는 $20-13=7$(개)입니다. ; 7개

04 ㉠ 방향에서는 감 뒤에 사과가 겹쳐져서 왼쪽에 있고 귤은 오른쪽에 있습니다.
㉡ 방향에서는 귤 뒤에 감이 겹쳐져서 왼쪽에 있고 사과는 오른쪽에 있습니다.

10 (1층) 쌓기나무가 1층의 ○ 부분은 3층까지, ★ 부분은 2층까지, 나머지 부분은 1층만 있습니다.

12 앞에서 본 모양이 ㉠과 ㉡은 , ㉢은 입니다.

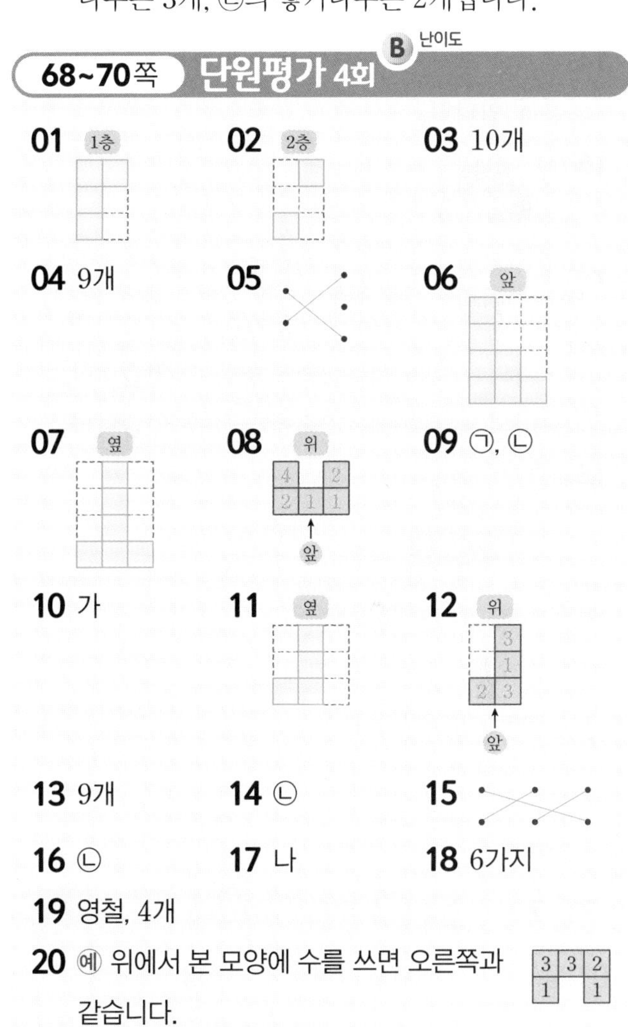

16 위에서 본 모양이 인 것은 ㉠, ㉢입니다.
이 중에서 앞에서 본 모양이 인 것은 ㉢입니다.

17 ㉠ ㉢

18 앞, 옆에서 본 모양에서 ㉠, ㉣, ㉤의 쌓기나무는 각각 1개씩이고, 앞에서 본 모양에서 ㉡의 쌓기나무는 3개, ㉢의 쌓기나무는 2개입니다.

68~70쪽 단원평가 4회 (B 난이도)

01 (1층) **02** (2층) **03** 10개

04 9개 **05** **06** (앞)

07 (옆) **08** (위) **09** ㉠, ㉡

10 가 **11** (옆) **12** (위)

13 9개 **14** ㉡ **15**

16 ㉡ **17** 나 **18** 6가지

19 영철, 4개

20 예 위에서 본 모양에 수를 쓰면 오른쪽과 같습니다.

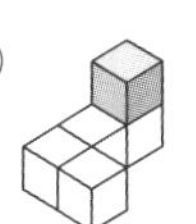

⇨ (필요한 쌓기나무의 수)
$=3+3+2+1+1=10$(개) ; 10개

08 위에서 본 모양의 각 자리에 쌓인 쌓기나무의 개수를 세어 위에서 본 모양에 수를 씁니다.

09 ㉠ ㉡

10 3층 모양이 인 것은 가입니다.

11

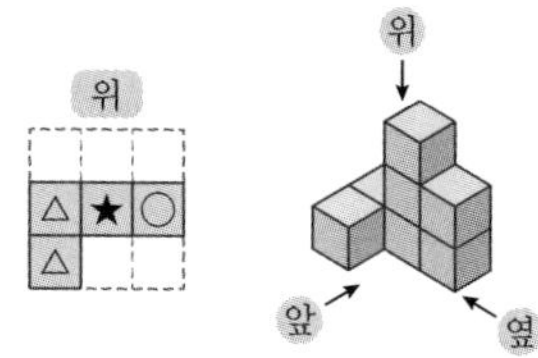

앞에서 본 모양에서 보면 쌓기나무가 △ 부분은 1개씩, ★ 부분은 3개, ○ 부분은 2개 쌓여 있습니다.

12 1층에 4개, 2층에 3개, 3층에 2개가 쌓여 있습니다. 각 층별로 쌓기나무가 놓인 위치에 맞게 위에서 본 모양에 수를 씁니다.

13 $3+1+3+2=9$(개)

14 위, 앞, 옆에서 본 모양이 주어진 모양과 같은 것은 ㉡입니다.

16 ㉡

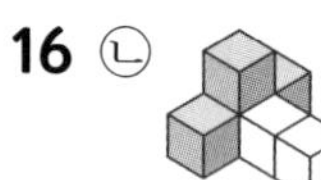

17

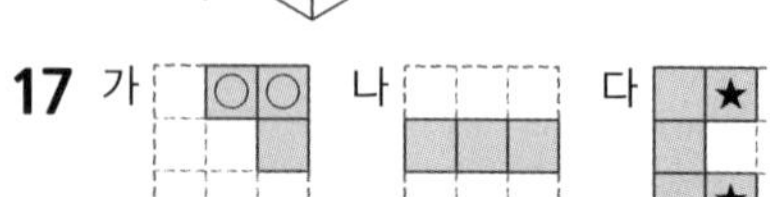

• 가의 ○ 부분에는 2층에 놓을 수 없습니다.

• 다의 ★ 부분에는 2층에 놓을 수 없습니다.

18 ⇨ 6가지

19 〈주희〉 $9+3+1=13$(개)

〈영철〉 $9+5+3=17$(개)

따라서 영철이가 $17-13=4$(개) 더 많이 사용했습니다.

71~73쪽 단원평가 5회 (C 난이도)

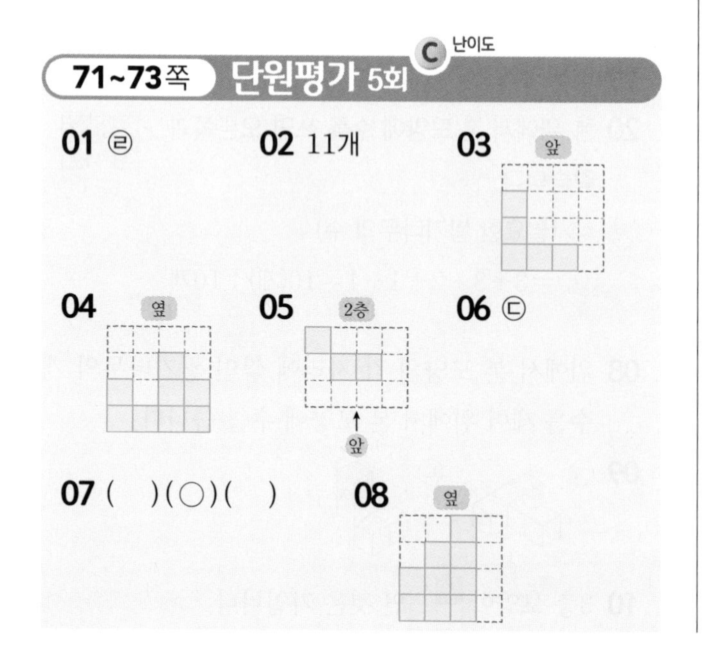

01 ㉣ **02** 11개 **03**

04 **05** **06** ㉢

07 ( )(○)( ) **08**

09 **10** **11** 12개

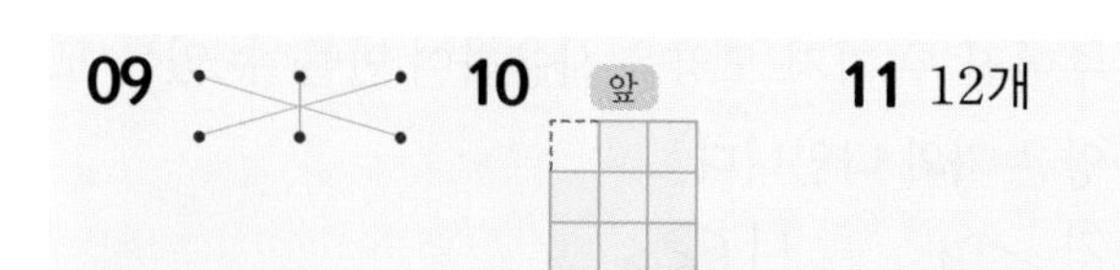

12 8개 **13** 나

14 예 가는 1층에 6개, 2층에 3개, 3층에 1개이므로 $6+3+1=10$(개)입니다.

나는 1층에 5개, 2층에 2개, 3층에 2개이므로 $5+2+2=9$(개)입니다.

따라서 10개>9개이므로 가에 더 많이 사용했습니다. ; 가

15 **16** ㉢, ㉣ **17** ㉢

18 ㉯, ㉮, ㉰ **19**

20 예 위에서 본 모양에 수를 쓰면 오른쪽과 같고 ①번 자리에는 1개 또는 2개가 놓일 수 있습니다.

따라서 쌓기나무를 가장 많이 사용한 경우는 ①번 자리에 2개가 놓일 때이므로 사용한 쌓기나무는 모두 $2+2+2+1=7$(개)입니다. ; 7개

10 1층에서 ○ 부분은 3층까지, ★ 부분은 2층까지 놓여 있습니다.

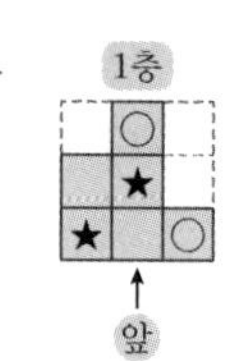

11 1층에 6개, 2층에 4개, 3층에 2개

⇨ $6+4+2=12$(개)

12 위에서 본 모양에 수를 써서 나타내면 오른쪽과 같습니다.

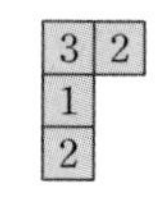

⇨ (필요한 쌓기나무의 수)

$=3+2+1+2=8$(개)

13 위에서 본 모양이 인 것은 가와 나이고, 이 중에서 앞에서 본 모양이 인 것은 나입니다.

15 쌓기나무 7개 중에서 1층에 5개가 놓이므로 2층에 1개, 3층에 1개가 놓입니다.

앞과 옆에서 보이는 모양은 으로 같습니다.

16 ㉯에서 오른쪽 칸에는 놓을 수 없으므로 ㉯는 2층도 3층도 될 수 없습니다.

2층에 ㉮ 또는 ㉱를 놓으면 3층에 놓을 수 있는 모양이 없으므로 2층은 ㉰, 3층은 ㉱입니다.

17 1층의 뒤쪽에 보이지 않는 쌓기나무가 있습니다.

18 ㉮가 위에서 본 모양이면 앞, 옆에서 본 모양은 각각 3줄이 되어야 하는데 ㉰는 2줄이므로 맞지 않습니다.

㉰가 위에서 본 모양이면 앞에서 본 모양이 2줄이어야 하는데 ㉮, ㉯는 모두 3줄이므로 맞지 않습니다.

19 앞에서 본 모양에서 왼쪽부터 차례로 3층, 1층, 2층이고, 옆에서 본 모양에서 왼쪽부터 차례로 2층, 3층이 되도록 수를 써넣습니다.

74~75쪽 단계별로 연습하는 서술형평가

01 ❶ 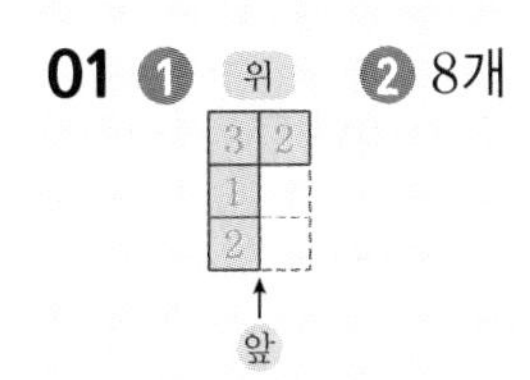

❷ 8개

02 ❶ 6개 ❷ 4개 ❸ 2개 ❹ 12개

03 ❶ 가 위 앞 옆

나 위 앞 옆

❷ 가 ❸ 가

04 ❶ 9개, 6개, 3개 ❷ 18개 ❸ 3개

01 ❶ 각 자리별로 쌓여 있는 쌓기나무의 수를 씁니다.

❷ (필요한 쌓기나무의 수)

$=3+2+1+2=8$(개)

02 ❶ 1층을 나타낸 모양에 6칸이 색칠되어 있으므로 1층에는 6개의 쌓기나무가 쌓여 있습니다.

❷ 2층을 나타낸 모양에 4칸이 색칠되어 있으므로 2층에는 4개의 쌓기나무가 쌓여 있습니다.

❸ 3층을 나타낸 모양에 2칸이 색칠되어 있으므로 3층에는 2개의 쌓기나무가 쌓여 있습니다.

❹ (필요한 쌓기나무의 수)$=6+4+2=12$(개)

03 ❶ 위에서 본 모양은 1층에 놓인 모양과 같고, 앞, 옆에서 본 모양은 각 층별로 앞에서 보이는 층수만큼 색칠합니다.

❸ 가 모양을 앞에서 본 모양의 방향으로 돌려서 구멍에 넣으면 상자에 넣을 수 있습니다.

04 ❶ 위에서 본 모양을 보고 쌓기나무로 쌓은 모양의 1층에 놓인 쌓기나무의 개수를 알 수 있습니다.

❷ 1층에 9개, 2층에 6개, 3층에 3개이므로 주어진 모양과 똑같이 쌓는 데 필요한 쌓기나무는 $9+6+3=18$(개)입니다.

❸ (더 필요한 쌓기나무의 수)$=18-15=3$(개)

76~77쪽 풀이 과정을 직접 쓰는 서술형평가

01 예 (필요한 쌓기나무의 수)

$=3+2+1+1+1=8$(개) ; 8개

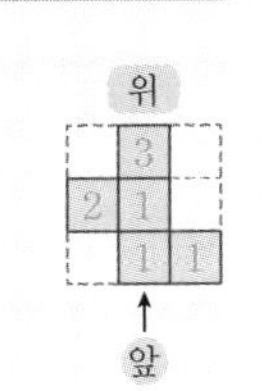

02 예 색칠된 칸의 수가 1층에 5개, 2층에 4개, 3층에 2개이므로 각 층에 놓여 있는 쌓기나무는 1층에 5개, 2층에 4개, 3층에 2개입니다.

⇨ (필요한 쌓기나무의 수)$=5+4+2=11$(개)

; 11개

03 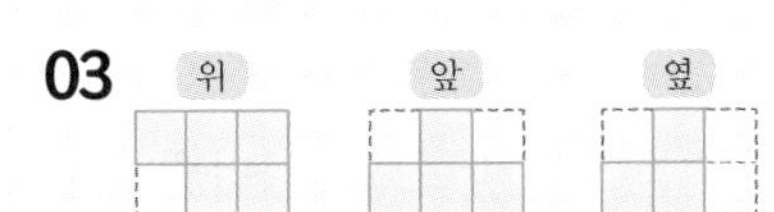

예 옆에서 본 모양이 나의 구멍의 모양과 같으므로 모양을 넣을 수 있는 상자는 나입니다. ; 나

04 예 1층에 8개, 2층에 3개, 3층에 1개이므로 주어진 모양과 똑같이 쌓는 데 필요한 쌓기나무는 $8+3+1=12$(개)입니다.

⇨ (남는 쌓기나무의 수)$=20-12=8$(개) ; 8개

01

배점	채점기준
상	위에서 본 모양에 수를 써넣어 답을 바르게 구함
중	풀이 과정이 부족하나 답은 맞음
하	문제를 전혀 해결하지 못함

02

배점	채점기준
상	각 층에 쌓인 쌓기나무의 수를 세어 답을 바르게 구함
중	풀이 과정이 부족하나 답은 맞음
하	문제를 전혀 해결하지 못함

03

배점	채점기준
상	쌓기나무로 만든 모양을 위, 앞, 옆에서 본 모양을 그려 답을 바르게 구함
중	풀이 과정이 부족하나 답은 맞음
하	문제를 전혀 해결하지 못함

04

배점	채점기준
상	각 층에 쌓인 쌓기나무의 수를 세어 답을 바르게 구함
중	풀이 과정이 부족하나 답은 맞음
하	문제를 전혀 해결하지 못함

78쪽 밀크티 성취도평가 오답 베스트 5

01 ㉠, ㉢ **02** ㉢ **03** 8개
04 17개 **05** ㉠, ㉣

01 2층으로 가능한 모양은 ㉠, ㉢, ㉣입니다.
2층 모양이 ㉢, ㉣이면 3층 모양이 될 수 있는 것은 없습니다. ⇨ 2층 모양: ㉠, 3층 모양: ㉢

02 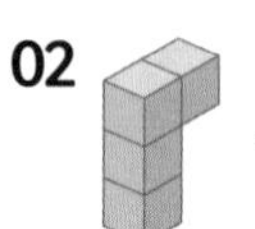 + 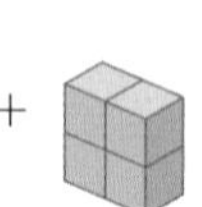

03 위에서 본 모양에 수를 쓰는 방법으로 나타냅니다.

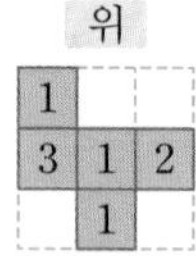

따라서 사용한 쌓기나무는
$1+3+1+2+1=8$(개)입니다.

04 정육면체 모양으로 쌓은 쌓기나무는
$3\times3\times3=27$(개)입니다.
빼내고 남은 쌓기나무는 10개이므로
빼낸 쌓기나무는 $27-10=17$(개)입니다.

4 비례식과 비례배분

81쪽 쪽지시험 1회

01 4에 △표, 5에 ○표 **02** 6에 △표, 13에 ○표
03 2, 24 **04** (위부터) 2, 7 **05** 5, 50
06 (위부터) 7, 10 **07** 12, 4
08 9, 6, 8 **09** 10 : 21 **10** 45 : 7

09 $\frac{1}{7}:\frac{3}{10}$의 전항과 후항에 70을 곱하면 10 : 21이 됩니다.

10 $9:\frac{7}{5}$의 전항과 후항에 5를 곱하면 45 : 7이 됩니다.

82쪽 쪽지시험 2회

01 비례식 **02** 4, 18에 △표, 6, 12에 ○표
03 20, 7에 △표, 70, 2에 ○표
04 3, 5, 6, 10 또는 6, 10, 3, 5
05 20, 6, 60, 18 또는 60, 18, 20, 6
06 (○)( ) **07** ( )(○) **08** 44
09 18 **10** 21

04 비의 비율을 구하면 $3:5 ⇨ \frac{3}{5}$,
$12:10 ⇨ \frac{12}{10}\left(=\frac{6}{5}\right)$, $6:10 ⇨ \frac{6}{10}\left(=\frac{3}{5}\right)$입니다.
⇨ $3:5=6:10$

06 비례식에서 외항의 곱과 내항의 곱은 같습니다.

$2\times20=40$, $2:5=8:20$, $5\times8=40$
$11\times33=363$, $11:15=45:33$, $15\times45=675$

08 $2\times\square=11\times8$, $2\times\square=88$, $\square=88\div2$, $\square=44$

09 $4\times\square=9\times8$, $4\times\square=72$, $\square=72\div4$, $\square=18$

83쪽 쪽지시험 3회

01 4 : ★ **02** 2 **03** 2컵
04 ★ : 40 **05** 30 cm **06** 2400
07 3 : ★ **08** 900원 **09** ★ : 7500
10 6통

02 2 : 1=4 : ★ ⇨ 2×★=4, ★=4÷2, ★=2

05 3 : 4=★ : 40

⇨ 4×★=3×40, ★=120÷4, ★=30

08 8 : 2400=3 : ★

⇨ 8×★=2400×3, ★=7200÷8, ★=900

10 2 : 2500=★ : 7500

⇨ 2500×★=2×7500, 2500×★=15000,

★=15000÷2500, ★=6

84쪽 쪽지시험 4회

01 7, 10, 3 ; 7, 10, 7 **02** 5, 14, 18 ; 5, 14, 10

03 8 **04** 3

05 3, 200 ; 3, 400 **06** 5, 30 ; $\frac{2}{5}$, 20

07 50, 300 **08** 77, 28

09 450, 270 **10** 42, 48

05 600원을 1 : 2로 나누려면 전체를 1+2=3으로 나눕니다.

08 $105\times\frac{11}{11+4}=105\times\frac{11}{15}=77$,

$105\times\frac{4}{11+4}=105\times\frac{4}{15}=28$

85~87쪽 단원평가 1회 A 난이도

01 비율 **02** 3 **03** 9, 12

04 나누어도 **05** 9, 3 **06** 2 ; 3, 3

07 4개, 6개 **08** ( )(○)

09 (위부터) 20, 4, 4, 20 **10** 15, 8

11 5, 15 ; 2, 6 **12** 10, 72, 4, 9

13 (위부터) 3, 5 ; 10 ; 15, 5 ; 5, 5 ; 3, 1

14 24, 30 **15** (선 잇기)

16 예 4 : 6, 2 : 3 **17** 40 : 7

18 45 ; 45 kg **19** 45, 35 **20** 18 cm

08 비례식은 외항의 곱과 내항의 곱이 같습니다.

3 : 2=6 : 3 ⇨ 외항의 곱: 3×3=9, 내항의 곱: 2×6=12 (×)

8 : 6=4 : 3 ⇨ 외항의 곱: 8×3=24, 내항의 곱: 6×4=24 (○)

09 외항의 곱이 8×2.5=20이므로 내항의 곱도 5×□=20입니다.

5×□=20, □=4

10 2 : 5 ⇨ 6 : 15 (×3), 2 : 5 ⇨ 8 : 20 (×4)

12 소수의 비를 자연수의 비로 나타낸 후 전항과 후항을 두 수의 최대공약수로 나눕니다.

13 소수를 분수로 바꾸어 자연수의 비로 나타낸 후 전항과 후항을 두 수의 최대공약수로 나눕니다.

14 $54\times\frac{4}{4+5}=54\times\frac{4}{9}=24$,

$54\times\frac{5}{4+5}=54\times\frac{5}{9}=30$

15 6 : 5 → 30 : 25 (×5), 15 : 9 → 5 : 3 (÷3)

21 : 28 → 3 : 4 (÷7)

16 8 : 12 → 4 : 6 (÷2), 8 : 12 → 2 : 3 (÷4)

17 8 : 1.4 ⇨ 80 : 14 (×10) ⇨ 40 : 7 (÷2)

18 4 : 5=36 : □

⇨ 4×□=5×36, 4×□=180, □=45

19 9 : 7과 비율이 같은 비를 찾아 비례식으로 나타냅니다.

9 : 7 ⇨ $\frac{9}{7}$, 27 : 28 ⇨ $\frac{27}{28}$,

45 : 35 ⇨ $\frac{45}{35}\left(=\frac{9}{7}\right)$, 7 : 9 ⇨ $\frac{7}{9}$

9 : 7과 비율이 같은 비는 45 : 35이므로 비례식으로 나타내면 9 : 7=45 : 35입니다.

20 진영이가 갖게 되는 색 테이프의 길이는 전체의 $\frac{3}{3+2}=\frac{3}{5}$이므로 $30\times\frac{3}{5}=18$ (cm)입니다.

88~90쪽 단원평가 2회 (A 난이도)

01 전항, 후항　02 3, 4, 6　03 ③
04 3, 3, 4　05 54, 270 ; 30, 270
06 20, 16, 15　07 12, 12, 5, 6　08 10
09 5, 32 ; 3, 5, 48　10 ( )(○)
11 예 12 : 14, 18 : 21　12 (풀이 참조)
13 2, 5, 4, 10 또는 4, 10, 2, 5　14 11 : 3
15 ②　16 4, $\frac{4}{7}$; 3, 3, $\frac{3}{7}$
17 48자루, 36자루　18 275, 55 ; 55 g
19 12, 13　20 6

06 각 항에 5와 4의 최소공배수 20을 곱합니다.

07 각 항을 60과 72의 최대공약수 12로 나눕니다.

08 각 항이 소수 한 자리 수이므로 각 항에 10을 곱해야 합니다.

10 비례식에서 외항의 곱과 내항의 곱이 같은 것을 찾습니다.

11 6 : 7 = 12 : 14 (×2), 6 : 7 = 18 : 21 (×3)

12 9 : □=72 : 56
⇨ □×72=9×56, □=504÷72, □=7
□ : 5=24 : 15
⇨ □×15=5×24, □=120÷15, □=8

13 2 : 5 ⇨ $\frac{2}{5}$, 6 : 8 ⇨ $\frac{6}{8}\left(=\frac{3}{4}\right)$,
4 : 10 ⇨ $\frac{4}{10}\left(=\frac{2}{5}\right)$
비율이 같은 두 비는 2 : 5와 4 : 10이므로 비례식으로 나타내면 2 : 5=4 : 10 또는 4 : 10=2 : 5입니다.

14 (가로) : (세로)=44 : 12이고 전항과 후항을 4로 나누면 11 : 3이 됩니다.

15 80 km를 가는 데 걸리는 시간을 □시간이라고 하여 비례식을 세웁니다.

17 (재석)$=84\times\frac{4}{7}=48$(자루)
(경은)$=84\times\frac{3}{7}=36$(자루)

19 (지연) : (채은)=144 : 156이고 전항과 후항을 12로 나누면 12 : 13이 됩니다.

20 (내항의 곱)=(외항의 곱)=48
8×★=48 ⇨ ★=48÷8, ★=6

91~93쪽 단원평가 3회 (B 난이도)

01 내항　02 10　03 28, 21, 7
04 6, 15, 90 ; 5, 18, 90 ; =　05 3
06 20, 60, 12　07 8, 32 ; 3, 3, 11, 12
08 예 14 : 18, 28 : 36　09 1 : 3
10 5 : 3　11 ②, ③　12 15, 60
13 5 : 2=25 : 10 또는 25 : 10=5 : 2
14 7, 12, 21　15 ㉠, ㉢, ㉡　16 8, 20
17 700, 5 ; 1750원　18 나, 라　19 14개
20 예 민정이네 가족과 경선이네 가족의 사람 수의 비는 6 : 5입니다.
따라서 $66\times\frac{6}{6+5}=36$이므로 민정이네 가족이 갖게 되는 감자는 36 kg입니다. ; 36 kg

08 56 : 72 = 14 : 18 (÷4), 56 : 72 = 28 : 36 (÷2)

09 0.8 : 2.4 ⇨ 8 : 24 ⇨ 1 : 3

10 $1\frac{1}{2}$: 0.9 ⇨ $\frac{3}{2}$: $\frac{9}{10}$ ⇨ 15 : 9 ⇨ 5 : 3

11 비례식에서 외항의 곱과 내항의 곱이 같은 것을 찾습니다.
② 외항의 곱: 2×9=18,
　내항의 곱: 3×6=18 (○)
③ 외항의 곱: 12×2=24,
　내항의 곱: 8×3=24 (○)

12 $75\times\frac{1}{1+4}=75\times\frac{1}{5}=15$,
$75\times\frac{4}{1+4}=75\times\frac{4}{5}=60$

13 24 : 6 ⇨ $\frac{24}{6}$(=4), 5 : 2 ⇨ $\frac{5}{2}$,
25 : 10 ⇨ $\frac{25}{10}\left(=\frac{5}{2}\right)$, 1 : 4 ⇨ $\frac{1}{4}$

비율이 같은 비는 5 : 2와 25 : 10이므로 비례식으로 나타내면 5 : 2=25 : 10 또는 25 : 10=5 : 2입니다.

14 비율을 비로 나타낼 때에는 분자는 전항에, 분모는 후항에 씁니다.

$\frac{4}{7}$ ⇨ 4 : 7, $\frac{12}{21}$ ⇨ 12 : 21이므로 비례식으로 나타내면 4 : 7=12 : 21입니다.

15 ㉠ □ : 4=6 : 8

⇨ □×8=4×6, □=24÷8, □=3

㉡ 6 : 1.4=3 : □

⇨ 6×□=1.4×3, □=4.2÷6, □=0.7

㉢ 5 : □=4 : 1.6

⇨ □×4=5×1.6, □=8÷4, □=2

16 비례식에서 외항의 곱과 내항의 곱은 같습니다.

㉠ : 34=㉡ : 85

34×㉡=680 ⇨ ㉡=680÷34, ㉡=20

㉠×85=680 ⇨ ㉠=680÷85, ㉠=8

17 색종이 5묶음의 값을 ■원이라 하면

2 : 700=5 : ■

⇨ 2×■=700×5, ■=3500÷2, ■=1750

18 3 : 2의 비율은 $\frac{3}{2}$입니다.

직사각형	가	나	다	라
비율	4 : 2 ⇨ $\frac{4}{2}$ (=2)	6 : 4 ⇨ $\frac{6}{4}$ $\left(=\frac{3}{2}\right)$	14 : 8 ⇨ $\frac{14}{8}$ $\left(=\frac{7}{4}\right)$	21 : 14 ⇨ $\frac{21}{14}$ $\left(=\frac{3}{2}\right)$

19 은수가 가진 초콜릿 수를 □개라고 하면

7 : 5=□ : 10

⇨ 5×□=7×10, □=70÷5, □=14

94~96쪽 단원평가 4회 B 난이도

01 4, 18, 6, 12 **02** ① **03** 210, 210
04 6, 5, 30 **05** (왼쪽부터) 2, 12, 3, 3
06 4, 30 ; 4, 4, 40 **07** (○)( )
08 5 **09** 0.4 **10** (선 잇기)
11 16, 20 **12** 630 **13** 4 : 7, 4 : 7
14 같습니다에 ○표
15 3 : 5=24 : 40 또는 24 : 40=3 : 5
16 125 : 104 **17** 16
18 39개 **19** 45 kg
20 지민이와 윤아의 생각은 모두 옳습니다.
; 예 지민이는 가 건물과 나 건물의 높이를 비교해 10 : 20으로 나타낸 것이고 윤아는 비의 성질을 이용하여 10 : 20의 전항과 후항을 각각 10으로 나누어 1 : 2의 간단한 자연수의 비로 나타낸 것입니다.

08 6 : □=24 : 20

⇨ □×24=6×20, □=120÷24, □=5

09 3.2 : 4=□ : 0.5

⇨ 4×□=3.2×0.5, □=1.6÷4, □=0.4

10 • 4.5 : 15 ⇨ 45 : 150 ⇨ 3 : 10

• $\frac{1}{6}$: $\frac{3}{14}$ ⇨ 7 : 9

• 0.32 : 0.8 ⇨ 32 : 80 ⇨ 2 : 5

11 $36\times\frac{4}{4+5}=36\times\frac{4}{9}=16$,

$36\times\frac{5}{4+5}=36\times\frac{5}{9}=20$

12 비례식에서 외항의 곱과 내항의 곱은 같으므로

■×▲=42×15=630입니다.

13 • $\frac{2}{5}$: $\frac{7}{10}$ ⇨ 4 : 7 (×10, ×10)   • 0.4 : 0.7 ⇨ 4 : 7 (×10, ×10)

15 3 : 5 ⇨ $\frac{3}{5}$, 40 : 24 ⇨ $\frac{40}{24}\left(=\frac{5}{3}\right)$,

24 : 40 ⇨ $\frac{24}{40}\left(=\frac{3}{5}\right)$, 9 : 20 ⇨ $\frac{9}{20}$

비율이 같은 두 비는 3 : 5와 24 : 40이므로 비례식으로 나타내면 3 : 5=24 : 40 또는 24 : 40=3 : 5입니다.

16 (정민) : (동생)=$12\frac{1}{2}$: 10.4이고

$12\frac{1}{2}=\frac{25}{2}$, $10.4=\frac{104}{10}$이므로 전항과 후항에 10을 곱하면 125 : 104가 됩니다.

17 $0.8=\frac{8}{10}=\frac{16}{20}$ ⇨ 16 : 20이므로 후항이 20이면 전항은 16입니다.

18 살 수 있는 음료수를 □개라 하면

3 : 1000=□ : 13000

⇨ 1000×□=3×13000, □=39000÷1000, □=39

19 (동건) : (형진)=5 : 4이므로 더 무거운 사람은 동건입니다.

(동건이의 몸무게)$=81\times\frac{5}{5+4}=45$ (kg)

97~99쪽 단원평가 5회 C 난이도

01 9에 ○표 **02** 100 **03** 93 : 35

04 36, 48 **05** 4 : 3 **06** (풀이 생략)

07 $\frac{2}{3}\left(=\frac{6}{9}\right)$ **08** 14명 **09** 15초

10 ② **11** ㉡ **12** 4, 20

13 16, 1, 2

14 예 (가로)+(세로)=220÷2=110 (cm)이므로

(세로)$=110\times\frac{2}{3+2}=44$ (cm)입니다. ; 44 cm

15 800원 **16** 예 3 : 2=9 : 6

17 예 높이를 □cm라고 하면

5 : 7=10 : □ ⇨ 5×□=7×10, □=70÷5, □=14이므로 평행사변형의 넓이는

10×14=140 (cm^2)입니다. ; 140 cm^2

18 1시간 20분 **19** 5 : 4 **20** 21번

02 비 1.6 : 0.03에서 0.03이 소수 두 자리 수이므로 각 항에 100을 곱합니다.

1.6 : 0.03=(1.6×100) : (0.03×100)=160 : 3

04 $84\times\frac{3}{3+4}=84\times\frac{3}{7}=36$

$84\times\frac{4}{3+4}=84\times\frac{4}{7}=48$

05 (은혜) : (석재)=32 : 24이므로 전항과 후항을 8로 나누면 4 : 3이 됩니다.

08 여학생 수를 □명이라 하면 7 : 8=□ : 16

⇨ 8×□=7×16, □=112÷8, □=14

09 걸리는 시간을 □초라 하면

5 : 8=□ : 24

⇨ 8×□=5×24, □=120÷8, □=15

11 ㉠ $1\frac{2}{3}$ ㉡ 2.7 ㉢ $\frac{1}{36}$

12 (외항의 곱)=(내항의 곱)=120÷2=60

3 : ㉠=15 : ㉡에서

3×㉡=60 ⇨ ㉡=20, ㉠×15=60 ⇨ ㉠=4

13 8 : ㉠=㉡ : ㉢

8×㉢=16 ⇨ ㉢=2,

$\frac{8}{㉠}=\frac{1}{2}$ ⇨ ㉠=16, $\frac{㉡}{2}=\frac{1}{2}$ ⇨ ㉡=1

15 형은 지우보다 전체의 $\frac{3-1}{2+3}=\frac{1}{5}$만큼 더 내므로

$4000\times\frac{1}{5}=800$(원) 더 내야 합니다.

16 두 수의 곱이 같은 두 쌍의 카드를 찾아 비례식이 되도록 외항과 내항에 놓습니다.

18 96 km를 가는 데 걸리는 시간을 □분이라 하면

5 : 6=□ : 96

⇨ 6×□=5×96, □=480÷6, □=80

따라서 80분=1시간 20분이 걸립니다.

19 직사각형 ㉠과 사다리꼴 ㉡은 높이가 같으므로 넓이의 비 ㉠ : ㉡은

10×(높이) : (5+11)×(높이)÷2=10 : 8입니다.

10 : 8의 전항과 후항을 2로 나누면 5 : 4가 됩니다.

20 가와 나의 톱니 수의 비는 18 : 30 ⇨ 3 : 5이므로 회전수의 비는 5 : 3입니다.

나가 도는 횟수를 □번이라 하면

5 : 3=35 : □ ⇨ 5×□=3×35, □=21입니다.

100~101쪽 단계별로 연습하는 서술형평가

01 ❶ $\frac{2}{9}, \frac{5}{12}, \frac{2}{9}$ ❷ 2 : 9, 4 : 18

❸ 2 : 9=4 : 18 또는 4 : 18=2 : 9

02 ❶ 0.4, 10, 9, 4 ; 9 : 4 ❷ $\frac{9}{10}$, 10, 9, 4 ; 9 : 4

03 ❶ 예 5 : 9, 25 : ● ❷ 45 ❸ 45 cm

04 ❶ 7, 2, $\frac{7}{9}$ ❷ 예 $1080\times\frac{7}{9}$ ❸ 840 g

01 ❶ $2:9 \Rightarrow \frac{2}{9}$, $10:24 \Rightarrow \frac{10}{24}=\frac{5}{12}$,

$4:18 \Rightarrow \frac{4}{18}=\frac{2}{9}$

❷ $2:9$와 $4:18$의 비율이 $\frac{2}{9}$로 같습니다.

❸ 비례식은 비율이 같은 두 비를 '='를 사용하여 나타낸 식이므로 $2:9=4:18$ 또는 $4:18=2:9$입니다.

03 ❷ $5:9=25:●$, $5\times●=9\times25$, $●=45$

04 ❸ $1080\times\frac{7}{9}=840$ (g)

102~103쪽 풀이 과정을 직접 쓰는 서술형평가

01 예 비의 비율을 기약분수로 나타내어 봅니다.

$3:4 \Rightarrow \frac{3}{4}$, $15:8 \Rightarrow \frac{15}{8}$, $9:12 \Rightarrow \frac{9}{12}=\frac{3}{4}$,

$18:36 \Rightarrow \frac{18}{36}=\frac{1}{2}$

비율이 같은 두 비는 $3:4$와 $9:12$이므로 비례식으로 나타내면 $3:4=9:12$ 또는 $9:12=3:4$입니다. ; $3:4=9:12$ 또는 $9:12=3:4$

02 예 (가의 높이) : (나의 높이)$=15.5:21\frac{1}{2}$입니다.

후항인 $21\frac{1}{2}$을 소수로 고치면 $15.5:21.5$이므로 전항과 후항에 10을 곱하면 $155:215$가 되고 155와 215를 각각 5로 나누면 $31:43$이 됩니다. ; $31:43$

03 예 삼각형의 높이를 ● cm라 하여 비례식을 세우면 $8:3=●:15$이므로 $3\times●=8\times15$, $3\times●=120$, $●=40$입니다.

따라서 삼각형의 높이는 40 cm입니다. ; 40 cm

04 예 (쿠키에 넣어야 하는 밀가루의 양)

$=1530\times\frac{4}{5+4}=1530\times\frac{4}{9}=680$ (g) ; 680 g

05 예 갑과 을이 일한 시간의 비는 $5:9$이므로 98000원을 $5:9$로 나눕니다. 따라서 갑은

$98000\times\frac{5}{5+9}=98000\times\frac{5}{14}=35000$(원),

을은 $98000\times\frac{9}{5+9}=98000\times\frac{9}{14}=63000$(원)

을 받으면 됩니다. ; 35000원, 63000원

02

배점	채점기준
상	높이의 비를 구하여 답을 바르게 구함
중	풀이 과정이 부족하나 답은 맞음
하	문제를 전혀 해결하지 못함

04

배점	채점기준
상	비례배분하여 답을 바르게 구함
중	풀이 과정이 부족하나 답은 맞음
하	문제를 전혀 해결하지 못함

104쪽 밀크티 성취도평가 오답 베스트 5

01 ㉠, ㉣ **02** ⑤ **03** ④
04 24장, 40장 **05** 40초

01 비례식의 외항의 곱과 내항의 곱이 같은 것을 찾아봅니다.

㉠ $3\times100=300$, $5\times60=300$ (○)

㉡ $1.5\times9=13.5$, $4.5\times6=27$ (×)

㉢ $\frac{2}{7}\times7=2$, $\frac{3}{14}\times14=3$ (×)

㉣ $40\times3=120$, $24\times5=120$ (○)

02 형이 가지게 되는 돈은

$10500\times\frac{4}{3+4}=10500\times\frac{4}{7}=6000$(원)입니다.

03 평행사변형 가와 나의 높이가 같으므로 밑변의 길이의 비와 넓이의 비는 같게 됩니다.

따라서 평행사변형 가와 나의 넓이의 비는 $10:16=(10\div2):(16\div2)=5:8$입니다.

04 (윤서가 가질 수 있는 색종이 수)

$=64\times\frac{3}{3+5}=64\times\frac{3}{8}=24$(장)

(지아가 가질 수 있는 색종이 수)

$=64\times\frac{5}{3+5}=64\times\frac{5}{8}=40$(장)

05 35장을 복사하는 데 걸리는 시간을 □초라 하면 $8:7=□:35$이고 외항의 곱과 내항의 곱이 같으므로 $8\times35=7\times□$, $7\times□=280$, $□=40$입니다.

5 원의 넓이

107쪽 쪽지시험 1회

01 원주 02 3.14 03 3.1
04 27.9 cm 05 18.6 cm 06 25.12 cm
07 31.4 cm 08 9 cm 09 11 cm
10 15 cm

02 (원주율)=(원주)÷(지름)=37.68÷12=3.14
04 (원주)=(지름)×(원주율)
=9×3.1=27.9 (cm)
06 (지름)=4×2=8 (cm)
(원주)=(지름)×(원주율)
=8×3.14=25.12 (cm)
07 (원주)=10×3.14=31.4 (cm)
08 (지름)=(원주)÷(원주율)
=27÷3=9 (cm)

108쪽 쪽지시험 2회

01 <, < 02 8, 8, 32 ; 8, 8, 64
03 32, 64 04 192 cm^2 05 1200 cm^2
06 50.24 cm^2 07 314 cm^2 08 2826 cm^2
09 108.5 cm^2 10 77.5 cm^2

02 (원 안의 정사각형의 넓이)=8×8÷2=32 (cm^2)
(원 밖의 정사각형의 넓이)=8×8=64 (cm^2)
04 (원의 넓이)=(반지름)×(반지름)×(원주율)
=8×8×3=192 (cm^2)
06 (반지름)=(지름)÷2=8÷2=4 (cm)
(원의 넓이)=4×4×3.14=50.24 (cm^2)
09 (색칠한 부분의 넓이)
=(지름이 12 cm인 원의 넓이)
−(지름이 2 cm인 원의 넓이)
=6×6×3.1−1×1×3.1
=111.6−3.1=108.5 (cm^2)
10 (색칠한 부분의 넓이)
=(지름이 10 cm인 원의 넓이)
=5×5×3.1=77.5 (cm^2)

109~111쪽 단원평가 1회 (A 난이도)

01 원주 02 03 3.1, 3.14
04 원주율, 3, 5 05 6, 18.84 06 7, 7, 151.9
07 ○, × 08 <, >
09 72 cm^2, 144 cm^2 10 72, 144
11 ( )(○) 12 ( )(○)
13 원주, 지름, 반지름, 반지름 14 11 cm
15 25.12 cm 16 200.96 cm^2 17 111.6 cm^2
18 ⑤ 19 31 cm 20 153.86 cm^2

07 원주는 지름보다 깁니다.
09 (정사각형 ㅁㅂㅅㅇ의 넓이)
=12×12÷2=72 (cm^2)
(정사각형 ㄱㄴㄷㄹ의 넓이)
=12×12=144 (cm^2)
10 원의 넓이는 원 안의 정사각형 ㅁㅂㅅㅇ의 넓이보다 크고 원 밖의 정사각형 ㄱㄴㄷㄹ의 넓이보다 작습니다.
11 ㉠의 길이는 원주의 $\frac{1}{2}$과 같습니다.
12 ㉡의 길이는 원의 반지름과 같습니다.
14 (지름)=(원주)÷(원주율)
=33÷3=11 (cm)
15 (원주)=(지름)×(원주율)
=4×2×3.14=25.12 (cm)
16 (원의 넓이)=(반지름)×(반지름)×(원주율)
=8×8×3.14=200.96 (cm^2)
17 (원의 반지름)=12÷2=6 (cm)
(원의 넓이)=6×6×3.1=111.6 (cm^2)
18 ⑤ (원주율)=(원주)÷(지름)
19 프로펠러의 길이가 10 cm이므로 프로펠러가 돌 때 생기는 원의 지름이 10 cm입니다.
⇨ (원주)=10×3.1=31 (cm)
20 원의 지름은 정사각형의 한 변의 길이와 같습니다.
(원의 반지름)=14÷2=7 (cm)
⇨ (원의 넓이)=7×7×3.14=153.86 (cm^2)

112~114쪽 단원평가 2회 A 난이도

01 원주율　02 ③　03 21, 65.1
04 6, 6, 108　05 2, 31.4, 5　06 ④
07 28.26 cm　08 60 cm^2　09 88 cm^2
10 60, 88　11 49.6 cm^2　12 363 cm^2
13 128, 256　14 21, 7
15 12.4 m, 18.6 m　16 12.4 m^2, 27.9 m^2
17 7　18 1.2 cm　19 675 cm^2
20 252 cm^2

06 원주율은 원의 크기에 관계없이 항상 같습니다.

07 (원주)=(반지름)×2×(원주율)
$=4.5\times2\times3.14=28.26$ (cm)

08 모눈 1칸의 넓이는 1 cm^2이고 원 안의 색칠된 모눈은 60개이므로 넓이는 60 cm^2입니다.

09 원 밖의 굵은 선 안쪽의 모눈은 88개이므로 88 cm^2입니다.

10 원의 넓이는 60 cm^2보다 크고 88 cm^2보다 작습니다.

11 (반지름)$=8\div2=4$ (cm)
(원의 넓이)$=4\times4\times3.1=49.6$ (cm^2)

12 (원의 넓이)$=11\times11\times3=363$ (cm^2)

13 (원 안의 정사각형의 넓이)
$=16\times16\div2=128$ (cm^2)
(원 밖의 정사각형의 넓이)
$=16\times16=256$ (cm^2)
따라서 원의 넓이는 원 안의 정사각형의 넓이보다 크고 원 밖의 정사각형의 넓이보다 작습니다.

14 (직사각형에 가까워지는 도형의 가로)
=(원주)$\times\frac{1}{2}=7\times2\times3\times\frac{1}{2}=21$ (cm)
(직사각형에 가까워지는 도형의 세로)
=(원의 반지름)=7 cm

15 동현: $2\times2\times3.1=12.4$ (m)
윤주: $3\times2\times3.1=18.6$ (m)

16 동현: $2\times2\times3.1=12.4$ (m^2)
윤주: $3\times3\times3.1=27.9$ (m^2)

17 (지름)$=21.98\div3.14=7$ (cm)

18 동전의 지름은 (원주)÷(원주율)이므로
$7.536\div3.14=2.4$ (cm)입니다.
따라서 100원짜리 동전의 지름이 2.4 cm이므로 반지름은 $2.4\div2=1.2$ (cm)입니다.

19 색칠한 부분의 넓이는 반지름이 30 cm인 원의 넓이의 $\frac{1}{4}$입니다.
(색칠한 부분의 넓이)$=30\times30\times3\div4$
$=675$ (cm^2)

20 큰 원의 넓이에서 작은 원의 넓이를 뺍니다.
(큰 원의 넓이)$=10\times10\times3=300$ (cm^2)
(작은 원의 넓이)$=4\times4\times3=48$ (cm^2)
⇨ (색칠한 부분의 넓이)$=300-48=252$ (cm^2)

115~117쪽 단원평가 3회  난이도

01 예 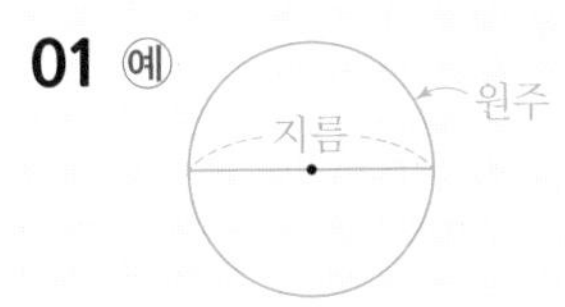

02 3.14

03 ④　04 24, 75.36　05 243 cm^2
06 27.9 cm^2　07 157 cm
08 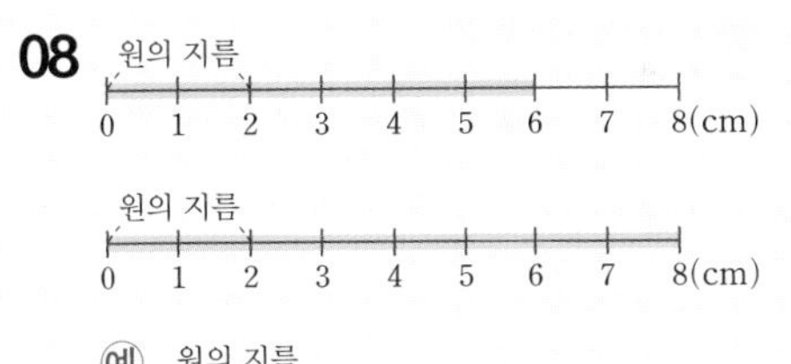

09 3, 4　10 588 cm^2　11 43.4 cm
12 3.1배　13 54 cm　14 28.26 cm^2
15 16 cm　16 390.6 cm　17 ㉡
18 101.4 m　19 428.5 m^2
20 예 원의 지름은 $37.2\div3.1=12$ (cm)이고 반지름은 $12\div2=6$ (cm)입니다.
따라서 원의 넓이는 $6\times6\times3.1=111.6$ (cm^2)입니다. ; 111.6 cm^2

01 지름: 원의 중심을 지나는 선분
원주: 원의 둘레

02 (원주율)=(원주)÷(지름)
$=50.24\div16=3.14$

03 (지름)=(원주)÷(원주율)
$=87\div3$

04 (원주)=(지름)×(원주율)
$=24\times3.14=75.36$ (cm)

05 (원의 넓이)$=9\times9\times3=243$ (cm^2)

06 (원의 넓이)$=3\times3\times3.1=27.9$ (cm^2)

07 (훌라후프의 둘레)$=50\times3.14=157$ (cm)

08 (정육각형의 둘레)$=1\times6=6$ (cm)
(정사각형의 둘레)$=2\times4=8$ (cm)
원주는 정육각형의 둘레보다 길고 정사각형의 둘레보다 짧게 그립니다.

09 원주는 지름의 3배보다 길고 지름의 4배보다 짧습니다.

10 (반지름)$=28\div2=14$ (cm)
⇨ (원의 넓이)$=14\times14\times3=588$ (cm^2)

11 (원주)$=7\times2\times3.1=43.4$ (cm)

12 (둘레)÷(지름)$=46.5\div15=3.1$(배)

13 철사의 길이는 철사로 만든 원의 원주와 같습니다.
⇨ (철사의 길이)$=18\times3=54$ (cm)

14 (원의 넓이)$=3\times3\times3.14=28.26$ (cm^2)

15 반지름을 ■ cm라고 하면
■×■×3=192 ⇨ ■×■=192÷3,
■×■=64, ■=8
따라서 지름은 $8\times2=16$ (cm)입니다.

16 (굴렁쇠가 움직인 거리)
=(굴렁쇠가 한 바퀴 움직인 거리)×3
$=21\times2\times3.1\times3=390.6$ (cm)

17 ㉠ (원의 넓이)$=15\times15\times3.14=706.5$ (cm^2)
⇨ 706.5 cm^2 < 1256 cm^2

18 (재인이가 움직인 거리)
=(지름이 10 m인 원의 원주)
+(직사각형의 가로)×2
$=10\times3.14+35\times2$
$=31.4+70=101.4$ (m)

19 (운동장의 넓이)
=(지름이 10 m인 원의 넓이)+(직사각형의 넓이)
$=5\times5\times3.14+35\times10$
$=78.5+350=428.5$ (m^2)

118~120쪽 단원평가 4회 (B 난이도)

01 3.14, 3.14　02 같습니다에 ○표
03 31.4 cm　04 78.5 cm^2　05 18 cm
06 147 cm^2　07 432 cm^2
08 50 cm^2, 100 cm^2　09 50, 100
10 40 cm　11 25.12 cm　12 15.7 cm
13 ③　14 2 cm　15 108 cm^2
16 25.7 cm　17 376.8 m　18 62 cm
19 155 cm^2
20 예 색칠한 부분의 넓이는 정사각형의 넓이에서 지름이 20 cm인 원의 넓이를 뺀 것과 같습니다.
원의 반지름은 $20\div2=10$ (cm)이므로 색칠한 부분의 넓이는 $20\times20-10\times10\times3=400-300$ $=100$ (cm^2)입니다. ; 100 cm^2

05 (지름)$=56.52\div3.14=18$ (cm)

08 (원 안의 정사각형의 넓이)
$=10\times10\div2=50$ (cm^2)
(원 밖의 정사각형의 넓이)
$=10\times10=100$ (cm^2)

09 원의 넓이는 원 안의 정사각형의 넓이보다 크고 원 밖의 정사각형의 넓이보다 작습니다.

10 (지름)$=124\div3.1=40$ (cm)

11 컴퍼스를 4 cm만큼 벌려서 그린 원의 반지름은 4 cm입니다.
⇨ (원주)$=4\times2\times3.14=25.12$ (cm)

12 (직사각형에 가까워지는 도형의 가로)
$=(\text{원주})\times\frac{1}{2}=5\times2\times3.14\times\frac{1}{2}=15.7$ (cm)

14 반지름을 □ cm라고 하면
□×□×3.14=12.56
⇨ □×□=12.56÷3.14, □×□=4, □=2

15 그릴 수 있는 가장 큰 원의 지름은 12 cm입니다.
(원의 넓이)$=6\times6\times3=108$ (cm^2)

16 (도형의 둘레)
$=\left(\text{반지름이 5 cm인 원의 원주의 }\frac{1}{2}\right)+5\times2$
$=5\times2\times3.14\times\frac{1}{2}+10=25.7$ (cm)

17 (자전거를 타고 달린 거리)

$=$(지름이 40 m인 원의 원주)$\times 3$

$=40\times 3.14\times 3=376.8$ (m)

18 (빨간색 부분의 둘레)

$=\left(\right.$반지름이 10 cm인 큰 원의 원주의 $\left.\frac{1}{2}\right)$

$+$(지름이 10 cm인 작은 원의 원주)

$=\left(10\times 2\times 3.1\times \frac{1}{2}\right)+(10\times 3.1)$

$=31+31=62$ (cm)

19 파란색 부분의 넓이는 반지름이 10 cm인 큰 원의 넓이의 $\frac{1}{2}$과 같습니다.

⇨ $10\times 10\times 3.1\times \frac{1}{2}=155$ (cm^2)

121~123쪽 단원평가 5회 (난이도 C)

01 47.1 cm **02** 363 cm^2

03 (위부터) 10, 8, 50.24, 12, 24

04 3.5 cm **05** 3 cm **06** ×, ○

07 = **08** 2배 **09** ㉡

10 8 cm **11** 8 cm **12** 372 cm

13 다, 가, 나 **14** 2.65 cm **15** ㉢

16 108, 144

17 예 (가장 큰 원의 지름)=(정사각형의 한 변의 길이)

$=32\div 4=8$ (cm),

(가장 큰 원의 반지름)$=8\div 2=4$ (cm),

(가장 큰 원의 넓이)$=4\times 4\times 3.14=50.24$ (cm^2)

; 50.24 cm^2

18 490 cm **19** 86 cm^2

20 예 색칠한 부분의 넓이는 두 번째로 큰 원의 넓이에서 가장 작은 원의 넓이를 뺀 것과 같습니다.

두 번째로 큰 원의 반지름은 $15-5=10$ (cm)이므로 원의 넓이는 $10\times 10\times 3.1=310$ (cm^2)입니다.

가장 작은 원의 반지름은 $15-5-5=5$ (cm)이므로 넓이는 $5\times 5\times 3.1=77.5$ (cm^2)입니다.

따라서 색칠한 부분의 넓이는

$310-77.5=232.5$ (cm^2)입니다. ; 232.5 cm^2

01 (원주)$=15\times 3.14=47.1$ (cm)

02 (반지름)$=22\div 2=11$ (cm)

(원의 넓이)$=11\times 11\times 3=363$ (cm^2)

04 (반지름)$=21.98\div 3.14\div 2=3.5$ (cm)

05 직사각형에 가까워지는 도형의 세로는 원의 반지름과 같습니다.

06 원의 지름이 길어지면 원주도 길어집니다.

07 (원주)÷(지름)=(원주율)이고 원주율은 원의 지름에 대한 원주의 비율로 항상 일정합니다.

08 (가의 원주)$=20\times 3=60$ (cm),

(나의 원주)$=5\times 2\times 3=30$ (cm)

⇨ $60\div 30=2$(배)

> **다른 풀이** 나의 지름은 10 cm이고, 가의 지름은 나의 지름의 2배이므로 원주도 2배입니다.

09 지름이 2 cm인 원의 원주는 지름의 3배인 6 cm보다 길고, 지름의 4배인 8 cm보다 짧은데 지름의 3배에 더 가까우므로 원주와 길이가 가장 비슷한 것은 ㉡입니다.

10 실의 길이는 원주와 같으므로 만든 원의 반지름은 $48\div 3\div 2=8$ (cm)입니다.

11 반지름을 □ cm라고 하면

□×□$\times 3.14=50.24$ ⇨ □×□$=16$, □$=4$

따라서 지름은 $4\times 2=8$ (cm)입니다.

12 (바퀴가 5바퀴 움직인 거리)

$=$(바퀴가 한 바퀴 움직인 거리)$\times 5$

$=24\times 3.1\times 5=372$ (cm)

13 둘레가 길수록 접시도 큽니다.

(다의 둘레)$=15\times 2\times 3.1=93$ (cm)

따라서 93 cm > 55.8 cm > 37.2 cm이므로 큰 접시부터 차례로 쓰면 다, 가, 나입니다.

14 동전을 넣을 수 있도록 구멍을 내려면 구멍의 길이는 가장 큰 500원짜리 동전의 지름보다 길어야 합니다.

따라서 500원짜리 동전의 지름은 $8.321\div 3.14=2.65$ (cm)이므로 구멍은 2.65 cm보다 길어야 합니다.

15 지름이 길수록 큰 원입니다.

㉠ (지름)$=53.38\div 3.14=17$ (cm)

㉢ $(\text{반지름})\times(\text{반지름})\times3.14=254.34$,

$(\text{반지름})\times(\text{반지름})=254.34\div3.14=81$,

$(\text{반지름})=9\,\text{cm}$, $(\text{지름})=9\times2=18\,(\text{cm})$

따라서 지름이 가장 긴 원이 ㉢이므로 가장 큰 원은 ㉢입니다.

16 $(\text{큰 정육각형의 넓이})=24\times6=144\,(\text{cm}^2)$

$(\text{작은 정육각형의 넓이})=18\times6=108\,(\text{cm}^2)$

원의 넓이는 $108\,\text{cm}^2$보다 크고 $144\,\text{cm}^2$보다 작습니다.

18 직선 부분의 길이는 반지름의 8배와 같습니다.

(필요한 끈의 길이)

$=(\text{반지름이 }35\,\text{cm인 원의 원주})+35\times8$

$=35\times2\times3+280=210+280=490\,(\text{cm})$

19 (색칠한 부분의 넓이)

$=(\text{정사각형의 넓이})$

$-(\text{반지름이 }10\,\text{cm인 원의 넓이})$

$=20\times20-10\times10\times3.14$

$=400-314=86\,(\text{cm}^2)$

124~125쪽 단계별로 연습하는 서술형평가

01 ❶ 40, 125.6 ; 125.6 cm

❷ 20, 20, 1256 ; $1256\,\text{cm}^2$

02 ❶ 원주 ❷ 42 cm ❸ 54 cm ❹ 96 cm

03 ❶ 68.2, 3.1, 22, 11 ; 11 cm

❷ 1240, 3.1, 400, 20 ; 20 cm ❸ ㉡

04 ❶ 10, 3, 300 ; $300\,\text{cm}^2$

❷ 8, 3, 144 ; $144\,\text{cm}^2$ ❸ $444\,\text{cm}^2$

01 ❶ $(\text{원주})=(\text{지름})\times(\text{원주율})$

$=40\times3.14=125.6\,(\text{cm})$

❷ $(\text{원의 넓이})=(\text{반지름})\times(\text{반지름})\times(\text{원주율})$

$=20\times20\times3.14=1256\,(\text{cm}^2)$

02 ❶ 종이띠의 길이는 원의 둘레와 같습니다.

❷ $(\text{가의 원주})=14\times3=42\,(\text{cm})$

❸ $(\text{나의 원주})=18\times3=54\,(\text{cm})$

❹ (필요한 종이띠의 길이)

$=(\text{가의 원주})+(\text{나의 원주})$

$=42+54=96\,(\text{cm})$

03 ❸ $11\,\text{cm}<20\,\text{cm}$이고 반지름이 길수록 원이 더 크므로 더 큰 원은 ㉡입니다.

04 ❸ (모양을 만들 때 사용한 색종이의 넓이)

$=(\text{가 색종이의 넓이})+(\text{나 색종이의 넓이})$

$=300+144=444\,(\text{cm}^2)$

126~127쪽 풀이 과정을 직접 쓰는 서술형평가

01 예 $(\text{지름})=12\times2=24\,(\text{cm})$

⇨ $(\text{원주})=24\times3.1=74.4\,(\text{cm})$

⇨ $(\text{원의 넓이})=12\times12\times3.1=446.4\,(\text{cm}^2)$

; 74.4 cm, $446.4\,\text{cm}^2$

02 예 $(\text{가의 지름})=10\times2=20\,(\text{cm})$

$(\text{가의 원주})=20\times3.1=62\,(\text{cm})$

$(\text{나의 지름})=6\times2=12\,(\text{cm})$

$(\text{나의 원주})=12\times3.1=37.2\,(\text{cm})$

(가와 나에 사용된 종이띠의 길이의 차)

$=(\text{가의 원주})-(\text{나의 원주})$

$=62-37.2=24.8\,(\text{cm})$; 24.8 cm

03 예 반지름이 길수록 원이 더 크므로 반지름을 비교해 봅니다.

준용: $(\text{반지름})=74.4\div3.1\div2=12\,(\text{cm})$,

현수: 반지름을 □cm라고 하면

$\square\times\square\times3.1=697.5$

⇨ $\square\times\square=697.5\div3.1$, $\square\times\square=225$,

$\square=15$

따라서 $12\,\text{cm}<15\,\text{cm}$이므로 현수가 그린 원이 더 큽니다. ; 현수

04 예 (가 모양을 만드는 데 사용한 종이의 넓이)

$=(\text{반지름이 }12\,\text{cm인 원의 넓이})$

$=12\times12\times3=432\,(\text{cm}^2)$

(나 모양을 만드는 데 사용한 종이의 넓이)

$=\left(\text{반지름이 }8\,\text{cm인 원의 넓이의 }\frac{1}{2}\right)$

$=8\times8\times3\times\frac{1}{2}=96\,(\text{cm}^2)$

(모양을 만들 때 사용한 종이의 넓이)

$=(\text{가 종이의 넓이})+(\text{나 종이의 넓이})$

$=432+96=528\,(\text{cm}^2)$; $528\,\text{cm}^2$

01

배점	채점기준
상	지름과 반지름을 구하여 답을 바르게 구함
중	풀이 과정이 부족하나 답은 맞음
하	문제를 전혀 해결하지 못함

02

배점	채점기준
상	가와 나의 원주를 구하여 답을 바르게 구함
중	풀이 과정이 부족하나 답은 맞음
하	문제를 전혀 해결하지 못함

03

배점	채점기준
상	반지름 또는 지름을 구하여 답을 바르게 구함
중	풀이 과정이 부족하나 답은 맞음
하	문제를 전혀 해결하지 못함

인정답안

원주 또는 원의 넓이를 이용하여 구한 경우도 답으로 인정합니다.

04

배점	채점기준
상	가와 나 종이의 넓이를 구하여 답을 바르게 구함
중	풀이 과정이 부족하나 답은 맞음
하	문제를 전혀 해결하지 못함

128쪽 밀크티 성취도평가 오답 베스트 5

01 $111.6\ cm^2$ **02** 62.8 cm, $314\ cm^2$
03 ③ **04** = **05** $22.5\ cm^2$

01 (원의 넓이)
$=$(반지름)$\times$(반지름)$\times$(원주율)
$=6\times6\times3.1=111.6\ (cm^2)$

02 (원주)$=20\times3.14=62.8$ (cm)
(넓이)$=10\times10\times3.14=314\ (cm^2)$

03 (반원의 넓이)$=(5\times5\times3)\div2$
$=75\div2=37.5\ (cm^2)$

04 $62\div20=3.1$, $77.5\div25=3.1$

05 정사각형의 넓이에서 원의 넓이를 뺍니다.
$10\times10-5\times5\times3.1$
$=100-77.5=22.5\ (cm^2)$

6 원기둥, 원뿔, 구

131쪽 쪽지시험 1회

01 가, 마 **02** (왼쪽부터) 옆면, 밑면, 높이
03 (위부터) 밑면, 높이 **04** 원기둥
05 1 cm **06** ( )(○) **07** (○)( )
08 (위부터) 2, 3 **09** (위부터) 18, 3
10 (위부터) 30, 10

05 입체도형의 높이는 직사각형의 세로와 같은 1 cm입니다.

09 (옆면의 직사각형의 가로)
$=$(밑면의 원주)$=6\times3=18$ (cm)
(밑면의 반지름)$=6\div2=3$ (cm)

10 (옆면의 직사각형의 가로)
$=$(밑면의 원주)$=5\times2\times3=30$ (cm)
(밑면의 지름)$=5\times2=10$ (cm)

132쪽 쪽지시험 2회

01 나, 마 **02** 라, 바
03 (왼쪽부터) 모선, 높이
04 (왼쪽부터) 구의 중심, 구의 반지름
05 구 **06** 8 cm **07** 10 cm
08 12 cm **09** 원뿔 **10** 5 cm

03 높이: 꼭짓점에서 밑면에 수직인 선분의 길이
모선: 꼭짓점과 밑면인 원의 둘레의 한 점을 이은 선분

04 구의 중심: 구에서 가장 안쪽에 있는 점
구의 반지름: 구의 중심에서 구의 겉면의 한 점을 이은 선분

06 높이는 꼭짓점에서 밑면에 수직인 선분의 길이입니다. ⇨ 8 cm

07 모선은 꼭짓점과 밑면인 원의 둘레의 한 점을 이은 선분입니다. ⇨ 10 cm

08 (밑면의 지름)$=6\times2=12$ (cm)

10 입체도형의 높이는 직각삼각형의 높이와 같으므로 5 cm입니다.

133~135쪽 단원평가 1회 (A 난이도)

01 원기둥 **02** 원기둥의 전개도
03 (위부터) 원뿔의 꼭짓점, 옆면, 밑면
04 (위부터) 밑면, 옆면, 밑면 **05** 마
06 다 **07** 나 **08** 나
09 높이에 ○표 **10** 구의 중심 **11** 원기둥
12 나 **13**
14 **15** 원에 ○표
16 ④ **17** 8 cm **18** 은경
19 25.12 cm **20** 10 cm

05 위와 아래에 있는 면이 서로 평행하고 합동인 원으로 이루어진 입체도형을 찾으면 마입니다.

06 평평한 면이 원이고 옆을 둘러싼 면이 굽은 면인 뿔 모양의 입체도형을 찾으면 다입니다.

07 공 모양의 입체도형을 찾으면 나입니다.

08 가는 옆면과 밑면이 겹치고, 다는 두 밑면이 겹치므로 원기둥을 만들 수 없습니다.

11 직사각형의 한 변을 기준으로 한 바퀴 돌리면 원기둥이 만들어집니다.

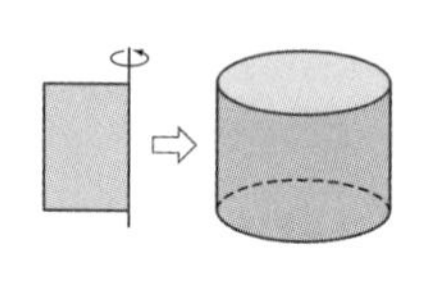

12

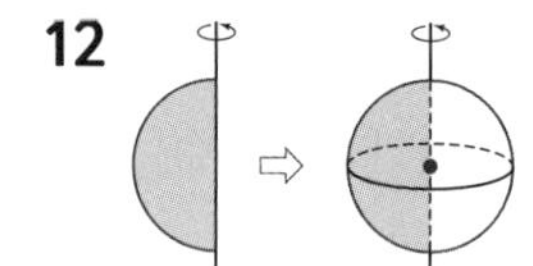

13 원기둥을 위에서 본 모양은 원이고 앞에서 본 모양은 직사각형입니다.

14 원뿔을 위에서 본 모양은 원이고 앞에서 본 모양은 삼각형입니다.

16 원뿔에서 모선은 꼭짓점과 밑면인 원의 둘레의 한 점을 이은 선분이므로 15 cm입니다.
모선의 수는 셀 수 없이 많습니다.

17 원기둥의 높이는 두 밑면에 수직인 선분의 길이이므로 8 cm입니다.

18 두유갑은 사각기둥 모양이고, 음료수 캔은 원기둥 모양이므로 모두 기둥 모양입니다.
두유갑은 사각기둥 모양이므로 옆면이 평평하고 음료수 캔은 원기둥 모양이므로 옆면이 굽은 면입니다.

19 옆면인 직사각형의 가로는 원기둥의 밑면의 둘레와 같으므로 $4\times2\times3.14=25.12$ (cm)입니다.

20

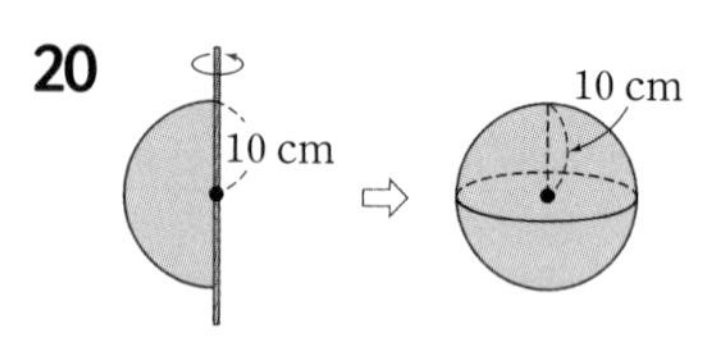

구의 반지름은 반원의 반지름과 같습니다.
⇨ $20\div2=10$ (cm)

136~138쪽 단원평가 2회 (A 난이도)

01

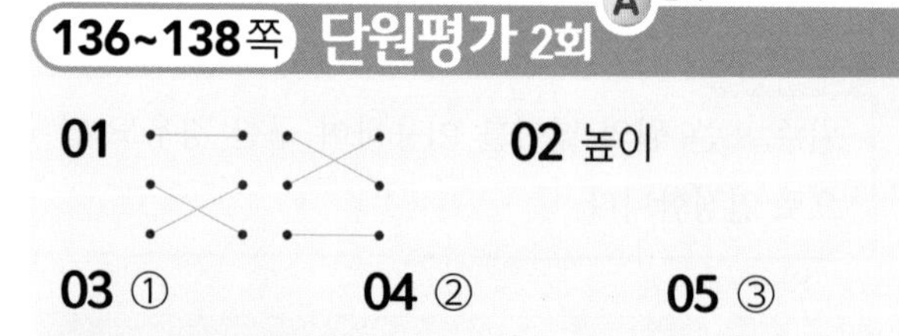

02 높이
03 ① **04** ② **05** ③
06

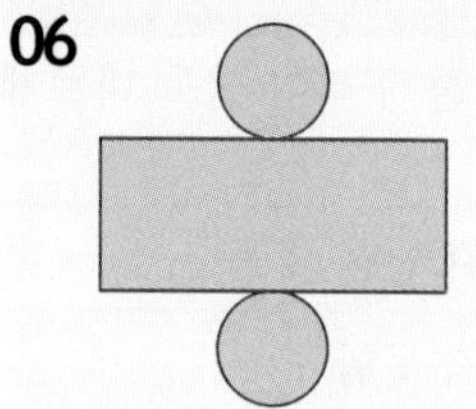

07 (위부터) 원뿔의 꼭짓점, 모선
08 구 **09** ② **10** ㉡
11 ③ **12** 다 **13** ㉢
14 **15** 5 cm, 4 cm, 6 cm
16 지름 **17** 5 cm **18** 4 cm
19 구 **20** 12 cm

04 ② 원기둥에는 모서리가 없습니다.

09 직사각형을 한 변을 기준으로 한 바퀴 돌려 만들 수 있는 입체도형은 원기둥입니다.

10 구의 반지름은 구의 중심에서 구의 겉면의 한 점을 이은 선분입니다.

11 ① 두 밑면이 합동이 아닙니다.
②, ⑤ 옆면이 직사각형이 아닙니다.
④ 두 밑면이 같은 방향에 있습니다.

12 가: 밑면의 지름의 길이 재기

나: 원뿔의 높이 재기

다: 원뿔의 모선의 길이 재기

13 ㉠ 원기둥에서 밑면은 2개입니다.

㉡ 원기둥을 위에서 본 모양은 원입니다.

14 원기둥을 옆에서 본 모양은 직사각형이고 원뿔을 옆에서 본 모양은 삼각형입니다.

15 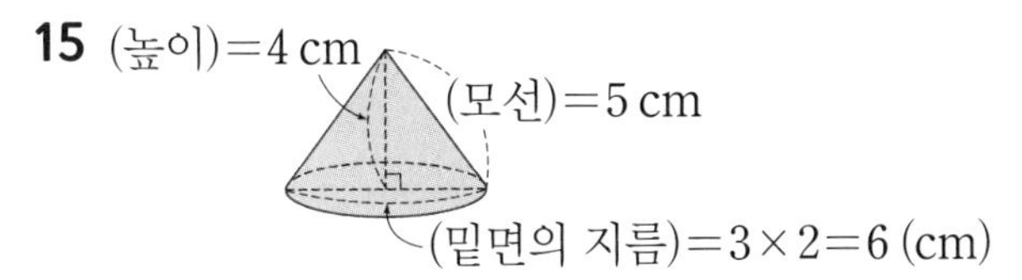

17 (밑면의 지름)=(옆면의 가로)÷(원주율)

$=30 \div 3 = 10$ (cm)

⇨ 밑면의 반지름은 $10 \div 2 = 5$ (cm)입니다.

18 직사각형을 한 변을 기준으로 한 바퀴 돌려 만든 입체도형은 원기둥이고 원기둥의 높이는 직사각형의 가로와 같은 4 cm입니다.

19 위, 앞, 옆에서 본 모양이 모두 원인 것은 구입니다.

20 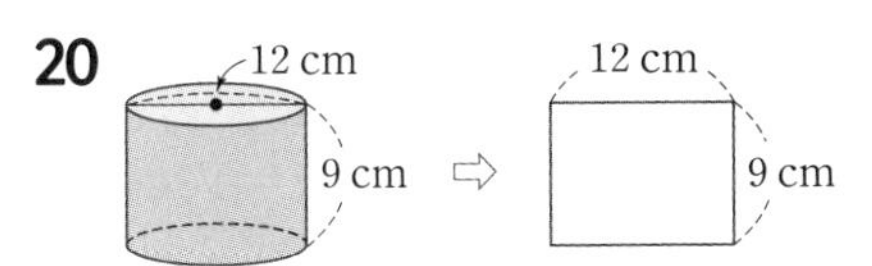

원기둥을 앞에서 본 모양은 가로가 12 cm, 세로가 9 cm인 직사각형입니다.

139~141쪽 단원평가 3회 B 난이도

01 구　　**02** 나, 마

03 (왼쪽부터) 높이, 옆면, 밑면

04 6 cm　　**05** 4 cm　　**06** 원뿔

07 나　　**08** 선분 ㄱㄹ, 선분 ㄴㄷ

09 원기둥의 높이　　**10** 12 cm

11 4 cm　　**12** (위부터) 삼각형, 삼각형

13 ③　　**14** ㉢　　**15** ㉠

16 24.8 cm

17 수지 ; 예 모선의 길이는 꼭짓점에서 밑면인 원의 둘레의 한 점을 이은 선분의 길이이니까 5 cm라고 할 수 있어.

18 12 cm　　**19** 14 cm, 10 cm　　**20** 62

01 공 모양의 입체도형을 구라고 합니다.

02 위와 아래에 있는 면이 서로 평행하고 합동인 원으로 이루어진 입체도형을 찾으면 나와 마입니다.

04 모선은 꼭짓점에서 밑면인 원의 둘레의 한 점을 이은 선분이므로 6 cm입니다.

05 높이는 두 밑면에 수직인 선분의 길이이므로 4 cm입니다.

06 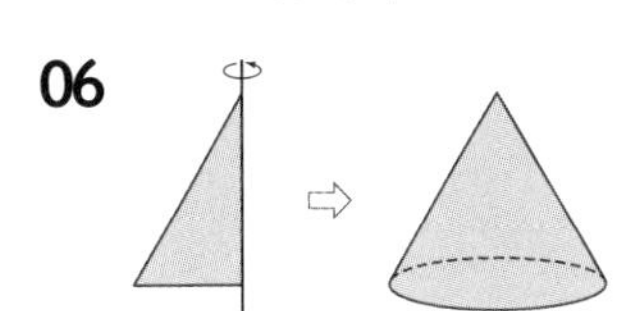

07 나에서 두 밑면은 합동이지만 마주 보고 있지 않고 옆면도 직사각형이 아니므로 원기둥의 전개도가 아닙니다.

08 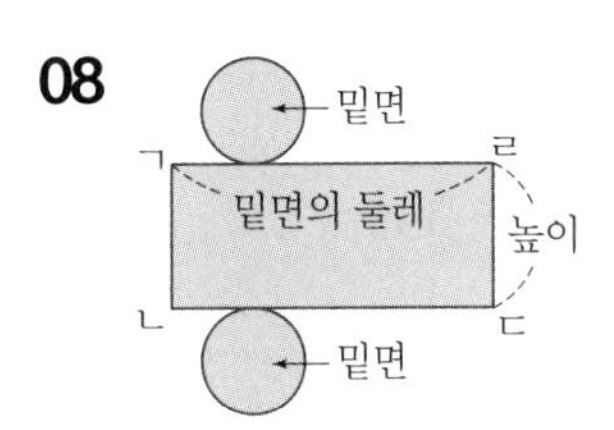

10 원뿔의 밑면의 지름을 재는 그림은 첫 번째 그림입니다.

⇨ (밑면의 지름)=12 cm

11 구의 반지름은 반원의 반지름과 같습니다.

⇨ $8 \div 2 = 4$ (cm)

13 ③ 원기둥에는 꼭짓점이 없습니다.

14 ㉠, ㉡, ㉣을 위에서 본 모양: 원

㉢을 위에서 본 모양: 사각형

15 원기둥: ㉠, ㉡

원뿔: ㉠, ㉢

16 (선분 ㄱㄹ)=(밑면의 둘레)

$=4 \times 2 \times 3.1 = 24.8$ (cm)

18 원기둥을 앞에서 본 모양이 정사각형이므로 원기둥의 높이는 정사각형의 한 변의 길이와 같은 12 cm입니다.

19 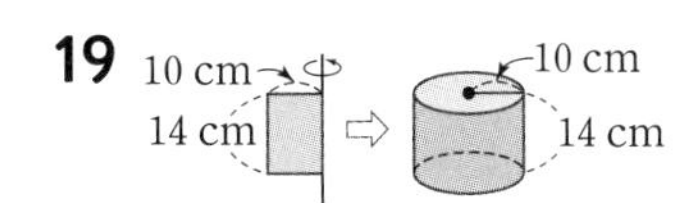

20 (옆면의 가로)=(밑면의 둘레)

$=10 \times 2 \times 3.1 = 62$ (cm)

142~144쪽 단원평가 4회 (B 난이도)

01 (△)(　)(○)

02 (왼쪽부터) 모선, 옆면, 원뿔의 꼭짓점, 높이, 밑면

03

04 (왼쪽부터) 구의 중심, 구의 반지름

05 원, 직사각형　　06 9

07 　,

08  ,

09 ㉠　　10 ㉠, ㉤　　11 구

12 ㉠　　13 (위부터) 2, 원 ; 1, 사각형

14 예 두 밑면이 합동이 아닙니다.

15 (왼쪽부터) 31.4, 10, 10　　16 9 cm

17 4.5 cm　　18 (위부터) 5, 6

19 (위부터) 6, 5　　20 ㉮, 1 cm

01 원뿔: 평평한 면이 원이고 옆을 둘러싼 면이 굽은 면인 뿔 모양의 입체도형
구: 공 모양의 입체도형

02 옆면: 옆을 둘러싼 굽은 면
원뿔의 꼭짓점: 뾰족한 부분의 점
밑면: 평평한 면
모선: 꼭짓점과 밑면인 원의 둘레의 한 점을 이은 선분
높이: 꼭짓점에서 밑면에 수직인 선분의 길이

03 원기둥에서 서로 평행하고 합동인 두 면을 밑면이라고 합니다.

04 만든 입체도형은 구입니다.
구의 중심: 구에서 가장 안쪽에 있는 점
구의 반지름: 구의 중심에서 구의 겉면의 한 점을 이은 선분

06 원기둥의 전개도에서 옆면은 직사각형이고, 직사각형의 세로는 원기둥의 높이와 같습니다.

09 ㉡ 모선은 선분 ㄱㄷ입니다.
㉢ 높이는 선분 ㄱㄴ입니다.
㉣ 원뿔의 꼭짓점은 점 ㄱ입니다.

10 ㉡ 옆면이 직사각형이 아닙니다.
㉢ 두 밑면이 합동이 아닙니다.
㉣ 두 밑면이 겹칩니다.

11 구는 어떤 방향에서 보아도 원으로 모양이 같습니다.

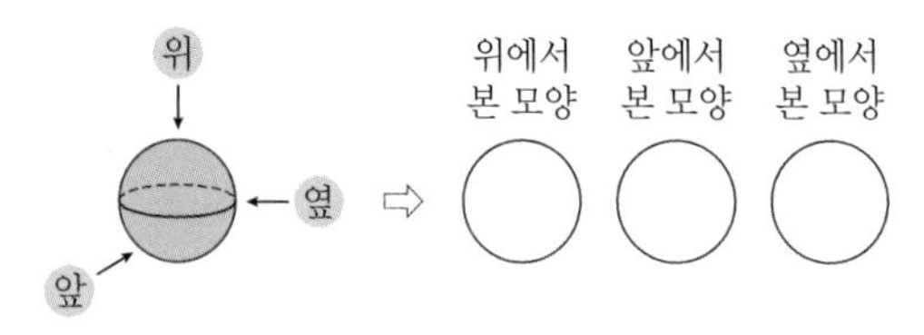

12 ㉠ 2개　㉡ 1개 ⇨ ㉠>㉡

15 (옆면의 가로)$=10\times3.14=31.4$ (cm)
(옆면의 세로)=(원기둥의 높이)$=10$ cm
(밑면의 지름)$=5\times2=10$ (cm)

16 (팽이의 높이)=(원기둥의 높이)+(원뿔의 높이)
$=5+4=9$ (cm)

17 (밑면의 지름)=(옆면의 가로)÷(원주율)
$=27\div3=9$ (cm)
⇨ (밑면의 반지름)$=9\div2=4.5$ (cm)

20 입체도형 ㉮의 높이는 6 cm, 입체도형 ㉯의 높이는 5 cm이므로 ㉮의 높이가 $6-5=1$ (cm) 더 높습니다.

145~147쪽 단원평가 5회 (C 난이도)

01 원기둥의 전개도　　02 ㉢, ㉣

03 　　04 예 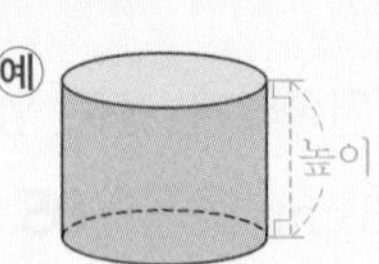

05 구의 중심, 구의 반지름

06 선분 ㄱㄴ, 선분 ㄱㄷ, 선분 ㄱㅁ, 선분 ㄱㅂ

07 원뿔　　08 ; (위부터) 5, 4, 6

09 18 cm　　10 (왼쪽부터) 2, 6, 12

11 ㉢　　12 ⑤　　13 지혜

14 예 두 밑면이 서로 평행하지만 합동이 아닙니다.

15 3 cm, 4 cm　　16 8 cm

17 원기둥, 6 cm

18 예

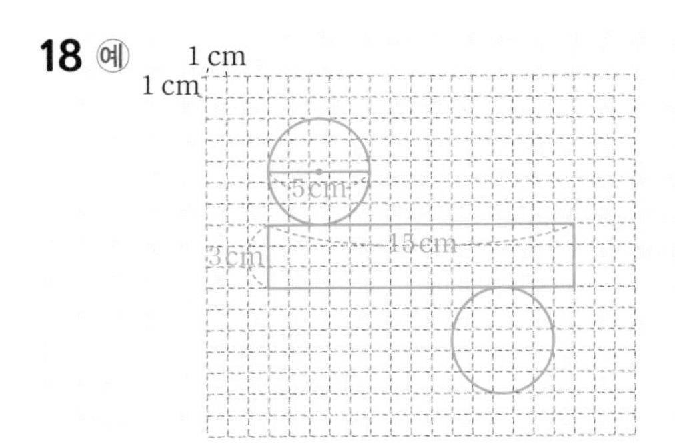

19 6 cm

20 예 모선의 길이는 5 cm로 모두 같으므로 입체도형을 앞에서 보았을 때 생기는 모양은 오른쪽과 같이 네 변의 길이가 5 cm인 마름모입니다.

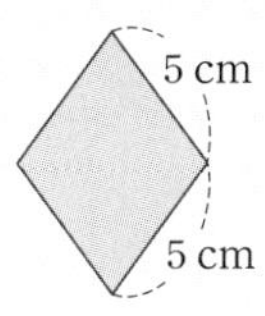

⇨ (둘레) $=5\times4=20$ (cm) ; 20 cm

04 두 밑면에 수직인 선분을 나타냅니다.

06 모선은 꼭짓점과 밑면인 원의 둘레의 한 점을 이은 선분이므로 선분 ㄱㄴ, 선분 ㄱㄷ, 선분 ㄱㅁ, 선분 ㄱㅂ입니다.

07 직각삼각형에서 한 변을 기준으로 한 바퀴 돌리면 원뿔이 만들어집니다.

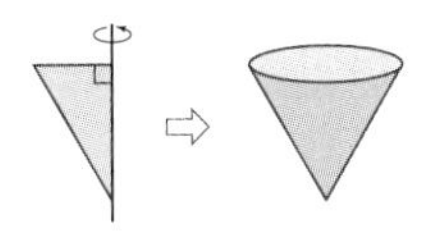

09 만들어진 입체도형은 구이고 구의 지름은 반원의 지름과 같습니다. ⇨ $9\times2=18$ (cm)

10

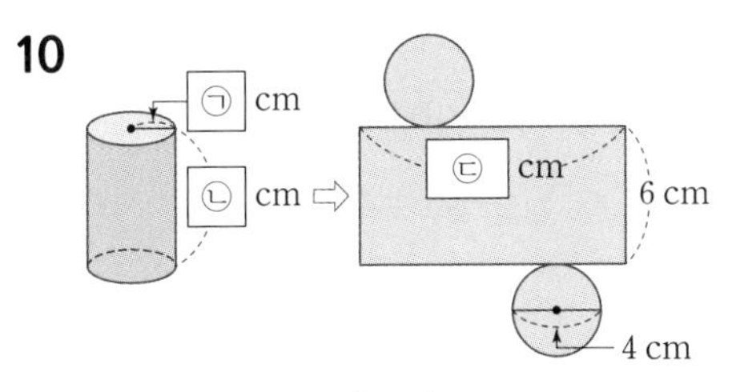

㉠ $=4\div2=2$ (cm)

㉡ $=$ (옆면의 세로) $=6$ cm

㉢ $=$ (밑면의 둘레) $=4\times3=12$ (cm)

11 구는 어떤 방향에서 보아도 원으로 보입니다.

12 ⑤ 구는 어떤 방향에서 보아도 모양이 모두 원입니다.

13 • 원기둥과 각기둥은 옆에서 본 모양이 모두 직사각형입니다.

• 원기둥의 밑면은 원이고 각기둥의 밑면은 다각형입니다.

15 만들어진 입체도형은 원기둥입니다.

(높이) $=3$ cm,

(밑면의 지름) $=2\times2=4$ (cm)

16 (밑면의 지름) $=49.6\div3.1=16$ (cm)

⇨ (밑면의 반지름) $=16\div2=8$ (cm)

17 원기둥의 높이는 15 cm, 원뿔의 높이는 9 cm이므로 원기둥의 높이가 $15-9=6$ (cm) 더 높습니다.

19 원기둥의 전개도에서 옆면은 직사각형이므로 가로와 세로의 합은 $48\div2=24$ (cm)입니다.

원기둥의 높이와 밑면의 지름이 같으므로 원기둥의 높이를 □ cm라 하면

$\square\times3+\square=24$, $\square\times4=24$, $\square=6$입니다.

148~149쪽 단계별로 연습하는 서술형평가

01 ❶ 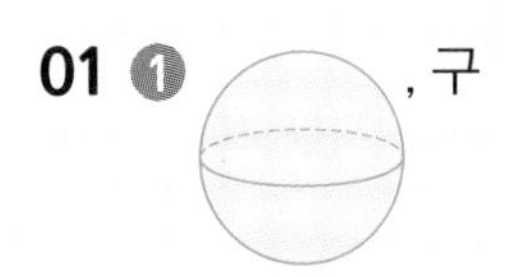 , 구

❷ 같으므로에 ○표, 셀 수 없이 많습니다에 ○표

❸ 진수

02 ❶ 원, 굽은에 ○표

❷ 원뿔에 ○표, 원기둥에 ○표 ; 2, 1

03 ❶ 원, 직사각형, 마주 보게

❷ 예 나란히 그려져 있으므로

04 ❶ 밑면에 ○표 ❷ 14 cm ❸ 14 cm

❹ 14 cm

01 ❸ 구의 반지름은 셀 수 없이 많으므로 구에 대하여 잘못 설명한 사람은 진수입니다.

04 ❶ 원뿔을 위에서 본 모양은 원뿔의 밑면과 같습니다.

❷ 원뿔의 밑면의 지름은 반지름의 2배이므로 $7\times2=14$ (cm)입니다.

❸ 앞에서 본 모양인 정삼각형의 한 변의 길이는 원뿔의 밑면의 지름과 같으므로 14 cm입니다.

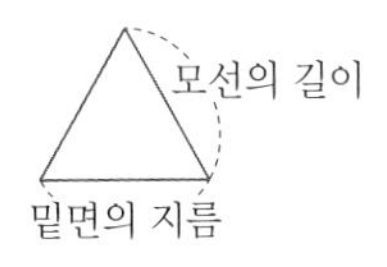

❹ 모선의 길이는 앞에서 본 모양인 정삼각형의 한 변의 길이와 같으므로 14 cm입니다.

150~151쪽 풀이 과정을 직접 쓰는 서술형평가

01 동현 ; 예 원기둥에는 꼭짓점이 없습니다.
따라서 잘못 말한 학생은 동현입니다.

02 원기둥, 각기둥 ; 예 밑면의 모양이 원기둥은 원이고 각기둥은 다각형입니다.
각기둥은 옆면이 직사각형이지만 원기둥은 옆면이 굽은 면입니다.

03 예 원지가 그린 전개도는 두 밑면이 합동이 아닙니다. 동규가 그린 전개도는 옆면이 직사각형이 아닙니다.

04 예 블록의 밑면의 지름은 반지름의 2배이므로 $8\times2=16$ (cm)입니다.
블록을 앞에서 본 모양이 직사각형이므로 직사각형의 가로는 블록의 밑면의 지름과 같고 세로는 블록의 높이와 같습니다. 이때 세로가 가로보다 3 cm 더 길므로 블록의 높이는 밑면의 지름보다 3 cm 더 깁니다.
따라서 블록의 높이는 $16+3=19$ (cm)입니다.
; 16 cm, 19 cm

01

배점	채점기준
상	원기둥의 모양을 보고 잘못 말한 사람을 찾아 이유를 바르게 썼음
중	이유는 틀렸으나 답은 맞음
하	문제를 전혀 해결하지 못함

02

배점	채점기준
상	분류한 입체도형의 이름을 바르게 쓰고 두 입체도형의 다른 점을 바르게 썼음
중	다른 점은 틀렸으나 입체도형의 이름은 맞음
하	문제를 전혀 해결하지 못함

인정답안
두 입체도형의 다른 점을 한 가지만 쓴 경우도 답으로 인정합니다.

03

배점	채점기준
상	이유를 각각 바르게 썼음
중	한 사람의 잘못된 이유만 바르게 썼음
하	문제를 전혀 해결하지 못함

04

배점	채점기준
상	원기둥을 위에서 본 모양과 앞에서 본 모양을 이용하여 답을 바르게 구함
중	풀이 과정이 부족하나 답은 맞음
하	문제를 전혀 해결하지 못함

152쪽 밀크티 성취도평가 오답 베스트 5

01 15 cm **02** ③
03 17 cm, 15 cm **04** 24.8 cm
05 ⑤

01 원기둥에서 두 밑면에 수직인 선분의 길이를 높이라고 합니다.

02 ③ 원기둥에는 꼭짓점이 없습니다.

03 모선은 원뿔의 꼭짓점과 밑면인 원의 둘레의 한 점을 이은 선분이므로 17 cm입니다.
높이는 꼭짓점에서 밑면에 수직인 선분의 길이이므로 15 cm입니다.

04 밑면의 반지름은 4 cm이고,
옆면의 가로의 길이는 밑면의 둘레와 같으므로
(밑면의 지름) $\times$ (원주율) $=4\times2\times3.1$
$=24.8$ (cm)입니다.

05 옆면의 가로의 길이는 밑면의 둘레와 같으므로
$6\times3.14=18.84$ (cm)입니다.
옆면의 세로는 4 cm이므로
(옆면의 넓이) $=18.84\times4=75.36$ (cm^2)입니다.

단계별 수학 전문서

[개념·유형·응용]

수학의 해법이 풀리다!

해결의 법칙 시리즈

단계별 맞춤 학습

개념, 유형, 응용의 단계별 교재로
교과서 차시에 맞춘 쉬운 개념부터
응용·심화까지 수학 완전 정복

혼자서도 OK!

이미지로 구성된 핵심 개념과 셀프 체크,
모바일 코칭 시스템과 동영상 강의로
자기주도 학습 및 홈 스쿨링에 최적화

300여 명의 검증

수학의 메카 천재교육 집필진과
300여 명의 교사·학부모의
검증을 거쳐 탄생한 친절한 교재

흔들리지 않는 탄탄한 수학의 완성! (초등 1~6학년 / 학기별)

정답은
이안에
있어!

주의 책 모서리에 다칠 수 있으니 주의하시기 바랍니다.
부주의로 인한 사고의 경우 책임지지 않습니다.

초등학교	학년	반	번
이름			

book.chunjae.co.kr

교재 내용 문의 ………… 교재 홈페이지 ▸ 초등 ▸ 교재상담
교재 내용 외 문의 ………… 교재 홈페이지 ▸ 고객센터 ▸ 1:1문의
발간 후 발견되는 오류 ………… 교재 홈페이지 ▸ 초등 ▸ 학습지원 ▸ 학습자료실

ISBN 979-11-259-6922-8
정가 11,000원

My name~

초등학교
학년 반 번
이름